~~PERFEIÇÃO~~ NÃO, FELICIDADE!

Poppy Jamie

Atualize sua mente, desafie seus pensamentos e livre-se da ansiedade

TRADUÇÃO DE SOFIA SOTER

Dados Internacionais de Catalogação na Publicação (CIP)
(Câmara Brasileira do Livro, SP, Brasil)

Jamie, Poppy
    Perfeição não, felicidade!: atualize sua mente, desafie seus pensamentos e livre-se da ansiedade / Poppy Jamie; [tradução Sofia Soter]. – 1. ed. – São Paulo: Editora Melhoramentos, 2022.

    Título original: Happy not perfect: upgrade your mind, challenge your thoughts, and free yourself from anxiety
    ISBN 978-65-5539-468-9

    1. Ansiedade 2. Autoajuda 3. Autorrealização (Psicologia) 4. Felicidade I. Título.

22-115976   CDD-158.1

Índices para catálogo sistemático:
1. Ansiedade: Autoajuda: Psicologia 158.1

Eliete Marques da Silva – Bibliotecária – CRB-8/9380

Título original: *Happy Not Perfect – Upgrade Your Mind, Challenge Your Thoughts, and Free Yourself from Anxiety*

Copyright © 2021 Poppy Jamie
Esta edição foi publicada em acordo com a Rodale Books, uma marca da Random House, uma divisão da Penguin Random House LLC.
Direitos desta edição negociados pela Agência Literária Riff Ltda.

Tradução de © Sofia Soter
Preparação: Sandra Pina
Revisão: Sérgio Nascimento e Patrícia Santana
Projeto gráfico e diagramação: Carla Almeida Freire

Toda marca registrada citada no decorrer do livro possui direitos reservados e protegidos pela de lei de Direitos Autorais 9.610/1998 e outros direitos.

Direitos de publicação:
© 2022 Editora Melhoramentos Ltda.
Todos os direitos reservados.

1.ª edição, agosto de 2022
ISBN: 978-65-5539-468-9

Atendimento ao consumidor:
Caixa Postal 729 – CEP 01031-970
São Paulo – SP – Brasil
Tel.: (11) 3874-0880
sac@melhoramentos.com.br
www.editoramelhoramentos.com.br

Siga a Editora Melhoramentos nas redes sociais:
❚❙ ◉ /editoramelhoramentos

Impresso no Brasil

*Para meus pais, Pippa e Ian, que são as almas
por trás da Happy Not Perfect. Vocês me
ensinaram que, o que quer que aconteça,
há sempre luz no que parece ser escuridão.*

SUMÁRIO

Prefácio 9
Introdução Hora do alongamento 11

PARTE UM FODEU
capítulo um Minhas crenças centrais tóxicas 23
capítulo dois O balde de água fria da realidade 54
capítulo três Por que seu cérebro é tão babaca 70

PARTE DOIS FLEXIBILIZE SUA VIDA
capítulo quatro O que é o pensamento flexível? 99
capítulo cinco Conexão 113
capítulo seis Curiosidade 137
capítulo sete Critério 152
capítulo oito Compromisso 167

PARTE TRÊS FLEX NA VIDA REAL
capítulo nove Passado Flex 185
capítulo dez Cultura Flex 212
capítulo onze Confiança Flex 244
capítulo doze Futuro Flex 272

Agradecimentos 302

PREFÁCIO

Como todos os seres humanos, cada um de nós tenta ser feliz. O problema é que a maioria de nós não sabe o que nos faz felizes... só acha que sabe. Como resultado, passamos um tempo imenso sem entender que muitas das ações nas quais nos envolvemos em busca da felicidade na verdade são demonstrações para provar nosso valor por meio da aprovação alheia, acreditando que tal aprovação irá nos fazer felizes. Seja uma promoção no emprego, um carro ou acessório novo, ou uma casa maior, cada uma dessas coisas só resulta na sensação transitória de felicidade. Por quê? Porque não entendemos que a felicidade não ocorre externamente, e sim internamente. Felicidade não é uma manifestação do que temos, mas de quem somos. Muitas pessoas por aí tentam demonstrar que está tudo bem com elas pela aparência de sucesso material. Tal ilusão pode cobrar um preço muito alto, resultando em pioras na autoestima, insegurança e ansiedade... apresentando um sorriso para o mundo, apesar de sentir-se profundamente infeliz.

Perfeição não, felicidade! conta a história da trajetória de Poppy Jamie na compreensão dessa realidade. Por todas as medidas, Poppy parecia "ter tudo", mas, no fundo, sofria com insegurança, ansiedade e o medo de que outros descobrissem que ela era uma impostora. Todo o trabalho que fez para ter sucesso só levou a mais infelicidade. O que percebeu foi que as feridas da infância contribuíram em grande parte nisso. Feridas que nunca encarou, sentimentos que não entendia... ela era uma atriz na realidade de outra pessoa, sorridente, bem-sucedida... perfeita, mas não feliz.

O que Poppy faz em *Perfeição não, felicidade!* é expor evidências de uma legião de pensadores renomados, vivos e mortos, e demonstrar a realidade de que buscar por perfeição é contraproducente; que, antes de sermos felizes, devemos nos oferecer compaixão; e que, em última instância, a solução para nossa felicidade não é externa, mas sim interna. Ela oferece inúmeros exemplos e técnicas práticas que nos dão as ferramentas necessárias para arquitetar nossa própria felicidade e reconhecer que, para ser feliz, não é preciso ser perfeito.

DR. JAMES R. DOTY

Autor de *A maior de todas as mágicas: a história real de um neurocirurgião e suas descobertas sobre o poder da meditação e da compaixão*, livro best-seller do *New York Times*, editor do *Oxford Handbook of Compassion Science* e fundador e diretor do Centro de Pesquisa e Educação em Compaixão e Altruísmo da Universidade Stanford.

introdução

HORA DO ALONGAMENTO

Frequentemente nosso maior medo é o que mais nos torna humanos: nossa capacidade de sentir.

Nossos sentimentos, como a correnteza do mar, podem ser imprevisíveis, vastos, ferozes, imóveis e envolventes. Tememos o que nos torna vulneráveis e também o que nos dá poder. Mas quem pode nos culpar? Emoção pode ser um negocinho doloroso.

Bem quando a gente está entrando no ritmo, a vida está gostosa, a confiança vai crescendo, uma orquestra agitada está prestes a tocar... de repente, *pá pum pow*, levamos uma emoção feia no meio da fuça. Ondas de raiva, frustração, ansiedade, arrependimento, vergonha e constrangimento (entre outras) podem estourar nosso balão do nada e nos deixar perdidos.

Você se lembra da primeira vez em que se sentiu murchar por causa de uma emoção intensa? Ou se lembra de alguém mandar você *parar de chorar*? *Para com essa raiva! Relaxa, se acalma!* Aprendemos que emoções fortes são grosseiras, de mau gosto, erradas ou feias. Dizem para a gente *ser quem é* e, ao mesmo tempo, avisam para *parar de frescura*. Tentei incessantemente encontrar o equilíbrio perfeito de "emoção certinha", mas "sem ser demais". Não é surpresa que fracassei, e acabei com medo dos meus sentimentos, rezando para eles não meterem a cara feia e inconveniente onde não eram chamados – o que eles fizeram, inúmeras vezes.

Desde minha primeira memória, minhas emoções são que nem um grupo de crianças muito mal-educadas. Fogem quando não quero. Fazem barulho quando não devem. São chatas, não calam a boca, fazem malcriação e mal me escutam. Já me meteram em confusões obscenas ao longo dos anos e me causaram ataques de riso e/ou choro nos momentos mais inadequados. (Procure no Google "jornalista começa a rir após cair da cadeira ao entrevistar Jude Law" para ver uma tentativa muito pública minha de me manter sob controle enquanto ria histericamente na televisão aos 21 anos.)

Depois de anos de guerra emocional, comecei a considerar: e se a gente aproveitasse nossas reações bioquímicas (o que os sentimentos de fato são) e as usasse de chave para a liberdade? Imagine o que aconteceria se, em vez de brigar com os sentimentos, a gente usasse sua sabedoria para (1) nos entender melhor, (2) nos livrar das amarras do passado e (3) curar nossas crenças fundamentais tóxicas para criar novas possibilidades de futuro. Estou falando de virar sommelier de sentimentos.

Vivemos em uma cultura que aparentemente hierarquiza emoções. *Feliz* é comemorado como o estado ideal ao qual todos devemos almejar, o lugar de *tranquilidade, tudo ótimo*. Aprendi rápido a viver pelas aparências. A tentar desesperadamente fazer e dizer as supostas coisas certas para me encaixar e parecer *sempre* simpática, feliz e sorridente – tudo o que me disseram que uma garota educada deveria ser. No entanto, como não me permiti sentir e me expressar com honestidade, estava, sem notar, cortando minha conexão com a maior fonte de orientação que temos: emoções honestas e sem filtro.

Muitos de nós nos afastamos da integridade para apresentar as identidades que nos são dadas e, nessa separação, começamos a perder a noção dos nossos desejos, vontades e paixões mais profundos. Do que acende mesmo nossa alma. Em vez disso, damos atenção a outras pessoas e seguimos as ideias delas de como viver. Dependemos de fontes externas de validação e da opinião popular para nos orientar.

O dia em que comecei a aprender a aceitar minhas emoções e questionar o verdadeiro significado da felicidade para mim foi o dia em que senti uma clareza incomparável. Ao contrário do que eu imaginava, a felicidade não se encontrava nos momentos perfeitos que eu desejava com tanta avidez, nem na aprovação externa, mas sim na beleza da bagunça, na força que surge dos desafios, na capacidade de me valorizar antes de precisar ser valorizada, e na disposição para enxergar as coisas de outro jeito. A felicidade pode ser dolorosa e alegre em igual medida; é agridoce; puxa e empurra; sobe e desce; e nem sempre vem com sorriso. Como teria dito Aristóteles, é um estado de atividade. É uma prática.

Não é estranho que consideremos tão pouco por que estamos fazendo o que fazemos pelo fato de estarmos tão envolvidos na vida? Em geral vivemos distraídos, um dia passando para o próximo, iguais em aparência e sensação, e nossos hábitos rapidamente nos controlam mais do que os controlamos. Eu acreditava que o sucesso convencional era a solução para todos os problemas. Se trabalhasse mais e chegasse à terra da conquista e da perfeição, certamente a felicidade viria junto. Contudo, que nem o pote de ouro no fim do arco-íris, esse lugar só foi se distanciando. Por mais que eu conquistasse, nunca bastava, porque as preocupações e inseguranças continuavam ali. Por mais que eu me esforçasse, nunca bastava, porque só via defeitos constantes. Pensamentos escrotos enxameavam minha cabeça, como se eu tivesse cutucado uma colmeia. Vivia em um mundo interior de provocações: "ainda não está bom!".

Eu tinha 26 anos e estava prestes a me apresentar em uma conferência de empreendedores na faculdade de administração de Harvard. Andando pelo campus daquela instituição de prestígio, minhas velhas aminimigas – a ansiedade e a síndrome do impostor – voltaram com tudo, e eu estava desesperadamente tentando respirar fundo e aguentar a crise fervendo dentro de mim.

Quem eu achava que era, para me apresentar em Harvard?

Se você olhasse meu Instagram ou meu LinkedIn naquele mesmo dia, suporia que minha vida era #top. Tinha acabado de apresentar meu *talk show* no Snapchat, com público de milhões de pessoas, e fundara e lançara a marca de acessórios Pop & Suki com minha melhor amiga e sócia, Suki Waterhouse. Tinha fundado a Happy Not Perfect,[1] uma empresa de tecnologia com foco em saúde mental, para acalmar mentes ansiosas (como a minha, naquele mesmo momento). Eu tinha acabado de arrecadar milhões de dólares de financiamento para meus empreendimentos. Eram poucas

---

1 Em inglês, também o título deste livro, cuja tradução literal seria "Feliz, não perfeita". (N.E.)

as mulheres fundadoras de empresa na época e, entre as que conhecia, eu era uma das únicas que conseguira fazer negócios. Estava indo e vindo entre três cidades e conhecendo alguns dos maiores pensadores do mundo. Minha cara estava estampada em revistas. As bolsas e joias que tínhamos criado eram usadas por estrelas mundiais, como Lady Gaga e Beyoncé. A vida parecia toda dourada, mas era ouro de tolo. Minha realidade interna era um poço de inseguranças.

Naquele dia, cheguei a Cambridge, Massachusetts, chocada e incrédula por alguém querer mesmo ouvir o que eu tinha a dizer. Era um momento maior do que eu já conseguira imaginar, um reconhecimento de que eu era uma empreendedora de verdade. Quando criança, morando no interior da Inglaterra e brincando no feno, eu teria ficado atônita se soubesse disso. Mesmo assim, andando pelo Harvard Yard,[2] fiquei confusa. Tinha feito sacrifícios enormes para chegar ali – fazia anos que não namorava, morava a milhares de quilômetros da minha família, vivia perdendo aniversários e férias – e finalmente estava sendo reconhecida pelo meu trabalho. Certamente, naquele ponto, minhas inseguranças teriam ido embora, e eu estaria gloriosamente *feliz*, não? Estava vivendo um sonho objetivamente deslumbrante, que passara cada minuto me esforçando para criar, mas ainda estava cheia de ansiedade tóxica e pensamentos críticos. Na cabeça, só ouvia minhas inseguranças violentas. Os mesmos xingamentos do parquinho continuavam a se repetir.

É isso o mais chocante da mente: por mais que a gente tente, nada de externo pode resolver uma batalha interna. Não importam as conquistas, as notas, os acúmulos... o que sentimos pela nossa realidade é um reflexo direto do que sentimos por nós mesmos. Nenhum trabalho externo pode substituir o trabalho interno. Vemos o que acreditamos e, apesar do meu currículo, ainda me sentia vergonhosamente desqualificada, um patinho feio, uma menina fraudulenta carregando areia demais para o meu caminhãozinho, não chegando nem perto do sucesso épico dos outros palestrantes da conferência.

Esperando nos bastidores pela minha apresentação, estava preocupada com *tudo*. Minha crítica interior escrota tinha subido no palanque: *você deve ser a pessoa mais irrelevante aqui. Que burrada, hein, ter vindo para cá. Você é totalmente inepta. É ridícula. Óbvio que aquele cara de quem você gosta não*

---

2 Harvard Yard é o nome dado à parte mais antiga do campus de Harvard. (N.T.)

vai responder suas mensagens. É óbvio que ele SIMPLESMENTE NÃO GOSTA DE VOCÊ. E essa plateia de universitários inteligentes, muito mais cultos que você, também não vai gostar. Sabe, é Harvard.

Tentei de tudo para interromper aqueles pensamentos, me manter presente e me concentrar no trabalho. *Agora não é hora, cala a boca e POR FAVOR deixa eu me preparar para a apresentação em paz*, gritei para minha malvadinha interior. Mas nada parecia controlar a ansiedade latejante.

Aquele dia poderia ser uma das minhas lembranças mais orgulhosas, mas minha cabeça o estragou. Não consegui admirar meu esforço, nem os desafios e anos de dificuldade do caminho. Eu podia fazer qualquer coisa, mas as palavras "Você é uma fulana insignificante" pareciam estar tatuadas no meu cérebro, e eu estava perdida naquela narrativa. Nossos cérebros são os narradores mais convincentes e, quando ficam travados nas histórias dos nossos medos, podem ser difíceis de interromper.

No fim, a apresentação foi boa. Não tinha motivo para me preocupar. Como sempre, meu cérebro tinha criado caos sem motivo.

De momentos transformadores de carreira a namoros, quase toda experiência me causava uma sensação de constrangimento doloroso e uma impressão de inadequação angustiante. Nem por um momento sentia a confiança que achavam que eu tinha; por baixo das aparências sorridentes estava uma mulher em guerra com suas inseguranças.

Minha busca por #felicidade, #sucesso e por finalmente me sentir suficiente fez minha cabeça, meu coração e minha alma entrarem em colapso. Foi só deitada em uma maca no hospital por causa de exaustão, derrubada pela ansiedade crônica e me sentindo enroscada em um cobertor de ferro, que considerei, relutante, que talvez minha necessidade de perfeição tivesse me levado a insatisfação, estresse, medo, rejeição e doença.

Só então comecei a notar que minha cabeça era a única responsável. Já tinha chegado a hora de confrontar minha crítica cruel e abrir as masmorras de emoções que tinha trancado lá no fundo por anos. Sem saber o que encontraria, estava apavorada. Sabia que tinha que fazer uma escolha clara e importante: poderia continuar a me agredir, a culpar outras pessoas por me sentir inadequada e a avançar nesse caminho destrutivo de acreditar que *sucesso + perfeição = felicidade*; ou poderia mudar de trajeto.

A mudança começa com o aprendizado, então foi por aí que comecei. Procurei todos os especialistas possíveis nas áreas de neurociência, psicologia, *mindfulness* e ontologia (filosofia da natureza do ser) para entender por que eu me tratava de modo tão compulsivamente horrível e como cultivar uma mente mais gentil. Parecia que minha cabeça só precisava de uma limpeza drástica, estilo Marie Kondo (posso garantir que a maioria dos conteúdos não gerava alegria).

Fazer faxina no cérebro dá trabalho; tem que levantar o tapete e passar o aspirador lá embaixo, e não só dar a volta. Mas, ao fazê-lo, a gente finalmente entende quem está por trás do medo. Foi ali que encontrei minha versão mais sincera, impressionante e autêntica. Minha versão carinhosa, curiosa, sem limites. Ela estava escondida havia anos, desde a infância.

Chegamos ao mundo lúdicos e maravilhados e, que nem uma esponjinha, absorvemos tudo. Inocentemente absorvemos cada comentário, sentimento e experiência e os transformamos em um conjunto de crenças e em um manual para nos entendermos e enxergarmos o mundo ao nosso redor, para sobrevivermos em segurança. As crenças e regras que criamos para entender o mundo não são nossa culpa. São só o resultado dos nossos primeiros ambientes, que nenhum de nós escolhe. No entanto, sem intervenção, acabamos passando o restante da vida enxergando o mundo através dessas interpretações de quando tínhamos oito anos.

Quando menina, absorvi a crença de que quem eu era não bastava, e passei vinte anos procurando provas que confirmassem minha falta de valor. Eu não precisava mais fazer aquilo. Comecei a notar como a vida poderia ser diferente se vista através de outra lente, e se eu abaixasse o volume dos pensamentos de crítica. Não precisava mais dar palco para eles. Nenhum de nós precisa.

"Tudo pode ser tirado do homem, menos uma coisa: a última liberdade humana — escolher a própria atitude em qualquer circunstância, escolher o próprio caminho."

Viktor Frankl

O objetivo não é ser perfeita, mas ser feliz, de dentro para fora. Felicidade é a coragem de viver de acordo com o que me ilumina. Nesses últimos anos, tenho treinado alongar minhas crenças e pensamentos e, ao fazê-lo, experimentei uma liberdade da ansiedade que não acreditava ser possível. Quando começamos a aquecer a mente e reprogramar o sistema defeituoso instalado na infância, nossa experiência de vida muda inteiramente.

Como resultado da minha reprogramação consciente de pensamentos, meu mundo interior – antes um lugar escuro, assustador e apavorante – voltou a ser cheio de curiosidade e compaixão. Aceitei que encontrarei obstáculos, altos e baixos, reviravoltas, mas, com outra forma de pensar, as mudanças, em vez de serem chocantes e temíveis, servem para nos destacarmos.

Eu só queria ter encontrado essas técnicas de atualização mental mais cedo, porque me pouparia de muitas horas e dias perdidos em vergonha e tortura. Foi por isso que escrevi este livro: para poupar seu tempo e energia preciosos. Na minha jornada eu sempre achava que era insuficiente até chegar onde estou agora, aceitando que nunca vou ser perfeita, mas que tentar é a parte mais divertida e que meu destino está em constante mutação. Por tanto tempo fui obcecada em tentar ser perfeita, mas, como mostra esta história, encontrei um caminho muito mais divertido na vida com flexibilidade.

Flexibilidade é a chave para alcançar a felicidade (e não a perfeição). Estou aprendendo a viver que nem uma contorcionista mental e emocional, me adaptando e arrasando (em vez de só sobreviver) em qualquer situação que encontre. Para quem é flexível, não há bloqueio, fracasso nem azar. A soma de dor e reflexão é o que nos faz progredir e metamorfosear. A vida oferece chances de crescimento, se nos treinarmos a identificá-las e usá-las. Há só possibilidades, oportunidades e dádivas escondidas a descobrir com a mente flexível. Em uma versão diferente da história, um obstáculo não é um fracasso, mas um passo que leva a um caminho mais alinhado com a alegria. Uma queixa é uma porta para crescer. E a sensação de estar travado é nossa chance de conexão com nossa versão mais verdadeira e livre, e de decodificar a sabedoria que nossas emoções tentam nos contar. Somos nós que narramos nossa vida, então vamos treinar contar histórias melhores.

Flex, o método que desenvolvi para praticar pensamento flexível, é uma estrutura simples de quatro etapas para reflexão cotidiana que mudará sua vida, como mudou a minha. No todo, o método Flex trata de se conectar com o corpo para atualizar a mente e ajudar a reprogramar os hábitos de pensamento, a fim de se desembaraçar do passado, se aproximar do amor, e se reerguer do medo. Usar o Flex aumenta sua energia para criar um futuro que combina com sua alma. Vou explicar cada etapa – os quatro Cs de Conexão, Curiosidade, Critério e Compromisso – na Parte Dois deste livro. Na Parte Três, vou mostrar como aplicar o Flex à vida prática. O método é firme, tanto psicológica, quanto espiritualmente. É coisa séria, não apenas moda, e leva um tempo para ser incorporado. Como já faz um tempo que o vivo, posso oferecer orientação para acelerar o processo.

A vida nos apresenta as mesmas questões repetidamente, só com a aparência um pouco diferente. Em vez de nos punir ou gritar em frustração "Por que isso vive acontecendo?!", essa estrutura oferece uma forma simples de encarar os momentos agitados da vida. Nossa qualidade de vida é baseada na qualidade das nossas decisões, e Flex está aqui para nos manter na trilha elástica que leva a escolhas cada vez melhores e a dar conta das emoções que se metem no caminho.

Flex permite que você sinta todos os seus sentimentos, sem ser atropelado por eles.

Flex atualiza sua frequência energética e sua perspectiva mental.

Flex é como treinar o cérebro a encostar os dedos das mãos e dos pés.

Você pode pensar "Bom, eu não consigo encostar nos dedos dos pés, nasci com pernas rígidas" ou "Parece doer, nem vou tentar". Dizer "não" prende você àquela famosa definição de loucura: fazer a mesma coisa várias vezes, esperando um resultado diferente. O crescimento só acontece quando escapamos da zona de conforto e dizemos "sim" à descoberta.

Convido você a calçar os tênis de ginástica da saúde mental para nos prepararmos a *alongaaaaaarrrrr* nosso raciocínio, nossos pensamentos e nossas ações.

Um dia, na fila do café em uma conferência de tecnologia, esbarrei em um dos investidores mais admirados do mundo, uma pessoa que financiou ideias e tecnologias que mudaram o mundo no último quarto de século. Perguntei a ele:

– Quais são os traços em comum que você identificou em todos os gênios mais brilhantes que conheceu?

– Eles são ousados o bastante para pensar diferente, flexibilizar as ideias, sair do molde – disse ele. – Não tentam se encaixar no *status quo* e dançam no próprio ritmo.

As palavras dele ecoaram em mim muito além daquele rápido encontro. Eu estava no início do meu aprendizado Flex, e mais uma vez fui lembrada de que aumentar a confiança em pensar diferente é o caminho das possibilidades infinitas e do acesso à genialidade contida em todos nós.

Pode-se dizer que sou boa em "manifestar" meus pensamentos ou fazê-los se tornarem realidade. Aos 28 anos, eu já tinha fundado empresas, aparecido em listas da *Forbes* e frequentava festas glamorosas. Mas eu não estava mais feliz por ter acumulado reconhecimentos e conquistas sociais. Minha jornada Flex tem sido sobre virar do avesso a manifestação superficial, me concentrar em cultivar um espaço seguro para existir na minha cabeça. Tem sido engraçado ver a velocidade com que minha vida externa mudou, positivamente, quando comecei a me concentrar primeiro na vida interna! O app Happy Not Perfect foi minha primeira incursão em questões mentais, aprendendo a desacelerar e gerenciar melhor. Transformava *mindfulness* em um jogo para encontrar clareza e calma. Este livro sobre o Flex é o próximo passo, um mergulho mais profundo na reprogramação neural.

Não há feitiços neste livro. Só um método, sustentado por pesquisa científica, para encontrar mais magia na vida. Terei gratidão eterna pela liberdade que o Flex me deu. Ser livre, me abrir e me conectar comigo mesma é melhor do que qualquer promoção, aumento, par de sapatos novos ou beijo gostoso de um cara bonito. Estou muito animada para compartilhar a técnica que transformou minha vida de dentro para fora e continua a flexibilizar todas as armadilhas de pensamento nas quais caio.

> *"Eu antes achava que era a pessoa mais estranha do mundo, mas aí pensei que tem tanta gente no mundo e deve ter alguém exatamente que nem eu, que se sente bizarra e defeituosa do mesmo jeito que eu. Eu a imagino, e imagino que esteja por aí, também pensando em mim. Bom, espero que, se você estiver aí e ler isso, saiba que, sim, é verdade, estou aqui, e sou tão estranha quanto você."*
>
> *Rebecca Katherine Martin*

PARTE UM

FODEU

"O PASSADO PODE DOER. MAS, A MEU VER, PODEMOS FUGIR DELE OU APRENDER COM ELE."

Rafiki, "O rei leão"

capítulo um

MINHAS CRENÇAS CENTRAIS TÓXICAS

No peito de todo ser humano há um desejo de amar e ser amado. Amor é o que nos protege desde o momento que chegamos ao mundo. Descobrimos ainda cedo que o amor que desejamos muitas vezes é condicional e, nos nossos anos de esponja delicada, aprendemos a melhor forma de dar e receber o amor que queremos e de que precisamos. A partir dessas experiências, formamos um conjunto de crenças centrais para e sobre nós mesmos, que moldam nossa identidade, influenciam nossas decisões e constroem a base dos relacionamentos que temos com outras pessoas.

Ninguém tem culpa pelas crenças centrais que criamos. São estratégias de sobrevivência formadas nos nossos primeiros ambientes, e nem são necessariamente moldadas pelos nossos pais. A escola, nossos irmãos e nossos amigos também contribuem com enredos fundamentais para a história interior que repetimos todo dia, normalmente sem nem notar. E vamos continuar a declarar as mesmas palavras, de novo e de novo, até tomarmos consciência da narrativa na qual estamos presos.

Eis a história das minhas crenças centrais (*defeituosas*), instaladas durante a infância, de como ficaram tóxicas e de onde me deixaram. Conforme for lendo, pense nas três crenças centrais que foram instaladas na sua cabeça, e em como ainda servem de filtros para sua realidade (*e não de um jeito bonitinho de Instagram*).

Como você verá, o que me protegeu aos oito anos não funcionava mais quando cresci.

CRENÇA CENTRAL #1:
Sou insuficiente

Aos oito anos, eu tinha aprendido que, se conseguisse agradar todo mundo, poderia ser amada, e *nada seria melhor*. No entanto, era uma tarefa difícil. Eu nunca era a mais inteligente, a mais engraçada, a mais bonita, a mais atlética, nunca tinha os sapatos mais elegantes, nem o lanche mais delicioso. Por causa da minha mediocridade (e dos meus sanduíches murchos de pepino), eu precisava me esforçar em dobro para receber aprovação e conquistar amor.

Parecia que eu era a única criança mediana da minha turma. Claire tinha voz de anjo. Charlie tinha o rabo de cavalo mais lindo. Nick nadava muito bem. E eu não tinha nenhum superpoder óbvio para atrair amigos. Tinha a impressão de que, se fosse *melhor*, talvez as pessoas gostassem mais de mim.

No teatro da escola, eu ficava sempre com o papel de Fada #6, Órfã #4, ou Garota Histérica #12 quando fizemos *As bruxas de Salém*. Levei pé na bunda de quase todos os garotos que namorei, e sentia sorte de terem querido sair comigo, para começo de conversa.

Mantive um diário durante a maior parte da vida e, quando releio o que escrevi aos onze e doze anos, vejo essas crenças tóxicas começarem a aparecer. Aos onze anos, eu estava convencida de que era insuficiente, e que não valia a pena me namorar nem por uma semana.

Nota bene: na minha escola, namorar naquela idade era andar no pátio com um menino por alguns minutos no recreio (no máximo de mãos dadas, talvez!).

Aqui alguns momentos de agonia pré-adolescente do meu diário aos doze anos:

Outubro de 2002 (Poppy de 12 anos)

Chamei o Tom W. para sair. Ele aceitou. Depois do fim de semana, fiz cachos no cabelo. Aí ele me largou. Não falei nada nem fiz nada. Implicaram comigo.

Janeiro de 2003 (Poppy de 12 anos)

Faz uma semana que namoro o David. Ele ainda não me largou! Espero muito conseguir a bolsa.

Muito amor
Poppy
XXX

Nos esportes, era a mesma coisa. Passava mais tempo na reserva do que no campo de hóquei sobre grama, para minha enorme vergonha quando meu pai ia assistir a uma partida. Por pena, o técnico me botava em campo nos últimos dez minutos e eu precisava fingir não ter medo da bola. Eu ficava apavorada.

Minhas feridas de ser "insuficiente... na beleza... na inteligência... na magreza... no estilo" iam ficando mais profundas, não importava o que eu fizesse. Estava presa em uma espiral de culpa. Mesmo que, objetivamente, eu fosse bem em algumas áreas, como a acadêmica, parecia que era inadequada em tudo. Não era estilosa para andar com os *hipsters*, nem inteligente para andar com os *nerds*. Só queria que uma pessoa ou grupo me acolhesse de braços abertos. Apesar do cabelo sempre alisado, da sombra azul cintilante caprichada e dos cílios grudados de rímel preto, nunca acontecia; e a sensação de não ser aceita estava abrindo um buraco imenso dentro de mim.

A crença tóxica de ser insuficiente na minha aparência, nas minhas ações, na minha voz, no meu *ser* virou tão profunda quanto saber que o céu era azul. Reconhecer isso destruiu minha alma, mas, como aprendi, erroneamente, ainda cedo, algumas coisas eram assim, mesmo que a gente não gostasse. Um desses fatos inevitáveis era que eu era insuficiente.

CRENÇA CENTRAL #2:
Tenho que me esforçar mais

Minha infância tipicamente inglesa *foi* carinhosa, mas muitas vezes incômoda, com a ameaça constante de insegurança financeira pairando sobre nossa família. Não havia segredos entre nós – meu pai, dono de um pequeno negócio, minha mãe, psicoterapeuta, eu e meus dois irmãos. O problema de alguém era problema de todo mundo, e teríamos ganhado medalha olímpica se o esporte fosse preocupação. Meu irmão mais velho, Thomas, passava a noite acordado escutando através do assoalho as discussões tensas dos nossos pais sobre dinheiro. Ele depois contava o que tinha ouvido para mim e para meu irmão mais novo, Edward, nos fazendo achar que estávamos a meros dias de sermos despejados. Cresci com a preocupação constante de o negócio do meu pai falir.

Julho de 2002 (Poppy de 11 anos)

Vamos falir logo, logo. Ter que nos mudar porque a casa custa uma nota!!! Estou uma baleia (por causa de doces + TV sem exercício). Não posso ficar parecendo um babuíno gordo no meu bicíni [sic.] novo. Quero ficar magrinha. Então comecei um programa de ezercício [sic.].

Meu peito dói pensando na minha versão mais nova. Aos onze anos, eu tinha medo de falir e de estar gorda, dois medos que continuaram comigo por vinte anos.

Por causa de nossa insegurança financeira, a ideia de que independência monetária era o caminho da segurança e do amor foi impregnada em mim ainda muito nova. Todos viramos microempreendedores aos dez anos, lavando carros do bairro e vendendo doce ilegalmente na escola. Com o espírito empreendedor do meu pai, aprendi que tudo é possível, desde que a gente se esforce a ponto de doer.

O caminho para ter meu próprio dinheiro um dia começava com boas notas; então, nas férias de família, comecei a levar livros da escola na mala no lugar das roupas, para estudar mais, o que irritava minha mãe. Eu sofria por causa do boletim. Se tirasse menos de nove, era uma *crise*, como se o sonho de um futuro melhor estivesse desaparecendo. Se minhas notas não fossem perfeitas, era porque eu não estava me esforçando o bastante.

Janeiro de 2003

Acabaram as provas e fui muito bem em matemática 82% + 66%, mas muito mal em francês 4 ½ / 25. Comecei a chorar. Tomara que possa fazer prova de recuperação. Vou fazer a recuperação de química. Religião foi difícil. Muito difícil. Jogamos netball. Preciso muito dessa bolsa de estudos para não me sentir mal.

Poppy
xxx

Eu chorava quando tirava nota baixa, e não parava de estudar até melhorar. Com notas melhores, eu poderia conseguir uma bolsa de estudos e poupar o dinheiro dos meus pais.

A busca da perfeição, sem conseguir obtê-la, ajudou a estabelecer a próxima crença…

CRENÇA CENTRAL #3:
Felicidade e sucesso resolveriam tudo

É fácil desenvolver esta crença. Desde a primeira vez que liguei a televisão ou fui à escola, encontrei vastas evidências quanto ao motivo de "sucesso" e "felicidade" serem um plano garantido de acesso ao mundo de PREOCUPAÇÃO ZERO, onde eu nunca sentiria ansiedade, insegurança nem rejeição de novo:

1. Se eu for perfeita, serei feliz e bem-sucedida.
2. Feliz e bem-sucedida = muito dinheiro, sem preocupação financeira.
3. Feliz e bem-sucedida = gostosa, homens gostam de mim.
4. Feliz e bem-sucedida = cheia de amigos, pois as pessoas gostarão de mim.
5. Pessoas felizes e bem-sucedidas sempre se casam e vivem felizes para sempre.
6. Todo mundo quer fazer amizade com pessoas felizes e bem-sucedidas.
7. Pessoas felizes e bem-sucedidas *sempre são suficientes* e nunca são rejeitadas.
8. Pessoas felizes e bem-sucedidas sempre provam que os inimigos estão errados.
9. Todo mundo pode ser feliz e bem-sucedido com esforço suficiente.

Eu não tinha dúvida: o plano era garantido! Eu queria sorrir o tempo todo, ter coisas caras, me casar e provar que meus inimigos estavam errados! Se eu pudesse ser perfeita, que nem as pessoas felizes e bem-sucedidas, daria tudo certo. Só precisava chegar lá. Minha mãe, terapeuta e trabalhadora, que de tantas formas mantinha nossa família junta, ensinou a mim e a meus irmãos que autocomiseração sem ação era como querer dirigir um carro sem gasolina: não fazia sentido. Aprendemos que, *se você está chateado com alguma coisa, tem que mudar*. Então, conforme minha sensação de inadequação aumentava, minha crença central de que felicidade e sucesso resolveriam meus problemas era reforçada.

Julho de 2003 (Poppy de 13 anos)

> Ellie está em um plano completamente diferenti [sic.] do meu. Ela é lindésima [sic.] e eu sou sem graça. Andy só faz subir, e eu provavelmente só vou descer.

Eu tinha descoberto que o primeiro amor da minha vida talvez tivesse uma namorada nova, a menina mais linda da escola. Isso confirmou, em luzes neon, como eu era inadequada em comparação. "Sou insuficiente" estava praticamente tatuado dentro de mim.

Sempre que sentia insegurança, rejeição ou inadequação, imediatamente me acalmava com o pensamento: *espera só eu ser feliz e bem-sucedida, porque aí vai dar tudo certo*. Minha terceira crença central era cristalina. Eu acreditava que sucesso curaria a dor emocional.

Essas três crenças centrais da infância – que eu era insuficiente, mas, com esforço, seria bem-sucedida e, consequentemente, feliz – acabaram moldando o resto da minha vida e se tornaram *muito* tóxicas. Se eu soubesse o que finalmente aprenderia (nos capítulos seguintes), poderia ter impedido meu cérebro de doze anos de botar tudo a perder.

COMO AS CRENÇAS CENTRAIS AFETARAM MINHA CARREIRA

Meu aniversário de dezesseis anos foi o oposto daquela série da MTV, *My Super Sweet 16*. Em vez de pegar uma limusine branca ou arrasar na pista de dança, estava trabalhando de garçonete em uma lanchonete. Era o primeiro dia em que eu tinha permissão legal para trabalhar por dinheiro, e mal podia esperar para começar meu turno, às nove da manhã. A liberdade financeira tinha gosto de hambúrguer e batata frita, cheiro de óleo de cozinha e som de prato se estilhaçando no chão... de cozinheiro gritando... e das minhas desculpas insistentes.

Eu estava mesmo em êxtase! Estava seguindo meu plano, ganhando dinheiro, me preparando para uma vida de sucesso, alimentada pelas minhas crenças centrais. Continuei o esquema como empreendedora adolescente, vendendo "shortinhos". Comprei calcinhas brancas e pretas simples, usei papel transfer para estampar com o emblema da escola, e as vendi para o terceiro ano inteiro. Eu e minha melhor amiga Daisy estávamos tirando duzentas libras de lucro por semana (por volta de 250 dólares, na época) revendendo calcinhas compradas no atacado.

Ao longo dos meus anos de "tente mais/seja melhor" na escola e na faculdade, na London School of Economics, alimentei o sonho de, um dia, ser apresentadora de televisão. Seria sinal de que minha crença central #3 teria sido definitivamente atingida. No meu ponto de vista, apresentadoras de televisão eram a própria definição de "felizes" e "bem-sucedidas". Todas brilhavam com o que parecia ser felicidade gloriosa e delirante. Eu queria aquilo também.

Meus pais achavam que trabalhar na televisão era uma ideia absurda, e disseram: "É tudo questão de contato, e você não tem nenhum". Verdade. Como em vários países, trabalhar com televisão no Reino Unido era questão de "quem você conhece", não o que tem a oferecer. Eu não conhecia ninguém, *nem* tinha nada a oferecer, então decidi montar meu próprio programa de televisão na universidade como forma criativa de conhecer produtores de verdade. Comecei a mandar e-mails para todos os contatos de produtores que achava no Google, perguntando se aceitariam participar como convidados especiais no "programa de TV dessa faculdade de prestígio". Meu "programa oficial" da London School of Economics para "celebrar carreiras" não era nada disso. Eu tinha inventado tudo para entrar no negócio e, milagrosamente, comecei a receber resposta.

Profissionais da BBC e da ITN (as duas maiores redes de televisão do Reino Unido) aceitaram dar entrevista! Fui à biblioteca e convenci alguns colegas a segurar a câmera e fingir ser minha equipe. Com minha equipe recém-recrutada – e paga em chocolate –, fui à minha primeira entrevista na ITV. Fiz as perguntas tão nervosa e rápido que gaguejei em todas:

– Como *vo, vo, você* começou? Qual é, *hum*, seu conselho para, *hum*, sua versão mais jovem?

Fiz a entrevista correndo porque queria ter tempo para minha maior pergunta. Com olhos arregalados de cachorro abandonado, perguntei:

– Você me arranja um trabalho? Faço qualquer coisa, honestamente!

O coitado do produtor ficou apavorado. Ele sabia que tinha levado um golpe, mas como diria não diante de seis universitários simpáticos? Resmungando, falou:

– Me encontra aqui na segunda-feira.

Eu tinha dezenove anos e tinha ganhado na loteria. Alguém na televisão estava disposto a me dar uma chance. Mas eu precisaria "me esforçar ainda mais!!" para dar conta, senão descobririam o que, no fundo, eu sabia: que na verdade era inadequada. Entrei na rotina de acordar às cinco da manhã todo dia para fazer os trabalhos da faculdade, correr até o estúdio de televisão às sete, e voltar correndo para a faculdade na hora das aulas. Por sorte, o estúdio e a faculdade ficavam a menos de dois quilômetros de distância.

Para mim, a vida universitária de festanças e tequila só existia no cinema. Eu trabalhava dezoito horas por dia, equilibrando o curso de ciência política e um emprego em tempo integral na televisão. Nos meses de "moça do chá", minha única responsabilidade (além de fazer e servir chá e café) era marcar a minutagem em material de arquivo. Depois fui promovida para *ticker*, escrevendo as notícias que apareciam na parte de baixo da tela. Passei um ano nisso até criar a coragem de perguntar educadamente para o meu chefe:

– Acho que estou pronta para trabalho no ar. Seria possível?

– Você é loira demais, e sua voz não é boa – disse ele. – Não vão gostar de você.

Encolhi a barriga como se tivesse levado um soco. Na adolescência, eu não era loira *o bastante*, mas de repente era loira demais? E qual era o problema da minha voz? Em nanossegundos, meus monstrengos de pensamento escrotos – aqueles que cantarolavam minhas crenças centrais equivocadas – apareceram. *Viu? Prova! Como ele disse, ninguém gosta de você. Você é insuficiente, e sempre será.*

Reagi à dor da rejeição, que me inundou por dias, me dedicando ainda mais a engolir e esconder a vergonha e o constrangimento, e me dizendo que, com mais esforço, eu provaria que ele estava errado. No dia seguinte, comprei tinta para cabelo e contratei um treinador vocal na tentativa de mudar de acordo com as preferências dele, porque, assim, ele teria que me aceitar! Até topei buscar as roupas dele na lavanderia.

Meses depois, ele finalmente pronunciou as palavras tão sonhadas:
– Poppy, você vai entrar no ar.

Eu esperava que fosse porque ele achava que eu estava pronta; na verdade, a apresentadora tinha ficado doente, e não tinham nenhuma outra opção.

Ainda assim, era minha grande chance de concretizar minhas fantasias! Eu ia apresentar o segmento de entretenimento da noite, e mal podia esperar! Passei o máximo de maquiagem possível. A base grossa parecia tinta laranja, com duas manchas vermelhas de blush na bochecha. Eu estava *pronta*.

Às 19h05, o segmento de dois minutos entrou no ar. Li o roteiro com cuidado e clareza e, antes que eu conseguisse piscar, tinha acabado. Recostei-me e esperei a inundação de mensagens de parabéns de parentes e amigos que eu tinha mandado assistir ao programa. Mas não vieram os recados de "parabéns!" e "nem acredito que você apareceu na TV!". Recebi só uma mensagem, dos meus pais: "Era você?".

Se era eu? Hum, *era!*

Eles tinham se assustado com meu sotaque novo – parecendo uma personagem de *Downton Abbey* jogada no meio de *Peaky Blinders* – e com meu cabelo pintado e amontoado de apliques que tinham começado a cair devagar durante o programa.

FINALMENTE tinha aparecido na televisão, mas não teve efeito algum nas pessoas que queria impressionar. Pior ainda, *eu* não tinha efeito algum. A reação de todo mundo, inclusive do chefe, foi, no mínimo, anticlimática. Eu tinha passado anos com a *certeza* de que tudo seria maravilhoso assim que eu aparecesse na televisão. Bom, tinha acontecido, mas minhas inseguranças ainda estavam aí... então fiquei confusa. Minha crença central de que com sucesso eu seria feliz não estava se desenrolando como esperado. Rapidamente abafei qualquer dúvida quanto ao meu grande plano de preencher o buraco de insuficiência ao aparecer na televisão e decidi que só precisava ir *melhor* da próxima vez.

Só aconteceu MESES depois, quando a apresentadora adoeceu de novo e meu chefe não teve escolha além de me mandar entrevistar os formidáveis Keira Knightley (!!) e Jude Law (!!!!!) na coletiva de imprensa do filme *Anna Karenina*. Que sorte! Era AQUELA a chance pela qual eu tanto esperava!

Sofri na escolha da roupa, e acabei vestindo uma blusa branca bonitinha de gola decorada e uma saia curta preta. *Simples, mas elegante*, pensei. *Não tem erro*. No dia da entrevista, o metrô de Londres enguiçou por causa de "problemas de sinal". *Má notícia*. Eu ia me atrasar para a maior oportunidade da minha carreira. *Por que* o universo faria aquilo comigo?

Quando finalmente saí do metrô, corri até a coletiva, que acontecia em um hotel, e subi as escadas em um ímpeto de energia até a suíte, onde os atores estavam prontos, já de microfone ligado. Não tive nem um momento para recuperar o fôlego ou acalmar o misto de pânico e emoção antes de ser jogada em um quarto onde Jude Law esperava.

Meu sorriso era do tamanho da cara toda – que nem o gato de Cheshire, mas ainda mais bochechudo. Minha testa brilhava de suor, por ter corrido escada acima e encarar aquele ator lindo diante de mim. Estendi a mão para cumprimentá-lo. Meu momento finalmente estava acontecendo. *Vai ser a melhor entrevista de cinco minutos que qualquer pessoa já fez*, pensei.

Muito pelo contrário... Tropecei, não encontrei a cadeira e caí de cara no chão, aos pés de Jude Law. Minha minissaia subiu, expondo metade da minha bunda para ele e todo o resto das pessoas no quarto.

Puta que pariu.

Fiquei um segundo ali, esperando que fosse a hora de acordar do pesadelo. No entanto, fui lembrada da realidade inegável à minha frente – os sapatos pretos perfeitamente engraxados de Jude Law.

Todo mundo tentou desesperadamente conter a gargalhada. O câmera estava quase tremendo de esforço. Eu me levantei de um pulo, pedindo mil desculpas enquanto ajeitava a saia e me sentava na cadeira diante de Jude, que foi incrivelmente gentil.

Apesar do meu esforço de manter a entrevista em ordem, não conseguia, de jeito nenhum, parar de rir de nervoso. Tentei todos os truques possíveis (recitar a tabuada, me beliscar), mas o ataque histérico continuou.

– Quer uma água? – ofereceu Jude. – Você chegou que nem um tornado e caiu que nem uma pedra!

O comentário só me fez rir ainda mais, fazendo o rímel escorrer pelo meu rosto, vermelho que nem um pimentão. Eu tinha estragado tudo. Ia ser a primeira *e última* vez que eu me sentava à cadeira de entrevistadora.

Eu tinha fantasias de a entrevista viralizar – e foi o que aconteceu, mas não pelo motivo esperado. O vídeo do YouTube foi espalhado por todos os canais do Reino Unido. Da noite para o dia, parecia que todo mundo sabia da entrevista que tinha dado catastroficamente errado.

No escritório, a reação era, no mínimo, ambígua. Por um lado, meus chefes estavam lívidos, mas, por outro, tinham um prazer secreto por eu ser uma breve celebridade da internet que lembrava Bridget Jones, comparação feita por um artigo. Não faço ideia de por que não fui demitida. Cedendo à demanda do público pela garota que tinha caído de bunda para o ar na frente do Jude Law, meus chefes me permitiram entrevistar mais celebridades... até, seis meses depois, eu ser finalmente demitida por "falta de profissionalismo com uma fonte de chocolate" em uma pré-estreia de cinema, de acordo com meu chefe. Eu acidentalmente fora filmada enchendo a cara de marshmallow e brownies que depois soube serem só decorativos. Na hora, eu tinha mesmo achado estranho ninguém mais aproveitar os doces, mas meu amor por chocolate derretido foi irresistível e, em pouco tempo, eu estava com a cara toda melada.

Naquele momento, eu já tinha me formado na faculdade, e minha carreira estava acabada antes mesmo de começar de verdade. Eu nunca seria aceita pela indústria televisiva britânica. Tinha mudado de cabelo, de roupa e de sotaque, e destruído as oportunidades. Ria com bom humor quando meus amigos achavam graça do meu sem-fim de desastres, mas, na realidade, era tudo meio humilhante.

Cochichos de insuficiência me assombravam, mas eu ainda me agarrava às crenças 2 e 3: com mais esforço, a doce promessa do sucesso seria minha, e tudo valeria a pena. Eu *finalmente* seria absurdamente feliz, sem problema nenhum.

Eu não entendia por que meu plano de sucesso + alegria estava empacado. Apesar do esforço, nada parecia funcionar.

Na idade muito madura de 24 anos, eu temia ter esgotado todas as oportunidades de Londres, então economizei e decidi me mudar para Los Angeles por alguns meses. Para sorte dos angelenos, eles estavam prestes a conhecer minha necessidade insaciável de aprovação e minha busca por perfeição.

Sendo uma pessoa profunda e secretamente insegura que lutava batalhas diárias internas pelo meu valor, não poderia ter escolhido um lugar pior para morar. Em Hollywood, a única moeda que parecia importante era a fama, e eu não tinha nenhuma.

Eu dizia "sim" para qualquer pessoa que aceitasse uma reunião – assim, todo mundo, até gente que eu conhecia no estacionamento. Enchi minha agenda, da manhã à noite, e recebi muitos comentários que quase sempre confirmavam minha crença central #1. "Não é o que procuramos agora" era uma crítica comum, e eu interpretei o significado como "não é boa, nem especial o bastante". Porque se eu fosse, diretores de elenco e produtores estariam desesperados para me contratar. Eu me sentia que nem o mingau rejeitado pela Cachinhos Dourados. Era quente demais, fria demais, simpática demais, entusiasmada demais, inglesa demais, gorda demais, magra demais, intelectual demais, superficial demais, barulhenta demais, intensa demais, chata demais, dramática demais, emocionada demais, irritante demais, loira demais e/ou feia demais. Nunca era "do jeito certo". Cada crítica derrubava mais minha autoestima, mas a busca para provar que eu era suficiente e para chegar ao sucesso continuava ativa.

A montanha-russa de três meses em Los Angeles estava finalmente chegando ao fim, com minha conta zerada no banco. Estava me preparando para voltar arrependida à Inglaterra, onde, sem dúvida, um coro de "Eu avisei, você não é boa o suficiente para trabalhar nos Estados Unidos" me esperava.

Um broto de esperança interrompeu o desânimo quando uma mulher que eu conhecera no trem no ano anterior (e que era produtora na MTV) milagrosamente respondeu ao meu e-mail e aceitou uma reunião. Ela se tornou meu primeiro contato de verdade nos Estados Unidos, uma fada madrinha que me ajudou a arranjar meu primeiro trabalho de apresentadora na MTV International, cobrindo premiações e eventos de tapete vermelho. Meu amor por puxar papo com todo mundo a toda hora tinha dado frutos, porque minha amiga do trem acabou sendo a maior benção. Entrevistei Tom Cruise, Angelina Jolie, Cameron Diaz, George Clooney, Harry Styles, e todo mundo em alta no mundo pop em 2015.

Foi um grande avanço e, de repente, outras oportunidades começaram a surgir. Minha curiosidade incessante para fazer perguntas e minha ética profissional chamaram a atenção de mais gente na área. Depois de alguns meses, fui contratada como apresentadora do primeiro *talk show* do Snapchat, *Pillow Talk with Poppy*. De pijama, entrevistava celebridades em um set que parecia um quarto dos anos 1980 decorado por uma pessoa chapada.

Do nada, os usuários do Snapchat foram de zero a milhões. Foi ótimo para mim. Comecei a receber milhares de mensagens de espectadores ao redor do mundo, na faixa da adolescência aos vinte e poucos anos, e senti que talvez tivesse finalmente encontrado o sucesso e minha galera. De início, fãs falavam de moda, dos amigos e do programa. Pouco depois, contudo, as mensagens começaram a ficar mais pessoais, e muitos compartilhavam suas dificuldades e preocupações com insuficiência, desejo pela felicidade e sensação de não pertencimento.

Parecia que estavam lendo minha mente. Eu sentia exatamente as mesmas inseguranças, desejos e temores. Será que todo mundo tinha as mesmas crenças centrais? Será que os espectadores viam através da minha imagem "feliz" de apresentadora e notavam que eu também me sentia ansiosa e sobrecarregada?

Apesar de parecer que minha carreira estava bombando, eu morria de medo de tudo desmoronar. Dinheiro era uma fonte de estresse constante (apresentar programas de televisão e internet não era tão lucrativo quanto eu esperava). Acumulei mais trabalho para me sustentar, inclusive apresentar um programa na Inglaterra ao mesmo tempo. Eu precisava cobrir meus próprios gastos, inclusive os voos transatlânticos semanais; então, com esse custo todo, mal pagava minhas contas. Mesmo assim, sentia que precisava fazer aquilo; estava sendo guiada pelas crenças centrais. *Trabalhe até doer, se esforce para ser menos medíocre, e continue até ter sucesso... aí, seus problemas todos vão desaparecer e você não terá mais preocupação nenhuma.*

Quando imaginava minha vida dos sonhos na televisão, só via a felicidade radiante e o amor universal. Não imaginava as olheiras, os dólares contados e o torcicolo de tanto viajar.

O luxo de ser apresentadora de televisão.

MINHAS CRENÇAS CENTRAIS VIRARAM VÍCIO EM TRABALHO

Se eu ainda não estava feliz, só precisava agradar ainda MAIS gente para superar minha insignificância. Uma crença central amplificava e ativava outra, e elas se tornavam um ciclo vicioso que começou a alimentar o perfeccionismo desmedido. Como será revelado nos capítulos seguintes, se eu tivesse aprendido a me manter curiosa e investigar os pensamentos que me ocorriam, poderia ter impedido a reação reflexiva negativa de acelerar os pensamentos equivocados.

A autora e especialista em vício Mandy Saligari define vício como "algo externo para consertar o que você sente, em detrimento de si". Meu hábito de trabalhar mais quando me sentia ansiosa e inadequada – criado para me ajudar a aguentar – rapidamente se tornara uma obsessão, no limite do vício, o que na época eu não percebia. Outros podem acreditar que é mais fácil suportar a ansiedade ao atordoar os pensamentos tóxicos com álcool e drogas; eu ainda não tinha notado que trabalho excessivo, perfeccionismo e estar "ocupada" eram a anestesia que eu escolhera para esconder as feridas emocionais. Isso me dava uma sensação ilusória de controle e distração. Não tinha tempo para me aprofundar e pensar: "Minhas crenças centrais são verdadeiras e benéficas?". Só continuava em frente, como sempre, com os hábitos e crenças que aprendera para sobreviver na infância.

Nessa época, estava morando com minha melhor amiga, Suki. Tínhamos sido apresentadas por amigos em comum alguns anos antes, e foi amor à primeira vista. Ela era como a irmã que nunca tive. Éramos duas britânicas morando em outro país e fazendo o que podíamos, servindo de terapeutas e torcida uma para a outra desde o primeiro momento. Eu não acreditava que tinha encontrado alguém que amava dançar, conversar, aventuras, gargalhar e se arrumar tanto quanto eu.

Enquanto eu apresentava *Pillow Talk*, Suki estava rodando seu primeiro grande filme, voltando para a cama às cinco da manhã depois de gravar a noite toda, coberta de sangue falso e areia. Nossa casa quase sempre parecia ter sofrido uma explosão, com roupas e tralhas por todos os lados, nós duas exaustas demais para fazer faxina, mas gargalhávamos em meio ao caos.

Antes de Suki sair para gravar à noite, fazíamos o jantar e ensaiávamos suas falas ou sonhávamos com nossas ideias para o futuro. Nós duas amávamos moda e comprávamos inúmeras revistas para admirar novas coleções e produtos. Começamos a pensar em um projeto em que pudéssemos trabalhar juntas, que nos ajudasse a usar a criatividade de um jeito diferente do trabalho de sempre. Certa noite, a ideia irrompeu, como fogos de artifício. Considerando nosso amor por moda e nossa tendência por desorganização e bagunça, decidimos que era necessária uma linha de moda prática para mulheres ativas. A gente desenvolveria acessórios que facilitavam a vida e que combinavam com qualquer tipo de roupa. Começamos a montar um quadro de inspirações no Pinterest, imaginando como seria. Suki é tão impulsiva quanto eu e tem a mesma crença em "trabalho e esforço"; então, em uma hora, já tínhamos registrado um site e começado a pesquisar fornecedores.

Como se dois programas de televisão não bastassem, decidi mergulhar em uma nova empresa inteiramente diferente. Em três semanas, conheci Leo, um inglês que tinha criado uma empresa de tecnologia aos 24 anos e que se tornou nosso sócio-fundador, assim como outro cara, que encontrei em um estacionamento e que fabricava bolsas. O hábito de puxar papo com todo mundo que encontro, na fila do mercado, no metrô ou no jantar, me foi muito útil ao longo dos anos, especialmente para recrutar novos sócios.

Oito meses depois da nossa ideia inicial, criamos a Pop & Suki em 2016. Era um verdadeiro trabalho por amor e parecia especial. Pela primeira vez na vida, a crença de insuficiência que sempre me doera ficou um pouco mais leve. Na época, não reparei, mas Suki foi a primeira amiga a desafiar minhas crenças centrais. Sempre que eu fazia um comentário autodepreciativo, ela respondia:

– Você não é inútil. Para de se tratar tão mal.

Ela me ajudou a reconhecer minhas forças pela primeira vez e a notar que talvez eu *fosse* muito boa em fazer as coisas acontecerem, e talvez não fosse tão inútil assim.

Eram bons pensamentos temporários, mas, de tão presa à narrativa das minhas crenças centrais tóxicas, nem o lançamento bem-sucedido de Pop & Suki e uma melhor amiga encorajadora conseguiram contê-las.

Eu tinha passado de adolescente obcecada pelas notas a universitária com emprego em tempo integral, a dois empregos, e depois três, indo e vindo mais de oito mil quilômetros por semana. Parte de mim sentia prazer por me esforçar a ponto de doer, como tinha aprendido na infância ao ver meu pai fazer o mesmo.

No entanto, eu estava começando a me sentir sempre inchada, a dormir mal, a comer por estresse. Estava reagindo emocionalmente com facilidade a coisas que normalmente não me incomodariam, mas não podia descansar. Então tentei ignorar essas preocupações com saúde.

RESPIRA FUNDO

Certa noite de domingo, uma amiga me convidou para uma aula de *breathwork*, ou terapia da respiração. Ela disse que era excelente para ajudar a reduzir o estresse. Parecia a ideia perfeita, considerando como andava me sentindo. Eu não fazia ideia do que esperar. Entrei na sala junto a mais ou menos trinta pessoas e me sentei no chão. Um homem chamado Jon Paul Crimi, terapeuta de *breathwork*, entrou e começou a explicar o que iríamos fazer. Ele nos pediu que inspirássemos com força duas vezes pela boca, e em seguida expirássemos. A primeira inspiração forte era pela barriga, e a segunda pelo peito. A parte frontal toda do meu tronco se inchou, se esvaziando em uma expiração longa. Começamos de novo. O ritmo era inspirar, inspirar, expirar. Nos deitamos, começou a música, e Crimi nos conduziu pela respiração em duas etapas. Depois aprendi que esse método também é chamado de *respiração holotrópica*, uma técnica de *pranayama* com boca aberta. Fiquei também chocada ao saber que nove entre dez pessoas respiram só de modo superficial, pelo peito, mas que é a respiração pelo diafragma que acalma mesmo nossa resposta ao estresse.

Em poucos minutos de respiração intensa, senti o corpo inteiro se cansar, como se estivesse malhando. Crimi agia como um treinador físico, nos motivando a continuar o padrão respiratório mesmo quando exaustos. Quanto mais eu respirava, mais meus dedos ficavam tensos, e fui me sentindo dormente, minha cabeça ficou leve e comecei a chorar. Todo o estresse que tinha engolido por anos parecia estar subindo à superfície enquanto a terapia de respiração forçava tudo a sair. Lágrimas escorriam pelo meu rosto enquanto eu inspirava, inspirava, expirava. Depois de aproximadamente quinze minutos, pudemos respirar normalmente antes de recomeçar. Meu corpo inteiro parecia estar soltando peso emocional; eu tinha esquecido a sensação de relaxamento e deixei as lágrimas, que continha havia anos, saírem de mim gentilmente. Foi transformador.

Essa introdução única à prática de *mindfulness* foi como abrir um novo mundo. Não acreditava que podia mesmo fazer coisas que criassem uma tranquilidade que não sentia havia muito tempo, se é que já a havia sentido. Era como se, até então, tivesse esquecido como era respirar.

Algumas semanas depois, meu amigo Matt foi me visitar e, animada, contei sobre a aula e sobre os exercícios de respiração que tinha começado a fazer para ajudar com a ansiedade. Matt era o rei do sarcasmo, então eu estava esperando algum comentário espertinho dizendo que era ridículo achar que práticas de *mindfulness* pudessem me ajudar a lidar com a ansiedade. Quase fiz careta, esperando ouvir "Ela respirou e mudou a vida!".

Em vez disso, ele perguntou, sincero:

– Podemos ouvir uma dessas gravações de respiração agora?

– Claro!

Uau, nunca imaginei que fosse a praia do Matt.

Nos deitamos para ouvir um exercício de inspiração e expiração guiada e, do nada, ele começou a chorar.

– Está tudo bem? – perguntei.

Eu nunca tinha ouvido ele chorar. Ele era um desses caras sempre "sob controle". Mesmo que as coisas obviamente estivessem descontroladas.

– Pop, não sei bem o que está acontecendo, faz anos que não choro... Eu não te contei antes, mas tenho sofrido ataques de pânico.

Não era só eu.

– Sei como é – respondi, gentilmente.

Ficamos deitados em um silêncio semelhante ao céu limpo da noite, vasto e reconfortante. Comecei a pensar em quantas outras pessoas poderiam se beneficiar dessa história de respiração. Todo mundo que estava dando seus corres, na farra até pifar, evitando a saúde (física e mental), sem se cuidar, usando de tudo, fosse maconha, tequila, trabalho, sexo, comida, relacionamentos etc., para não lidar com as questões internas, poderia usar essas ferramentas para começar um processo de cura, assim como eu.

Naquele momento, foi como se tivesse sido infectada pela *mindfulness*. Sabia que precisava fazer algo para compartilhar aquelas coisas que estavam me ajudando e ajudando Matt. Havia uma necessidade verdadeira aí, e eu não podia aguentar mais um dia sem criar algum tipo de ferramenta para acalmar mentes sobrecarregadas como a minha. Eu tinha privilégio: acesso ao centro de terapia de respiração, uma amiga disposta a me levar, uma mãe psicoterapeuta com quem conversar. Havia milhões de pessoas sem esses acessos, e isso não era certo. O que quer que o projeto se tornasse, eu soube instintivamente que o nome deveria ser Happy Not Perfect.

Enquanto mantinha Pop & Suki e alguns trabalhos de televisão – o vício em trabalho não tira férias –, comecei a pesquisar tudo o que encontrava sobre acalmar a mente e a procurar especialistas no assunto para me informar melhor. No alto da lista, claro, estava minha mãe, que tinha experiência em tratar pessoas de todas as idades, com foco principal em adolescentes. Com sua experiência, e considerando que ela defendia mais reflexão e descanso havia anos, nem precisava discutir; ela precisava ser minha sócia no projeto. Sua sabedoria e a formação garantiriam que o projeto pudesse ser uma ferramenta eficiente para ajudar pessoas a lidar com vidas oscilantes e emoções difíceis de manejar.

Quanto mais pesquisava, mais ficava animada e fascinada. Comecei a meditar todo dia, a escrever em um diário e a acompanhar inúmeros canais do YouTube sobre *mindfulness*. Meu humor volátil começou a se equilibrar consideravelmente, e fui sentindo minha energia voltar para mais perto do normal. Não parava de pensar: *como cheguei aos 26 anos sem ser apresentada a essas coisas?* Tinha mudado minha vida, e eu sabia que ajudaria muitas outras pessoas também.

O trabalho só fazia aumentar, mas não me incomodei. *O projeto exige isso*, pensei.

Comecei a montar uma equipe de conselheiros renomados em vários campos da psicologia e da *mindfulness*. Com base nos conhecimentos e pesquisas deles sobre neurociência e funcionamento do cérebro, projetamos uma estrutura divertida e lúdica para o app. Nossa intenção era simplificar os últimos quarenta anos de trabalho na área e desenvolver um ritual diário que usuários pudessem praticar imediatamente, sem precisar ler dez livros acadêmicos. Faríamos o trabalho para só ser preciso entrar e ter acesso às ferramentas na mesma hora. Eu queria que fosse fácil de usar e divertido, diferente de algumas meditações chatas que eu tinha deixado de lado.

A parte principal seria chamada *The Refresh* (Refrescar), uma prática diária que incluía respiração, reflexão escrita, um diário de gratidão e um canto de elogios (acabou ganhando o nome de *Happiness Work-Out*, ou Exercício de Felicidade). Eu queria que o app fosse um espaço virtual acolhedor, que ensinasse usuários, em apenas alguns minutos, sobre ansiedade e estresse, oferecendo formas práticas de lidar com aquilo. O app deveria ser um lugar aonde o usuário poderia ir para se sentir bem, em vez de comparar *likes*. Não bastava dizer "Sei que você está se sentindo uma merda". O app teria que explicar POR QUE os usuários (e eu) sentiam isso. Queria que fosse um casamento de Amor + Ciência.

Estava tudo avançando, da pesquisa ao design. Todo mundo no conselho me apoiava gratuitamente, por também acreditar na missão e ver a necessidade daquele projeto. O trabalho em equipe me dava uma sensação ótima. Eu, finalmente, fazia parte de um grupo que me acolhia. Logo ficou claro que precisaria arrecadar investimentos para desenvolver e programar o aplicativo de fato. Sem experiência em exatas, parecia um certo desafio, mas eu estava pronta. (E, sim, se estiver contando, era o trabalho #4 somado às minhas responsabilidades.)

Nervosa, imprimi a apresentação para a primeiríssima reunião de investimento que faria sozinha e que uma amiga me ajudara a marcar na beira da piscina do Chateau Marmont, um dos hotéis mais chiques de Los Angeles. Fui correndo, estacionei no fim da rua para não ter que pagar o valet caro e só então notei que tinha derramado café no meu vestido lilás de bolinhas. *Puta que me pariu! Tá de brincadeira? Por que agora?* Não podia me deixar derrubar. Enquanto tentava esfregar a mancha, conferi o resto: celular carregado, certo; documentos impressos, certo; roupa que passa impressão profissional, certo, se não fosse a mancha de café. Era que nem entrar na televisão ao vivo. Não podia fazer merda, senão acabaria com meu sonho de desenvolver um app de felicidade. Sentei-me e comecei a falar rapidamente das estatísticas de saúde mental, da ideia, da ciência, da equipe que tinha montado, das etapas que viriam a seguir.

A investidora hesitou antes de responder à minha proposta, e eu parei de respirar. Finalmente, ela falou:

– Gostei. Vou te mandar para Nova York amanhã para fecharmos negócio.

Como é que é? Eu estava chocada. (Sinceramente não sei o que aconteceu naquele dia, porque nenhuma apresentação minha, desde então, foi tranquila assim.) Em uma semana, eu tinha arrecadado pouco menos de um milhão de dólares, muito mais do que era capaz de imaginar.

Só conseguia pensar: *meu Deus do céu, não acredito que alguém acha mesmo que eu sou boa assim!* **Finalmente estava provando que minha crença central #1 estava errada!**

Tomei a decisão de interromper o trabalho televisivo para me dedicar mais plenamente ao meu projeto. Naquele momento, Leo estava cuidando das operações da Pop & Suki, então eu podia investir com tudo no desenvolvimento do tão sonhado app.

A vida ficou boa à beça. Trabalhar em uma ferramenta criativa que poderia ajudar milhões de pessoas fazia minha alma cantar. Ia bem no alvo. Além do mais, a pressão de ter certa aparência não era mais importante. Pela primeira vez, senti o gosto da liberdade, do pertencimento e de como seria me sentir *suficiente*! Investidores acreditavam em mim, e aos poucos eu estava começando a acreditar também.

Uma investidora específica era uma das pessoas mais inteligentes e sensacionais que eu já tinha conhecido. Ela parecia demonstrar minha crença central #3, que sucesso e felicidade andavam juntos. Era como se JESUS tivesse voltado a andar na Terra. Eu não parava de ficar impressionada por ela acreditar em mim.

Para ela, minha crença central #2 – agradar todo mundo e trabalhar até doer – só ficou mais violenta, o que, ironicamente, ia contra meu desejo de acalmar a mente. Eu queria fazer de tudo para agradá-la e retribuir a fé que tinha em mim. Assim começou: eu dizia "sim" a todo pedido, revisão e ideia, mesmo se suas concepções afastassem o app do meu conceito original. Eu ficava desconfortável, mas achava que, se um investidor me mandasse pular, meu trabalho era perguntar "Até que altura? Eu consigo mais!".

Se na época eu soubesse me conectar ao meu corpo e me manter alinhada com meus instintos, em vez de ser guiada inteiramente pelo medo, as coisas poderiam ter se desenrolado de modo muito diferente. No entanto, em vez disso, eu pulava que nem um cachorrinho agitado, desesperada para um carinho de parabéns. Logo ficou claro: nada que eu fizesse ou sugerisse era bom o bastante. Dois meses depois de me acolher, parecia que ela tinha descoberto minha verdade e que eu era uma decepção amarga. Ela me largou com a mesma velocidade com que tinha me pegado. A paixão dela pelo projeto não diminuiu, mas ficou claro que eu estava me tornando um problema.

Outro investidor me ligou para uma reunião, e eu falei:

– Oi! Então, estou com a sensação de que fiz alguma coisa errada.

– É, não é nada errado. Acho que só sentimos que você não é a pessoa certa para liderar essa empresa...

– Por quê? – perguntei.

– Hum, assim, a gente acha que as pessoas não vão se identificar com você. Você não é agradável. E a gente detesta esse negócio de Pop e Fulana de moda que você faz.

Minhas células e meus ossos tremeram, minha barriga deu um nó. Voltei imediatamente aos dezenove anos, quando aquele produtor de TV dissera que ninguém ia gostar de mim, e aos treze anos, quando tinha levado um pé na bunda, trocada pela menina mais bonita da escola. De novo, eu era insuficiente.

Ao longo das semanas seguintes, ficou claro que meus investidores acreditavam que eu estragaria a empresa que fundara se fosse sua porta-voz. Eu não era "legal" o suficiente aos olhos deles. Surtei. Será que estavam certos? Será que era melhor eu sair? Eu não queria ser o motivo do fracasso daquela iniciativa, nem de milhões de outras pessoas não terem acesso às ferramentas de *mindfulness*.

O pior era o seguinte: eu até concordava com eles. Não tinha nem um pingo de autocompaixão, nem sabia como arranjar (mas acabei aprendendo, o que você também aprenderá em breve); só sabia que não era especial o suficiente para o papel de líder. Foi uma confirmação devastadora da minha crença central #1. A insuficiência fervilhava quase na superfície dos meus pensamentos praticamente o tempo todo, e aquilo era só mais uma prova da minha inadequação.

Dizem que as pessoas nos são enviadas para nos desafiar, nos defender ou nos dignificar. Uau, como eu estava sendo desafiada! Sem saber, tinham encontrado minhas feridas mais fundas e jogado um balde de ácido nelas.

Minha ansiedade explodiu. A ironia de ser uma empreendedora de saúde mental infeliz me deu uma sensação profunda de fraude. Meus hábitos de agradar a todo mundo subiram a mil, e minha estratégia de sobrevivência tóxica, de evitar emocionalmente e anestesiar a dor com "ocupação", voltou com força total.

CRENÇAS CENTRAIS E RELACIONAMENTOS

Minhas crenças centrais não eram ideais para o sucesso romântico. Acreditar que eu era insuficiente e minha fixação em estudo e na carreira me levaram a evitar namoros o máximo possível. Achava que meu primeiro amor era o ser humano mais incrível do mundo. Tudo o que ele dizia era *hilário*, tudo o que fazia era *genial*, e toda mensagem que me mandava fazia meu peito dar um pulo. Eu estava caidinha e definitivamente achava que íamos ficar juntos para sempre, como em um filme da Disney ou em um dos romances nos quais me perdia na adolescência. Foi um choque cruel quando ele terminou comigo depois de seis semanas, me deixando D.E.V.A.S.T.A.D.A.

Meu primeiro amor confirmou minha crença central de que eu não era especial e que especiais eram as meninas mais bonitas. Então estabeleci a regra de não me apaixonar até ter passado no vestibular, para não perder o foco no estudo outra vez.

A promessa não acabou com o vestibular. Treze anos depois, eu ainda não a tinha quebrado. Ainda não tinha me permitido me apaixonar. De tão envolvida em sobreviver à vida profissional, minha vida romântica tinha passado anos seca como o Saara. Até que, enquanto criava o aplicativo, conheci Toby.

Toby, que media 1,78 m, mas dizia medir 1,80 m, era advogado. Tinha cabelo loiro, olhos azuis, pele pálida e corpo médio. Sabia o que queria da vida e parecia gostar muito de mim. Finalmente quebrei minha promessa e me apaixonei praticamente da noite para o dia. Fazia muito tempo que não me permitia ser tão vulnerável. Toby também era uma distração deliciosa das minhas preocupações profissionais e funcionava para soltar o vapor da panela de pressão da minha realidade incômoda.

Fazia dois meses inteiros que estávamos namorando, e eu estava certa de que a qualquer minuto ele diria aquelas três lindas palavras: "Quer casar comigo?". Afinal, por que não diria? Casais que se amavam *tanto* deveriam tomar medidas lógicas.

Infelizmente, o que ocorreu foi o oposto, e ele decidiu não dizer nada. Nada mesmo. Pois é, ele me deu um *perdido*. Um caso típico de *ghosting*.

Cacete! Poderia NO MÍNIMO ter a cortesia de dizer "O problema não é você, sou eu", ou "Você é ótima, mas estou muito ocupado com o trabalho", mas não. Ele não ofereceu nenhuma história alternativa à qual eu pudesse me agarrar para me proteger dos meus piores medos.

> **Levar um perdido ativou uma sensação de culpa tão tóxica que ardia dentro de mim. Dava para sentir meus órgãos se retorcendo.**

Meu cérebro sempre foi ocupado por duas pessoas. Eu e minha colega crítica escrota, que gosta de me lembrar constantemente da minha inutilidade completa. Eu a chamo de Regina, porque é a própria Rachel McAdams em *Meninas malvadas*. O sumiço de Toby deu munição a ela durante dias: "Olha só, sua zé ruela insuportável! Claro que ele te largou, você não é nada especial e precisa se esforçar mais, senão nunca vai ser feliz!". Meus pensamentos pegaram o vácuo do vazio e o transformaram em provas que sustentassem minhas crenças centrais.

A parte racional de mim dizia: "Ele *obviamente* não batia bem. Usava uns sapatos esquisitos e era muito arrogante, nunca teria dado certo. No que eu estava pensando?". Já a parte emocionalmente caótica, *que falava muito mais alto*, gritava obsessivamente. Eu só precisava descobrir por que ele tinha sumido, e fiquei presa em um ciclo mental de racionalização: "Provavelmente foi porque você não é divertida o bastante... não é gostosa o bastante... nem bonita o bastante... nem bem-sucedida o bastante... é simplesmente insuficiente... então claro que levou um pé na bunda".

Será que Toby desejaria voltar comigo se eu melhorasse? Uma das minhas amigas me ligou para conversar sobre esse assunto pela sexta vez.

– Pops, faz o truque do Instagram.

– Como assim?

– Posta uma foto de biquíni bem gata ou alguma coisa assim. Eles sempre voltam, foi o que rolou comigo com o Paul.

Fotos de biquíni não eram meu forte. Eu nem tinha biquíni, na verdade. Sempre comprava maiô preto justo que cobria tudinho e evitava ao máximo atividades aquáticas. Se eu soubesse do poder do pensamento flexível na época, poderia ter evitado um desastre iminente. Em vez disso, recorri ao truque do Instagram recomendado pela minha amiga para me sentir melhor quanto ao Gasparzinho. Não é surpresa que me senti ainda pior.

Eu estava desequilibrada e queria já ter feito meu app. Precisava mesmo dele. Tinha perdido o hábito da terapia de respiração e me voltado para exercícios em excesso para anestesiar a dor. Ia à academia e fazia o máximo de aulas de HIIT (treinos de alta intensidade) que aguentava, antes de cair dura no canto. Meu novo plano para evitar sentimentos de rejeição com agachamentos estava indo muito bem, na minha opinião (além dos potes em tamanho industrial de manteiga de amendoim que comia depois). No entanto, antes de ter a oportunidade de encontrar meus músculos abdominais, o estresse que estava causando no meu corpo e na minha mente, a ansiedade crônica, a falta de sono, a vida caótica e a rejeição infinita que parecia estar por todo lado me derrubaram.

Eu pifei.

A QUEDA

A manhã que nunca esquecerei começou às cinco, e eu sentia como se uma casa tivesse desmoronado sobre mim. Estava encolhida na cama, sem energia, sem conseguir me mexer, com a barriga tão inchada que parecia grávida.

Estava prestes a aprender uma das lições mais importantes da vida: não há saúde sem saúde mental. Saúde física e mental não são coisas separadas, mas sim manifestações da mesma coisa, e não podem funcionar bem sozinhas. Minha mente e meu corpo tinham desistido.

Achando que estava sofrendo de alguma coisa *muito* grave, fui ao hospital, porque não sabia mais o que fazer. Estava em outro país e não sabia onde procurar ajuda. Chorei na maca, esperando o resultado dos exames. Certamente aquele nível de exaustão, dor de estômago e tristeza levaria a um diagnóstico de meningite ou ebola.

O médico voltou:

– Você está com *burnout*.

– Como assim? Não! Estou perigosamente doente!

Sentada na maca, o encarei. *Não me dê um diagnóstico tão ridículo. Pois é, cara. Estou exausta, não é surpresa. Mas ISSO é outra coisa!*

– Três quartos dos pacientes que atendo sofrem de doenças causadas por estresse – disse ele. – Você precisa descansar, comer melhor e desacelerar.

O diagnóstico quase me deu vergonha. Eu tinha ido ao hospital porque sentia tanta dor que achava estar à beira da morte. Queria um diagnóstico que validasse o que estava sentindo. Por ignorância, naquele momento desconsiderei o *burnout*, acreditando que era uma doença de mentira. Depois, aprendi que era completamente real. Em maio de 2019, a Organização Mundial da Saúde atribuiu ao *burnout* a categoria de "fenômeno ocupacional" na décima-primeira revisão da Classificação Internacional de Doenças (CID-11).

O médico me garantiu que *burnout* era coisa séria. Estresse libera o hormônio cortisol, que ocasiona inflamações que, se crônicas, são causas subjacentes de câncer, diabetes e doenças cardíacas. Cortisol piora todo tipo de problema físico, pois pode prejudicar o sistema imunológico.

– As pessoas não foram feitas para tolerar os níveis de estresse com os quais lidamos – disse ele.

Ah, que ironia. Eu estava construindo uma empresa para lidar melhor com o estresse, e o processo estava me matando por causa da minha própria mente e das inseguranças.

A vergonha e a culpa faziam até meus ossos tremerem. Se ao menos eu tivesse me dedicado à respiração e ao diário, talvez pudesse ter prevenido aquilo. Minha crítica escrota interior, Regina, se divertiu horrores, me lembrando de todas as minhas dúvidas centrais: *que patético, você nem merece estar estressada. Você não é suficiente*. Eu obviamente ainda tinha muito a aprender sobre viver com saúde e calar minha malvada interior.

Voltei para casa, abri o Google e encontrei *Why Zebras Don't Get Ulcers*,[3] um livro sobre o impacto do estresse em seres humanos, escrito por Robert M. Sapolsky, PhD, professor de biologia e neurologia na Universidade de Stanford. Seres humanos, diferentemente de outros animais, não só se estressam com ameaças imediatas, como também com ameaças psicológicas. Temos

---

3   *Por que zebras não têm úlceras*, em tradução livre. (N.E.)

a capacidade duvidosa de sentir estresse psicológico *o tempo inteiro*. Simplesmente pensar que coisas ruins PODEM acontecer no futuro, ou lembrar traumas passados, ativa uma resposta de estresse. Zebras, por exemplo, só reagem a estresse em tempo real (correr de leão) e, quando o perigo passou, conseguem voltar a sentir-se relaxadas e seguras (comer grama). Por isso, como indica o título, não têm úlcera. Minha boca era a própria Festa da Afta, e o dr. Sapolsky tinha explicado o motivo.

Pesquisei mais a respeito do impacto na saúde do estresse crônico causado por um embate com as exigências da vida moderna, como trabalho, vida social, pressão familiar, e-mails, trânsito, viagem de avião (no que andava mergulhada fazia muito, muito tempo). Não era surpresa que eu me encaixasse em praticamente todos os sintomas: aumento de peso (sim), exaustão (sim), depressão (também), insônia (e eu lá conheço sono?), infertilidade (não? talvez? merda, lá vou eu hiperventilar e surtar) e disfunção erétil (pelo menos disso me poupei). Meu cérebro tinha virado purê e eu sentia extrema ansiedade só de olhar para minha caixa de entrada (que ia se sobrecarregando aos poucos). Tive que cancelar todas as minhas reuniões, já que mal conseguia ficar sentada.

Liguei para Heather Lilleston, uma guia de meditação que virara minha amiga, a professora de meditação e ioga renomada que fundou a Yoga For Bad People. Chorosa, falei o que estava sentindo, e ela imediatamente me acalmou.

– Pops, todo mundo leva uns tombos! Não sinta vergonha – falou. – É normal, você é normal, mas é um recado importante. Sei que agora está doendo, mas escute seu corpo e não desperdice o colapso. Meus momentos mais transformadores foram em colapso.

As palavras dela me marcaram. *Não desperdice o colapso*. Não entendi exatamente o que queria dizer, mas acabei descobrindo.

A única coisa que me dava conforto era procurar explicações para minha fadiga tão pesada e insuportável. Não só me ajudava, como servia de pesquisa para o app de que eu tanto precisava, por motivos egoístas. Todo dia, eu acordava como se estivesse vestindo um colete de aço. Também tinha desenvolvido um nojo repentino de café, e mal conseguia tomar um gole sem querer vomitar. Isso, sim, era esquisito. Antes do *burnout*, eu conseguia virar cinco xícaras ao dia sem nem pensar. Consultei o Dr. Google e fui informada que de duas uma: ou era câncer de pâncreas ou níveis anormalmente altos de cortisol (hormônio do estresse), que faziam meu corpo rejeitar a cafeína, por ser estimulante. Fazia sentido.

O *burnout* levou embora meu corpo, meu cérebro e minha energia. E ainda levou meu café com leite. Foda.

Ansiedade ao ponto de pifar física e emocionalmente não estava acontecendo só comigo. Estudos comprovavam que a população dos Estados Unidos estava (e ainda está) sob estresse extremo. Em 2017, a pesquisa do Estresse nos Estados Unidos da Associação Norte-Americana de Psicologia constatou que três a cada cinco pessoas diziam estar "muito" estressadas. Além de preocupações com saúde, política, meio ambiente, dinheiro, trabalho, terrorismo, impostos, guerra, crime e violência, temos problemas pessoais e emocionais, intensificados por redes sociais, responsabilidades pesadas, excesso de opções, pressão, perfeccionismo, sensação de exclusão, e assim por diante. Os adultos mais jovens eram o grupo mais afetado. Tem motivo para sermos considerados a Geração Ansiedade.

O fato de estarmos nadando em medo tóxico, incerteza e estresse todo dia, toda semana, talvez seja o maior problema que a humanidade enfrenta. Como podemos combater uma pandemia global quando *já estamos lidando com uma pandemia de estresse* que prejudica nosso sistema imunológico e compromete nossa capacidade de combater um vírus e nossa confiança em tomar decisões?

Se isso não assusta, não sei o que assustaria. Viver com estresse crônico é como participar de uma maratona carregando uma mochila enorme. É exaustivo e torna os obstáculos cotidianos muito mais difíceis.

Passei anos tentando ser a Mulher Maravilha perfeita, para ser aceita e desejada por amigos, família, colegas e interesses românticos. Minhas crenças centrais me diziam que eu superaria minha inadequação e insuficiência por zelo e que felicidade e sucesso seriam minha recompensa – e minha vingança. Em moderação, podiam ser úteis e, às vezes, eram uma espécie de superpoder que me impulsionava. Como obsessão, contudo, tinham se tornado tóxicas. O vício em trabalho e o perfeccionismo tinham resultado no oposto da intenção. Eu não notava como meus pensamentos falhos eram destrutivos. Tinha ficado tensa, controladora, reativa e, por fim, fisicamente doente. Eis uma foto que não tive coragem de postar no Instagram na época:

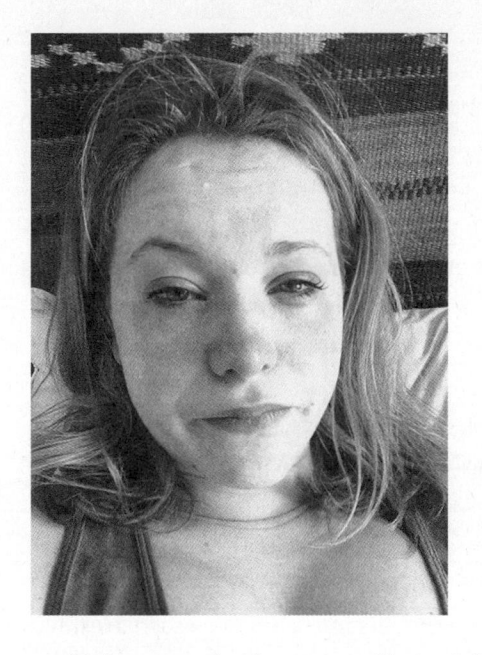

Mulher Maravilha? Sou eu, na cama, o rosto coberto por lágrimas, o corpo doendo, o coração pesado, a pele nojenta, a barriga estufada, a cara inchada. O impulso de ser perfeita na busca por aceitação tinha me deixado perdida. Eu não tinha energia para sair de casa. Nenhuma das minhas roupas cabiam mais. Meus músculos estavam tão atrofiados que, quando me levantava, minhas pernas tremiam que nem um potro recém-nascido. Eu precisava me deitar de novo.

Tinha vergonha de compartilhar minhas dificuldades com a maioria dos meus amigos, porque outros sofriam muito mais. Eu sentia tanta vergonha de reclamar de problemas profissionais porque, no fundo, sabia que era uma sorte ter a mera oportunidade de construir um sonho.

No entanto, descobri que seres humanos conseguem encontrar sentido destrutivo no que parecem ser as menores das coisas. Dor não tem hierarquia. Sempre que a vida me dava uma rasteira, por mais sutil e aparentemente pequena que fosse, minha cabeça a transformava em provas que confirmavam minhas crenças centrais e alimentavam estratégias de sobrevivência destrutivas. Era como se minha cabeça quisesse perverter as situações em que me encontrava para me mostrar, mais uma vez, que eu estava certa em achar que era insuficiente e que precisava me esforçar ainda mais.

Como dizem, não dá para conhecer uma pessoa por dentro ao observá-la por fora. É como diz aquela famosa frase: "Seja gentil, pois todos enfrentam batalhas difíceis". Mesmo quando tudo parece "bem", não fazemos ideia de como alguém está sendo ferido pelas crenças centrais, só de olhar seu perfil no Twitter. Há uma certeza na vida: o sofrimento é universal. Só muda de embalagem. Contudo, todos temos uma escolha: nós o agarramos com força ou o soltamos com leveza?

Levei um tempo para perceber a verdade desconfortável de que meu colapso não tinha sido causado pela investidora, pelo trabalho, pelo garoto. Eu estava perdida na minha mentalidade de vítima, pensando "coitadinha de mim". Estava furiosa com o mundo por me deixar naquele estado de desamparo. Não se tratava de ALGUÉM ou de ALGO, era apenas a minha relação estragada comigo mesma. Minha autorrejeição e vergonha eram as raízes. O problema existia no fundo da minha psique.

Aprendi do jeito mais difícil que crenças centrais são profundas. Feridas emocionais não saram como uma gripe. Se sarassem, eu teria me resolvido com paracetamol e voltado à ativa imediatamente. Amor-próprio não se encontra com a mesma rapidez de uma *hashtag* nas redes sociais.

Nossas experiências emocionais, crenças e padrões de comportamento são programados desde a mais tenra idade, e são tão profundos que temos pouca noção deles. Reagimos a lesões antigas e medos da mesma forma várias vezes, a não ser que tomemos a decisão consciente de interromper o padrão, o que elaborarei mais adiante no livro.

No entanto, eu ainda não tinha esse conhecimento. Na época, não estava ciente de que afundar tanto me obrigaria a entender, como um balde de água fria, que meu sistema de crenças tinha se tornado tóxico, e a desenvolver uma nova forma de viver, amar e enxergar a vida.

Eu não ia me levantar tão cedo... fisicamente. Mas, mentalmente, podia começar a puxar peso. Eu tinha me metido naquela rotina emocional e sabia que só eu mesma podia me tirar dali.

Estava prestes a aprender o que a iogue Heather Lilleston queria dizer com "Não desperdice o colapso".

Sofrimento é a chave do crescimento e da adaptação, se o permitirmos.

"QUEM OLHA PARA FORA SONHA; QUEM OLHA PARA DENTRO ACORDA."

Carl Jung

capítulo dois

O BALDE DE ÁGUA FRIA DA REALIDADE

Eu me sentia verdadeiramente estragada e cada dia mais fraudulenta, enquanto minha ansiedade não passava. Tinha pesadelos pensando na ironia da situação. *Fundadora de empresa de bem-estar mental na verdade não está nada bem.* Não só era a maior impostora, como talvez fosse sinal de que meus investidores estivessem mesmo certos. Talvez eu não fosse boa para a empresa. Eu sabia que as ferramentas poderosas de *mindfulness* que desenvolvia para o app funcionavam; era o que tinha me ajudado a lidar com o estresse nos últimos anos. A respiração acalmava meu pânico noturno, o diário me dava clareza, mas meu estado de pensamento não tinha mudado de verdade. A escrota da Regina estava mais barulhenta do que nunca. Eu precisava descobrir *por que* ela era tão malvada e *por que* eu continuava repetindo comportamentos tão destrutivos.

Conforme ia escavando o mundo do bem-estar mental e tudo o que ele oferecia, comecei a aprender que poderia haver diferença entre *manter* a saúde mental e *reprogramar* fundamentalmente a saúde mental. As duas coisas se apoiam, mas não são sinônimas. O app Happy Not Perfect era projetado como manutenção crucial do bem-estar mental, assim como escovar os dentes os mantém limpos e saudáveis. Mas o que acontece quando sentimos uma dor de dente séria? A dor é indicativa de que precisamos encontrar *a raiz do problema*. A melhor escovação do mundo não é capaz de consertar um nervo lesionado, mesmo que possa conter surtos de dor e protegê-lo desde o início. Para consertá-lo, contudo, é preciso ir direto ao motivo da lesão e tratá-la.

Meu *burnout* foi como um trator violento. Eu tinha sido atropelada e precisava ir além da manutenção mental, e fazer mudanças significativas *por dentro*. Achei que mudar de emprego e cidade *era* uma mudança significativa, mas, na verdade, só tinha mudado meu mundo externo. O que acontecia dentro da minha cabeça era igual em qualquer lugar. *Mesma merda, outro lugar*.

Meu cérebro – onde eu morava – estava emperrado, como aquela rodinha irritante que aparece quando o computador trava. Uma frase, que já ouvi ser atribuída a Einstein, começou a ecoar dentro de mim: "Não podemos solucionar problemas usando o mesmo tipo de pensamento de quando os criamos". Se eu quisesse mesmo evitar acabar assim de novo, precisava começar a pensar de outra forma e mudar minhas crenças centrais, senão repetiria a espiral descendente de estresse crônico, entraria em colapso e faria tudo de novo dali a dois anos ou mesmo antes. A hora de mudar estava chegando.

Claro, uma coisa é *saber* que precisa mudar. Mudar de fato já são outros quinhentos. Era hora de ser honesta e encarar uns baldes de água fria de realidade.

> *"Vivemos em um transe de inadequação, e a culpa é da cultura ocidental."*
> *Tara Brach, autora de "Aceitação radical"*

SÍNDROME DO IMPOSTOR
A vida prestes a ser descoberta como fraude

Saí me arrastando da cama para ir à minha primeira sessão de terapia. Antes disso, minha única terapeuta era minha mãe, e eu sentia a necessidade de conversar com alguém que não tivesse vínculo comigo, nem com meu trabalho. Uma amiga me apresentou a uma psicóloga clínica, dra. Shona; e, antes do início da sessão, falei que para mim era importante aprender os comos e os porquês. Eu me sentei no consultório dela em Los Angeles, o sol da tarde entrando pelas janelas, e relatei os anos anteriores, só parando para chorar ou comer todos os biscoitos do prato que ela me ofereceu. Fui contando os detalhes e constatei a enorme liberdade e o verdadeiro valor de conversar com um profissional imparcial.

Ela não falou muito na primeira sessão, mas escutou e criou um espaço seguro para eu desenterrar meus pensamentos, fossem bons ou ruins.

– Acho que talvez eu não seja a pessoa certa para nada disso – falei. – Não sou estilosa o bastante para a Pop & Suki nem feliz e competente o bastante para a Happy Not Perfect. Talvez eu não tenha o necessário para esse trabalho. Afinal, se tivesse, por que estaria me sentindo assim?

Antes de ir embora, Shona me deu dever de casa:

– Sua tarefa nesta semana é pesquisar sobre a síndrome do impostor.

Quando voltei para casa, sentindo que tinham puxado o tapete debaixo de mim, abri o Google e lá estava: uma descrição assustadoramente precisa de alguém que eu conhecia muito bem.

As marcas clássicas de pessoas que sofrem de síndrome do impostor (SI) são perfeccionismo, vício em trabalho e a sensação de que as outras pessoas são muito mais inteligentes, capazes e legais... merda. Era eu, sem tirar nem por. SI vai roendo a autoestima até não sobrar mais nada, e eu estava vazia.

Achei fascinante o fato de que essa síndrome de falsidade autopercebida foi originalmente identificada pelas psicólogas clínicas Pauline R. Clance e Suzanne A. Imes, em 1985, logo após o nascimento dos primeiros *millennials*. Era um fenômeno da e para a nossa era, e tenho certeza de que as redes sociais têm muito a ver com isso. Minha vida dupla do Instagram alimentava minha ansiedade da SI. Eu vivia com medo de estar a um mero *post* do ridículo quando descobrissem que, na verdade, eu não estava nem perto de ser tão certinha e feliz quanto fingia.

Virava noites me perguntando se toda a minha carreira televisiva havia sido baseada em fraude, porque, como Regina (minha crítica interior escrota) gostava de me lembrar, começara com um golpe para me reunir com executivos da área e com minha mudança de aparência e voz para ir ao ar. Tinha medo constante de os meus programas de televisão serem cancelados e, na minha cabeça, ainda era a garota "inadequada". É esse o veneno da SI; meu cérebro não tinha se adaptado à realidade de o programa fazer sucesso e de eu talvez ser boa no que fazia. Mentalmente, eu ainda me via como *toda errada*, mesmo que já fosse, finalmente, considerada "certa". Estava cem por cento convencida de que, quando os poderosos notassem que tinham cometido um erro horrível, eu voltaria imediatamente ao outro lado da porta, batendo e pedindo para entrar.

Apesar dos meus sucessos profissionais, ainda me sentia muito distante do sucesso de ser uma #girlboss ou uma líder mulher. Meu autocuidado tinha desmoronado. Eu tinha largado completamente a rotina de me cuidar, mesmo que estivesse construindo uma empresa que encorajava os usuários a se cuidarem. Regina não parava de dizer: "*QUE FALTA DE AUTENTICIDADE! Qualquer dia desses, você vai ser descoberta, demitida e cancelada, para sempre*".

Apesar de a minha vida ter mudado, eu acreditava plenamente – e Regina me lembrava constantemente – que ainda era a agregada, a garota cuja melhor amiga deixava os garotos caidinhos aos dezessete anos, enquanto eu ficava de lado, me sentindo invisível.

Do meu leito do *burnout*, vi como SI tinha afetado minha vida. Mesmo assim, não sabia como interromper o processo roedor de autoestima.

SÍNDROME DO PATO
Fingimento frenético

Minha pesquisa sobre síndrome do impostor me levou a constatar que eu também participava da síndrome do pato, isto é, a necessidade desesperada de fingir estar dando conta de tudo, apesar de, na realidade, estar batendo os pés freneticamente debaixo da superfície. Considerando meus diários antigos, parecia que eu estava deixando um rastro de lágrimas aonde quer que fosse, encharcando aeroportos, cafés e apartamentos... enquanto isso, meu Instagram estava cheio de imagens selecionadas, editadas e glamorosas da minha #vidaperfeita. Claro, precisava de mais de trezentas tentativas para chegar à foto, usando diversos ângulos e ferramentas de edição, mas não era grave, desde que, no fim, desse certo.

O efeito desse contraste gritante – projeção externa *vs.* realidade interna – era um estado desconfortável. Sentir que está usando uma máscara incessante é exaustivo.

A síndrome do pato é debilitante porque não estamos só batendo as patas para não nos afogar; também precisamos de uma quantidade enorme de energia para fazer as pessoas *acharem* que estamos deslizando sem esforço.

Então, por que eu fazia isso? Porque aprendi logo cedo que é preciso parecer sempre ter controle de tudo, sem a menor vulnerabilidade. Para ser promovida ou arranjar namorado, acreditava que era preciso demonstrar tranquilidade, calma, graça e compostura para tudo. Fingir até conseguir. Nunca mostrar o suor. Quando fui demitida da rede de televisão, o chefe me pediu que chegasse uma hora antes no escritório, para "os colegas não me verem sangrar" quando eu chorasse, nas palavras dele. Se as pessoas tivessem qualquer ideia dos meus fracassos e do esforço desesperado para me manter na superfície ficariam horrorizadas (e eu seria rejeitada socialmente, além de profissionalmente).

Eu estava vivendo em segredo como uma maníaca havia anos, mas onde tinha ido parar? Na cama, me sentindo péssima. Projetar "Estou arrasando!" fazia eu me sentir *mais* insegura e incapaz. Via outras pessoas tranquilamente passarem pela vida, sem esforço nem problema, e não entendia por que parecia tão mais fácil para elas.

22 de junho de 2017, 21h07

Diário:

Estou ansiosa, mas não sei por quê. Tenho uma sensação horrível no peito e no estômago, e estou apavorada com esse festival de música amanhã. Tenho um medo horrendo de me sentir uma inútil e ser meio rejeitada socialmente. Traz lembranças horríveis de segurar vela/um castiçal inteiro. Argh, terrível. Ando hibernando tanto ultimamente e esqueci que tenho o que dizer a qualquer pessoa, literalmente só sei falar de trabalho e trabalho e mais trabalho, e todo mundo acha um saco! Ah, eu fiquei com um cara e ele nunca mais quis me ver. Hum, fim. Ninguém sabe como responder. Riem constrangidos e rapidamente fazem outra pergunta em uma tentativa desesperada de mais alguém responder e seguir essa conversa. Eu estava me sentindo tão bem no começo da semana, mas acabou de me bater esse sentimento de constrangimento e medo de não saber o que dizer.

Estou respirando, respirando, respirando. Lembrando que nunca é tão ruim quanto eu imagino. Nem quero ser amiga dessa gente, de qualquer forma.

....

Um registro no meu diário e um post no Instagram da mesma semana. O grau de fingimento me apavorava. Estou me sentindo um desastre, ansiosa e insegura, morta de medo de ir a um festival de música, mas as coisas precisam parecer "perfeitas".

A verdade é que estamos *todos* com dificuldade, tentando não afundar.

Intelectualmente, eu já sabia disso, por causa dos espectadores do programa do Snapchat e de toda a pesquisa que tinha feito a respeito da epidemia de estresse e ansiedade para o app. A cultura do corre estava por todo lado; as redes sociais ampliavam a expectativa de o sucesso vir sem esforço, e eu supunha que o motivo era eu não ter talento nem qualificações suficientes. Lia inúmeros artigos de "Como dou conta de tudo" escritos por espécimes inspiradores e gloriosos que cuidavam de fazendas orgânicas e/ou produziam cosméticos sem química, ao mesmo tempo criando três filhos perfeitos com seu parceiro igualmente perfeito. Eu nem tenho filhos, e mal dava conta de tudo!

Quando finalmente fui obrigada a desacelerar – não dá para correr a lugar algum se não conseguir sair da cama (além de ir à terapia ou ao médico) –, comecei a questionar a autenticidade dessas supermães e fazendeiros orgânicos e me perguntei se também estavam demonstrando a síndrome do pato. Quão sustentável é mesmo a energia desses artigos de "um dia na vida" que falam de correr uma maratona e depois preparar panquecas caseiras sem glúten para o café da manhã? E se esses artigos elogiosos fossem só mais um combustível da nossa crença tóxica de que sucesso não exige esforço e que, se exigir, o problema é nosso?

Decidi pegar o telefone e ligar para um desses espécimes gloriosos, minha amiga incrivelmente impressionante, Amy (uma empreendedora que sempre idolatrei), para falar dos #corres. Para meu choque, ela disse:

– Concordo!! É *muito* difícil. Sofro muito com essa pose toda.

Explodi como um vulcão enquanto minha amiga perfeita desabafava que também se sentia sufocada na tentativa de dar conta de tudo. *Uau, ela também sente isso? Mas ela é perfeita!* Ela nunca vai saber o nível da gratidão que senti naquele momento. A garantia de que eu não estava sozinha foi como um abraço quentinho. Depois da conversa, que parecia ter sido nosso primeiro papo honesto, nossa amizade mudou, se tornando muito mais sincera e significativa. O reconhecimento vulnerável de compartilharmos a sensação de tentar manter o ritmo de um jogo incessante foi um passo enorme para nós duas, e me ajudou no processo de cura.

A síndrome do pato é uma estratégia terrível de sobrevivência, mas meu cérebro se agarrava a ela. Achei que projetar uma vida sem problemas me tornaria mais agradável, mas, na realidade, me fez perder de vista meu eu verdadeiro. De tão ocupada fingindo e atuando distante da minha integridade, eu tinha perdido a capacidade de saber o que estava realmente sentindo, ou o que queria de verdade. A síndrome do pato estava sabotando as coisas que eu de fato desejava: conexão e aceitação.

Falar com Amy me ajudou a ver que não era só eu que achava essa existência exaustiva, o que aliviou o peso. Consegui normalizar o desconforto, em vez ser jogada na vergonha sempre que sentia estar me afogando. Talvez nadar um pouco mais devagar não significasse que a rejeição era inevitável.

NECESSIDADE DE VALIDAÇÃO
Depender de outros para nos sentirmos bem

O que se tornou abundantemente óbvio na conversa com a dra. Shona foi minha necessidade insaciável pela aprovação alheia. Nada tinha gosto ou som melhor do que um sinalzinho de "você está arrasando", e era um vício perigoso. Desde que me lembro, desejo validação externa como oxigênio, porque era a única coisa que calaria minha Regina por um segundo. Se as pessoas estivessem felizes comigo, eu me sentia segura. Quando uma professora elogiava meu trabalho ou me dava uma estrelinha, a afirmação maravilhosa me envolvia. Ouvir alguém dizer "está tudo bem com você" acalmava meu medo de ser insuficiente e, por um segundo incrível, me dava a impressão de pertencer, mas me deixava com vontade de mais.

Minha fome infantil por estrelinhas se transformou na "doença do agrado" na vida adulta. Eu só sentia confiança se recebesse validação alheia. Em relacionamentos amorosos, isso era um pesadelo. Se homens me oferecessem o mínimo para mostrar que estavam interessados, eu era fisgada e ficava obcecada. Depois aprendi que aprovação a conta-gotas é uma tática de manipulação chamada de "migalhas de pão" – nunca se ganha o pão inteiro, que daria segurança, só o bastante para manter você "ali". Minha necessidade de afirmação tinha me transformado em uma Maria profissional. *Argh, que horror! Só me joga logo uma fatia.*

A sede por validação também sabotou minha carreira. Eu trabalhava até virar pó, só para ouvir um "bom trabalho!" raro dos meus chefes e sócios impossíveis de agradar. A doença do agrado erradica o bom senso, porque você acaba fazendo o que for preciso para ganhar aquele tapinha de parabéns, mesmo se for completamente contrário ao que acredita.

O medo de chatear ou decepcionar outras pessoas vem de mãos dadas com o desejo de aprovação. Eu aceitava convites para festas e jantares mesmo quando mal conseguia levantar a cabeça do travesseiro depois de trabalhar o dia todo. Para mim, ter medo de perder a social era função da vontade de agradar. Em todo aspecto da minha vida profissional, social e amorosa, punha todo mundo em um pedestal heroico, dando ainda mais importância ao retorno que me ofereciam. Era um hábito perigoso.

Instagram é uma droga pesada para quem é sedento por gratificação. Nas redes sociais, a validação é quantificável. Os cliques viram açúcar. Eu postava uma foto e literalmente prendia a respiração até alguém, qualquer pessoa, curtir.

Em setembro de 2016, meu programa no Snapchat estava ganhando popularidade, e fui convidada a escrever uma apresentação para o TEDxHollywood. Decidi explorar minha sede de aprovação, e a da minha geração. A apresentação teve o título de "Viciada em *Likes*". Conectei o crescimento das redes sociais e o aumento drástico da ansiedade, indiquei a pressão sufocante para projetar uma vida perfeita na internet, e expliquei a dose viciante de dopamina (um hormônio de bem-estar e "recompensa") associada a ganhar *likes*. Falei para o público que "Redes sociais têm a capacidade de ampliar emoções humanas e usá-las para estapear a gente todo dia", e isso certamente não mudou.

Eis a ironia: eu tinha ACABADO de fazer uma apresentação dizendo que não deveríamos ficar viciados em Instagram nem nos importar com os números on-line, mas, logo depois, estava contando as exibições do vídeo e lendo os comentários obsessivamente. A realidade dura dos comentários é que é preciso MUITO trabalho interno para tornar-se indiferente. Eu AINDA NÃO ESTAVA LÁ, e provavelmente sempre terei que me esforçar muito para me libertar da importância que dou a opiniões alheias, por mais psicologicamente flexível que eu me torne.

Como eu estava aprendendo e a dra. Shona ensinava, todo mundo gosta de comentários positivos.

– A condição humana nos faz sempre desejar mais e achar problemas no que temos. Caímos na ilusão de que validação externa curará uma ferida emocional.

Eu estava começando a ver como a validação externa era complicada: como Doritos, sempre dá gostinho de quero mais. Dra. Shona concluiu uma sessão dizendo o seguinte:

– Somos todos baldes furados, Poppy. Alguns vazam mais rápido que outros. Ainda não conheci ninguém que não goste de elogios e aprovação, mas a questão é se treinar para não *precisar* disso.

No mesmo dia, li *Um caminho com o coração*, de Jack Kornfield. Ele descrevia nossos baldes furados como um "fantasma faminto de barriga enorme e boquinha minúscula, que nunca consegue comer o bastante para satisfazer a necessidade infinita". Pensei em como todos recebemos o lembrete triste de que validação externa não garante em nada a felicidade a longo prazo. Os suicídios trágicos de muitas almas famosas, bem-sucedidas e lindas são prova clara de que atenção, dinheiro e amor público não fazem nada para curar sentimentos internos e pessoais de dor e insuficiência. Eu estava atrás de uma ilusão, achando que, quando finalmente chegasse ao pote de ouro no fim do arco-íris perfeito, nunca mais me sentiria inadequada. Contudo, estava começando a descobrir que não havia provas que sustentassem esse conto de fadas.

"O princípio mais profundo da natureza humana é o desejo de ser valorizado."
Autor desconhecido
(comumente atribuída a William James)

O HORROR DA REJEIÇÃO
A sensação de ser deixada de lado e indesejada ou de não pertencer

Já que eu era tão sensível à rejeição, por que vivia escolhendo caminhos profissionais que garantiam rejeição frequente? Era outra das minhas decisões absurdas, mas, de modo geral, eu ia aprendendo a lidar com a rejeição profissional. Visto que era uma experiência comum, eu me acostumei a transformá-la em uma espécie de desafio.

A rejeição romântica, por outro lado, não ficava mais fácil. Sentir que não era bonita, inteligente nem bem-sucedida o bastante para atrair um homem me parecia a sombra mais pesada de todas, a que eu mais temia. Era pessoal. Por mais que tentasse não me deixar afetar, essas rejeições cutucavam minhas inseguranças como um abridor de latas.

Eu tinha lido que hipnoterapia podia ajudar a identificar a origem desse sentimento, então fui atrás de Chris, hipnoterapeuta de Los Angeles especialista em ansiedade. Eu já tinha experimentado hipnoterapia e sabia o que esperar. Hipnose é como um relaxamento profundo; na verdade, é bem gostoso. A gente tem consciência total do que está acontecendo e não tem nenhuma daquelas besteiras de "aja como uma galinha", como é visto nos filmes.

Na primeira sessão, Chris perguntou:

– Poppy, qual foi a primeira vez que você sentiu rejeição?

Silenciosa, de olhos fechados, sentia que meu cérebro revirava arquivos velhos e poeirentos em busca de uma informação muito antiga. De repente, falei:
– Eu estava com Arthur, tinha seis anos.

Arthur, um amigo da família, que na época tinha cinco anos, havia rejeitado minha tentativa de dar um beijo na bochecha dele. Empurrando-me, ele tinha gritado:

– Odeio meninas.

Mais de vinte anos depois, aquela lembrança de rejeição ainda me influenciava. Não era "como se fosse ontem", mas eu claramente ainda acreditava que interesses românticos estavam fadados ao fracasso desde o início.

Eu tinha começado a trabalhar com uma *coach* de vida e desempenho, Polly Bateman, que me fora recomendada por uma amiga como a rainha de ajudar a mudar o ponto de vista. Contei para ela a história de Arthur. Ela me explicou que todos os nossos pensamentos indesejados são meros produtos do que aprendemos ingenuamente na infância e depois gostávamos de encontrar provas que sustentassem as crenças iniciais internalizadas. Eu sempre saía das sessões com Bateman me sentindo um milhão de vezes melhor porque ela gargalhava, me explicava que era tudo normal e contava histórias hilárias de todas as rejeições que tinha superado.

– *Todo mundo* acha rejeição apavorante. Mas vou te ajudar a repensar – disse ela.

Eu mal podia esperar.

Na mesma noite, comecei a pesquisar "rejeição" e encontrei um estudo de pesquisadores da Universidade da Califórnia em Los Angeles (UCLA) que tinham conectado os participantes à máquina de imagem por ressonância magnética funcional e solicitado a eles que jogassem um jogo virtual de bolas.[4] Os pesquisadores começaram a excluir alguns jogadores, para ver como o cérebro reagia a ser deixado de lado. Nas imagens, a mesma parte do cérebro – o córtex cingulado anterior – que é ativada no momento da dor física, se iluminava quando os sujeitos sentiam a dor emocional da exclusão. Não é uma loucura? O ostracismo social ou a rejeição romântica parecem um soco no estômago porque o cérebro reage da mesma forma às duas coisas. *Qualquer*

---

[4] EISENBERGER, Naomi et al. "Does Rejection Hurt? An fMRI Study of Social Exclusion". *Science*, n. 302, 2003, p. 290-292. Disponível em: DOI: 10.1126/science.1089134. Acessado em: 17 maio 2022.

rejeição, pessoalmente ou on-line, vinda de amigos ou desconhecidos,[5] ou até de um jogo de computador,[6] diminui nossa autoestima e nossa sensação de pertencimento. Não é surpresa que as redes sociais possam ter efeito tão tóxico na nossa confiança. Nosso cérebro gruda como cola nos comentários cruéis.

Comecei a ver que, sem notar conscientemente, tinha desenvolvido a estratégia de sobrevivência por meio do vício no trabalho, isto é, da fuga, para lidar com meu medo profundo de rejeição. Achei que o sucesso pudesse me proteger de ser afastada de novo, que, se me tornasse bem-sucedida e despreocupada, meus medos e minhas inseguranças desapareceriam eternamente como um passe de mágica. A fantasia de aceitação e segurança da rejeição era tão sedutora que a deixei me derrubar às cegas.

PERFECCIONISMO
Recusa de aceitar qualquer padrão além da perfeição e a crença de que nunca chegaremos lá

Depois de uma sessão chorosa com a dra. Shona, ela me ofereceu um copo d'água e falou:

– Quero que você pesquise perfeccionismo.

De volta ao Google, meu amigo confiável, levei mais um balde de água fria ao ler os fatores de risco para perfeccionismo: transtorno obsessivo-compulsivo, transtorno de personalidade obsessiva-compulsiva, transtornos alimentares, ansiedade social, fobia social, transtorno dismórfico corporal, vício em trabalho, automutilação, abuso de substâncias e depressão clínica, além de problemas físicos, como estresse crônico e doenças cardíacas.

Bom, eu me identificava com cinco desses sintomas, e foi difícil de engolir.

Não culpo minha versão de onze anos por se agarrar à ideia de que nenhum garoto me rejeitaria quando eu chegasse ao ápice da perfeição.

---

5   WILLIAMS, Kipling D.; NIDA, Steve A. "Ostracism: Consequences and Coping". *Current Directions in Psychological Science*, v. 20, n. 2, 2011, p. 71-75. Disponível em: DOI: 10.1177/0963721411402480. Acessado em: 17 maio 2022.

6   ZADRO, Lisa et al. "How Low Can You Go? Ostracism by a Computer Is Sufficient to Lower Self-Reported Levels of Belonging, Control, Self-Esteem, and Meaningful Existence". *Journal of Experimental Social Psychology*, v. 40, n. 4, 2004, p. 560-567. Disponível em: DOI: 10.1016/j.jesp.2003.11.006. Acessado em: 17 maio 2022.

Ou que nenhum amigo, nem mesmo chefe, seria capaz de me recusar se eu fosse perfeita. Afinal, *quem* não via perfeição como uma capa de segurança? Virei viciada em trabalho na pré-adolescência e me soterrei em pressão insuportável para atingir meus padrões impossivelmente altos. Como adulta, minha busca por perfeição se manifestava no vício em trabalho e em enorme ansiedade social.

Notava que dizer que eu era "fissurada em trabalho" soava ridículo, mas, como a dra. Shona explicou, no cérebro, o mecanismo não é diferente do vício em jogo ou de um transtorno alimentar. A quantidade de horas que trabalhava por dia estava sob meu controle. Se eu fosse me viciar em alguma coisa, o trabalho pelo menos talvez fosse mais útil do que alguns outros vícios. Contudo, qualquer comportamento levado ao extremo como distração de feridas emocionais é uma bomba-relógio.

O problema do perfeccionismo mal regulado, como estava aprendendo, é que ele não deixa NENHUMA tolerância a erro.

Se alguma coisa interrompe o planinho perfeito, vamos do dez ao zero e o pânico bate na velocidade da luz. Como consequência, níveis industriais de cortisol são jogados no sistema, gerando ansiedade, estresse e comportamento irracional (amigos e família, cuidado), e o sistema imunológico vai para o beleléu. Perfeccionismo pode adoecer (como eu sabia bem),[7] já foi conectado a suicídio[8] e motiva procrastinação.[9] É cada vez

---

7   O'CONNOR, Daryl B.; O'CONNOR, Rory C.; MARSHALL, Rachel. "Perfectionism and Psychological Distress: Evidence of the Mediating Effects of Rumination". *European Journal of Personality*, v. 21, n. 4, 2007, p. 429-452. Disponível em: DOI: 10.1002/per.616. Acessado em: 17 maio 2022.

8   SMITH, Martin M. et al. "The Perniciousness of Perfectionism: A Meta-analytic Review of the Perfectionism-Suicide Relationship". *Journal of Personality*, n. 86, 2017, p. 522-542. Disponível em: DOI: 10.1111/jopy.12333. Acessado em: 17 maio 2022.

9   FLETT, Gordon L. et al. "Components of Perfectionism and Procrastination in College Students". *Social Behavior and Personality*, v. 20, n. 2, 1992, p. 85-94. Disponível em: DOI: 10.2224/sbp.1992.20.2.85. Acessado em: 17 maio 2022.

mais comum em jovens, incentivados pelas expectativas postas neles por si mesmos ou por outros.[10]

Conforme refletia sobre minha lista de baldes de água fria da realidade, notei um tema comum. Todos mostravam um **desejo profundo por aceitação** que claramente estava me fazendo falta. A falta de apreço por mim mesma e a vergonha tóxica que Regina cuspia todo dia fazia que eu dependesse do mundo externo para me sentir melhor. Saber que não era a única em embate interno me ajudou.

Certa tarde nublada, dra. Shona falou:

– Você não tem do que sentir vergonha. Todos os seres humanos desejam ser amados, ouvidos e vistos, só escolhemos caminhos diferentes para isso.

Eu estivera procurando por todo lado aquela afirmação para nutrir minha alma, sem resultado. Precisava cogitar estar procurando no lugar errado. Tinha varrido a internet atrás dela. Tinha trabalhado até adoecer na mídia, na moda e na tecnologia. Tinha catado festas e noitadas em Hollywood e Londres. Certamente não tinha encontrado em fontes de chocolate nem em potes de manteiga de amendoim.

No entanto, finalmente sentia que estava me dirigindo ao lugar certo graças ao trabalho no app e com dra. Shona, procurando aceitação dentro do meu próprio cérebro. E essa constatação me deu um frio na barriga, como se eu estivesse caindo do quinto andar.

Para me aceitar e encontrar a satisfação que nutrisse minha alma, precisava usar meus superpoderes de concentração e motivação (#façaacontecer) em uma nova missão: aprender a mecânica da minha própria mente, e por que me tornava – assim como várias outras pessoas ansiosas e estressadas – suscetível a perfeccionismo, síndrome do impostor, síndrome do pato e sede por validação.

Analisar meus baldes de água fria com a ajuda de especialistas me ajudou a começar a entender meus gatilhos e as estratégias ruins que tinha estabelecido para lidar com eles. No entanto, para reconstruir minha saúde

---

10 CURRAN, Thomas; HILL, Andrew P. "Perfectionism Is Increasing Over Time: A Meta--analysis of Birth Cohort Differences from 1989 to 2016". *Psychological Bulletin*, v. 145, n. 4, 2019, p. 410-429. Disponível em: DOI: 10.1037/bul0000138. Acessado em: 17 maio 2022.

emocional permanentemente, sem cair nos mesmos padrões ruins de sempre, precisava aprender a impedi-los de dominar minha vida. Não bastava saber que tinha aqueles hábitos negativos. Precisava saber *por que* os tinha e como me livrar deles.

Por que meu cérebro fazia eu me sentir tão insuficiente?

Por que me dizia que o único caminho da felicidade era agradar as pessoas por meio do perfeccionismo?

Por que, exatamente, meu cérebro insistia que, se eu não trabalhasse até adoecer, nunca seria amada e aceita?

Em suma, por que meu cérebro era um filho da puta?

"QUEM SOU EU?
AH, ESSE SIM É
O GRANDE ENIGMA."

Lewis Carroll,
"Alice no País das Maravilhas"

capítulo três

POR QUE SEU CÉREBRO É TÃO BABACA

Eu já tinha visto tantas reprises de *Friends* enquanto estava de cama que sabia recitar as piadas antes dos personagens. Era hora de voltar à pesquisa, e sabia exatamente por onde começar. Eu tinha uma pilha de livros sobre bem-estar que minha mãe e colegas da equipe da Happy Not Perfect tinham me recomendado ao longo dos anos e eu não tivera tempo de ler. O primeiro livro da lista era *Sort Your Brain Out*,[11] escrito pelo neurocientista Jack Lewis e pelo palestrante motivacional Adrian Webster. A quarta capa perguntava: "Já sentiu que sua cabeça estava embaralhada?".

Oh, se já. Já tinha sentido, sim.

Comecei a ler e só parei depois de devorar aquele livro, e mais todo o resto da pilha. Um buraco levava a outro, e era recebida em cada um por um Gato de Cheshire sorridente. Conheci muitos Chapeleiros Malucos na exploração da neurociência e, por mais estranho que pareça, todos me deram esperança. Quanto mais lia, mais entendia por que tinha passado tanto tempo presa a hábitos destrutivos. Finalmente comecei a enxergar luz no fim do túnel.

------

11 *Arrume seu cérebro*, em tradução livre. (N.E.)

Uma das descobertas mais chocantes: é surpreendentemente fácil decodificar o cérebro humano.

Se você tentasse controlar sua vida agora usando um daqueles primeiros computadores dos anos 1950, que ocupavam uma sala inteira e levavam uma hora para calcular 2 + 2, ficaria frustrado, em estado constante de ARGH. É basicamente isso que acontece com a gente o tempo todo. Nosso cérebro foi desenvolvido para correr a três quilômetros por hora, mas a gente o força a correr trezentos, ainda equilibrando um abacaxi. É ÓBVIO que a vida moderna faz a gente se sentir sobrecarregado e irritado. Precisamos atualizar a mente urgentemente. No entanto, não dá para atualizar nada se não soubermos como foi construído.

> *"Não dá para consertar o que não entendemos."*
> *Marisa Peer*

NOSSA RÁDIO INTERNA

Um dos meus livros preferidos, *O cérebro e a felicidade: como treinar sua mente para atrair serenidade, amor e autoconfiança*, do psicólogo Rick Hanson, me ensinou que o cérebro só tem dois modos.

Só dois! Quando descobri isso, fiquei profundamente decepcionada. Apesar das coisas incríveis que criamos, seres humanos na verdade são incrivelmente simples. Dr. Hanson chama esses dois modos de Zona Verde e Zona Vermelha. Eu prefiro a metáfora de o cérebro só sintonizar duas estações de rádio.

O slogan da RLX FM é "Estou seguro". Toca cantigas de ninar e canto de baleia, barulhos tranquilos para nosso sistema nervoso parassimpático, isto é, o modo de "descansar e digerir". Nosso corpo ama essa estação! A digestão vai tranquila, absorvendo antioxidantes como uma esponja, e o ritmo cardíaco se mantém normal. O sistema imunológico combate bactérias e vírus, e as regiões do cérebro de função mais complexa estão cheias de sangue oxigenado, então podemos tomar decisões inteligentes. Quando nosso cérebro toca a estação tranquila, mostramos mais compaixão, tomamos decisões mais ponderadas, acessamos a gratidão, e tudo tem mil vezes mais probabilidade de dar certo.

O slogan da FERROU FM é "Estou em perigo!". Toca estática em volume alto, ativando nosso sistema nervoso simpático, isto é, o modo de "brigar, fugir ou congelar". Essa estação de "fodeu" é pânico puro. Liga quando nos sentimos ameaçados – independentemente de vermos a ameaça, ou de ela ser verdadeira. Só *pensar* em ataque já liga o modo da FERROU FM, e o cérebro grita "LIBERA O CORTISOL!" para nossas glândulas suprarrenais. Imediatamente, a frequência cardíaca sobe, o sistema imunológico desaba e o sistema digestivo empaca. Sabe aquela sensação incômoda na barriga quando estamos com ansiedade? É sangue saindo do trato gastrointestinal e indo às pernas para a gente conseguir FUGIR. Sangue também escapa do cérebro e, quando o cérebro fica mal oxigenado, não toma decisões inteligentes. Não pensa. Só reage.

Somos programados com duas estações cerebrais para sobreviver. Quando estamos de boa, em segurança, podemos descansar, nos recuperar e transformar os nutrientes da comida em energia. Quando estamos nervosos e em perigo, esses sistemas são pausados para respondermos *automaticamente*, sem pensar. Nosso cérebro evoluiu para escapar de perigo em nível supersônico, e é por isso que estamos aqui hoje. Quando a ameaça se vai, somos programados para voltar à estação de "Estou seguro". O cortisol se dissipa. Voltamos a digerir, a um estado relaxado e a usar o intelecto para inventar a roda.

O cérebro só toca uma estação por vez, mas o rádio está sempre ligado. Ou a gente está no modo tranquilo ou surtando no modo de fuga, perpetuamente.

De acordo com o dr. Hanson, o cérebro humano é programado para sobrevivência, não felicidade. Nossos ancestrais tiveram que desenvolver um sistema sensível de detecção de perigo para se proteger de mortes brutais. Podemos argumentar que, hoje, a vida é muito mais fácil! Não estamos fugindo de tigres, e temos vidas relativamente mais seguras. Por outro lado, somos bombardeados por ameaças psicológicas que nossos ancestrais não conheciam tão bem. Sempre que temos de lidar com um boleto inesperado, rejeição social, trânsito, uma entrevista de emprego, um encontro romântico, um olhar esquisito de um colega, uma pessoa falando alto no metrô, uma *pandemia*, recebemos uma dose de cortisol semelhante à de fugir de um leão. Hoje em dia, nossa FERROU FM passa muito tempo ligada, e o berro *heavy metal* do nosso sistema nervoso não nos protege como fazia no passado. Na verdade, *causa* problemas de saúde: fadiga adrenal, inflamação crônica, pressão alta etc.

O psiquiatra e neurocientista Daniel Amen, fundador das clínicas Amen, certa vez escreveu: "A maioria das pessoas não nota que o corpo responde a cada pensamento que tem. Se pensar em coisas negativas, as mãos ficam frias e úmidas, os músculos, tensos, a frequência cardíaca [é afetada]". Se passarmos o dia nadando em pensamentos ansiosos, é claro que sentimos dor nas costas. Para saúde mental e física ideais, o legal é a RLX FM, na qual é cada vez mais difícil se manter.

Já que Regina, minha crítica interna escrota, cuspia pensamentos estressantes e ansiosos constantemente, meu cérebro tocava "Estou em perigo" 24 horas por dia. Antes do *burnout*, minha digestão praticamente parou (oi, inchaço!). Cada e-mail, mensagem ou recado na caixa postal vindos do meu sócio assustador ativava uma inundação de cortisol. Só ler as palavras "Podemos conversar?" causava uma carga de pavor ansioso de apertar o peito. Eu tinha passado tanto tempo sob ameaça psicológica que começara a aceitar ataques de pânico diários como parte da vida. Mas não é normal passar dez anos fugindo de um tigre imaginário. Óbvio que eu tinha ficado de cama, me sentindo destruída.

Minha amiga Gala recomendou a escrita de Elisabeth Kübler-Ross, uma psiquiatra suíço-americana do século XX, famosa por identificar os cinco estágios do luto, e este trecho a respeito da dicotomia dos pensamentos me inspirou: "Há apenas duas emoções: amor e medo. Toda emoção positiva vem do amor, e toda emoção negativa, do medo. Do amor flui a felicidade, o contentamento, a paz e a alegria. Do medo vem a raiva, o ódio, a ansiedade e a culpa." Ela explicou que as pessoas não conseguem sentir essas duas emoções juntas, exatamente ao mesmo tempo. "São opostas. Se estamos com medo, não estamos no lugar do amor. Quando estamos no lugar do amor, não podemos estar no lugar do medo [...]. Devemos continuamente escolher amor para nutrir a alma e afastar o medo, assim como comemos para nutrir o corpo e afastar a fome."[12]

Uau. Li esse trecho de novo e de novo. Poderíamos dizer que a estação FERROU FM, estressante, tocava medo, e o modo tranquilo da RLX FM tocava amor. Eu tinha ficado presa, ouvindo a Regina Escrota e vivendo com medo, enquanto ela me bombardeava com preocupações sobre o futuro e arrependimentos do passado. Obviamente precisava mudar de estação e mergulhar no amor, ligando a RLX FM. A estática da FERROU FM estava me destruindo de dentro para fora e, apesar das pausas de *mindfulness* que me impediam de surtar ainda mais, eu ainda estava vivendo em um estado desproporcional de ansiedade. Só precisava achar um manual melhor para fazer isso.

O CÉREBRO É UM ÍMÃ DE NEGATIVIDADE

Por mais que eu tentasse, meu cérebro não parecia capaz de escapar dos pensamentos negativos e da ansiedade que me inundavam todo dia. Regina gostava de fazer comentários destrutivos sobre tudo; assim que um pensamento negativo ia embora, outro aparecia, quase instantaneamente. Catherine M. Pittman, PhD, escreveu no livro *Rewire Your Anxious Brain: How to Use the Neuroscience of Fear to End Anxiety, Panic and Worry*[13] que somos descendentes do "povo da preocupação". Por exemplo, nossa tatatata-mil-vezes-taravó notou que a caverna perto do lago ficava alagada depois da tempestade. Preocupação com um alagamento futuro a levou a procurar e encontrar uma nova caverna, mais distante do lago. Excelente! Por causa da preocupação, a família dela sobreviveu à enchente seguinte, e é por isso que estamos todos aqui hoje. Preocupação era chave na nossa evolução. Seres humanos modernos têm tanto talento para preocupação quanto nossos antepassados. Nosso desejo de sobreviver nos torna, como explicou dr. Hanson, completamente obcecados por procurar o que pode dar errado. Há um termo científico para isso: viés negativo.

---

12 KUBLER-ROSS, Elisabeth; KESSLER, David. *Life Lessons: Two Experts on Death and Dying Teach Us About the Mysteries of Life and Living*. Nova York: Scribner, 2000.

13 *Reprograme seu cérebro ansioso: como usar a neurociência do medo para dar fim a ansiedade, pânico e preocupação*, em tradução livre. (N.E.)

Como disse, eu e minha família sempre fomos preocupados em nível olímpico. Eu encontrava vinte coisas com as quais me preocupar antes do café da manhã, ao me comparar com outras pessoas no Instagram, ler as notícias e lembrar que o mundo está em apuros, tomar um banho e me incomodar com o corpo flácido. Depois mergulhava em e-mails, tweets, mensagens, Snaps e, como resultado da quantidade enorme de mensagens, surtava por causa do peso do trabalho. Minha vida era uma sobrecarga de negatividade desde o momento em que abria os olhos, e eu dava um jeito de estar "errada" a cada vinte segundos ao longo de todo o dia.

Dr. James R. Doty, professor, neurocirurgião e autor de *A maior de todas as mágicas: a história real de um neurocirurgião e suas descobertas sobre o poder da meditação e da compaixão*, explicou que nosso DNA não muda há milhares de anos (desde a época dos homens das cavernas), mas nosso ambiente mudou muito além do que poderíamos planejar. Nossa capacidade de preocupação, que um dia foi uma força que garantia nossa sobrevivência, agora está sobrecarregada, sem tempo para processar a informação do mundo moderno. Virou tóxica e atrapalha nossa vida.

O PODER DO PENSAMENTO

Temos por volta de 6 mil pensamentos por dia,[14] e a vasta maioria é igual aos do dia anterior. Passamos a maior parte da vida no piloto automático – e o piloto automático não está voando tranquilo. Raj Raghunathan, PhD, autor de *Se você é tão esperto, por que não é feliz?*, falou à *Psychology Today*: "Mesmo quando as pessoas alegam se considerar em alta autoestima, os pensamentos que lhe ocorrem espontaneamente – o 'ruído mental', digamos – são setenta por cento negativos". Na mente consciente, *queremos* nos sentir bem, otimistas quanto ao futuro. No entanto, o inconsciente, composto de crenças falhas que aprendemos na infância, nos traz de volta à negatividade três quartos do tempo! É a voz escrota na nossa cabeça, que nem a da Regina. O cérebro

---

14 TSENG, Julie; POPPENK, Jordan. "Brain Meta-state Transitions Demarcate Thoughts Across Task Contexts Exposing the Mental Noise of Trait Neuroticism". *Nature Communications*, v. 11, n. 1, 2020, p. 3480. Disponível em: DOI: 10.1038/s41467-020-17255-9. Acessado em: 17 maio 2022.

encontra a negatividade e se gruda a ela como pelo de cachorro na nossa jaqueta preferida. Somos nosso pior inimigo porque fomos programados para encontrar e agarrar o lado negativo de *tudo* – principalmente em nós mesmos.

Até se coisas boas estiverem acontecendo, ainda tendemos a nos concentrar naquela parte ruim, acreditando ser útil. Sempre que elogiavam minhas entrevistas na televisão, por exemplo, eu esquecia os comentários imediatamente. Se uma pessoa fizesse um comentário cruel, no entanto, eu me prendia a ele e passava dias me recriminando. Todo mundo faz isso! Tenho certeza de que você se lembra das críticas que recebeu com mais clareza do que os elogios.

A maioria de nós não tem consciência total de que esse "ruído mental" cruel acontece de maneira automática. Quando li a respeito de "pensamentos negativos automáticos" (PNAs), fiquei horrorizada, imediatamente imaginando insetinhos irritantes rastejando pela minha perna, como se eu tivesse me sentado em um formigueiro e minha pele estivesse toda picada. Os PNAs têm efeito semelhante, picando nossa psique.

Meu educador a respeito de PNAs foi principalmente o dr. Mike Dow, coautor de *Healing the Broken Brain*.[15] De acordo com sua pesquisa, os PNAs normalmente se apresentam em oito padrões distintos.

1. **Tudo ou nada dramático.** Culpada! Está tudo HORRÍVEL ou INCRÍVEL. O chefe é PÉSSIMO ou ÓTIMO! Ou eu ODEIO ou eu AMO. Quando eu fazia programas de televisão ao vivo, se meu desempenho não fosse perfeito, era um DESASTRE. Esse padrão de pensamento nos transforma em babacas cruéis e impiedosos e aumenta nosso medo em mil por cento.
2. **Supergeneralização.** Culpada também! Depois de um encontro ruim, eu pularia direto para "Simplesmente não tem *nenhum* homem interessante *na cidade toda de Nova York*". Quando uma amiga foi traída uma vez, declarou: "Todos os homens são traidores e mentirosos horríveis!". Esse padrão de pensamento nos transforma em autores de pantomima.
3. **Espiral descendente.** Uma clássica espiral negativa é assim: "Não consegui esse emprego. Não vou conseguir emprego *nenhum*. Nunca.

---

15 *Curando o cérebro avariado*, em tradução livre. (N.E.)

Sou inútil. Não vou poder pagar aluguel. Vou ser despejada. Não tenho jeito. Vou parar na rua e morrer sozinha na sarjeta." (Esse é um exemplo de espiral minha; a sua pode ser diferente.)

4. **Paralisação de análise.** É como uma espiral, mas sem sair do lugar. "Por que a Emily não me respondeu? Será que está chateada comigo? O que fiz de errado? Será que meu e-mail foi irritante? Animado demais? Chato demais? Ela me olhou *mesmo* daquele jeito outro dia... o que *significa* isso?" Análise excessiva é meu PNA mais incômodo. Meu cérebro é infestado desses pensamentos!

5. **Adivinhação.** Culpadíssima! Esses PNAs supõem que a merda de agora é a mesma situação em que estaremos presos *para sempre*. Se alguém estiver solteira e desempregada agora, então NUNCA vai arranjar namorado, casar nem arrumar emprego. Às vezes prevemos futuros sombrios sem nem notar. Eu escrevia diariamente no meu diário de gratidão, e os PNAs de adivinhação apareciam, dizendo: "Mas e se essa coisa pela qual agradeci hoje sumir amanhã?". Esses PNAs pegam o volante da ansiedade como um ônibus veloz atrasado para a aula.

6. **Rejeitar o positivo.** Elogios "não contam", por algum motivo qualquer. Ignoramos tudo o que dá certo, considerando mera sorte. Todo mundo que parece gostar da gente deve ter problemas emocionais profundos, por exemplo, "Deve ter motivo para ele estar solteiro!". Isso nos mantém presos no território de "sou insuficiente" e "nunca serei suficiente".

7. **Personalização.** Os PNAs culpados que dizem "É tudo culpa minha", e "Se eu não tivesse feito isso, aquilo teria dado certo". Eu até já me culpei por chover nas férias, pensando "Foi castigo porque eu pedi sol!". Esses PNAs enfiam a gente em um buraco fundo de culpa e ódio do qual é difícil sair.

8. **Deveres.** Sempre que dizemos "Eu *deveria* ter ido correr", "Eu não *deveria* ter comido aquele bolo" ou "Eu *deveria* já estar casada e ter filhos", esses PNAs se juntam aos pensamentos de autorrejeição e causam uma infestação tremenda. Esse padrão leva a vergonha, culpa, ressentimento e arrependimento, e nos arrasta para estados de vibração muito baixa (que explicarei melhor mais para a frente).

Meu viés negativo e meus PNAs causaram desastres físicos e mentais por anos. Simplesmente aprender a respeito deles me reconfortou muito, pois não era só eu que sofria com essas infestações. *Herdei essas preocupações. São* normais, *são até sinais de que minha mente é funcional.* (Acho que foi um pensamento positivo? Já foi um, agora faltam 5.999?) Certamente poderíamos reprogramar o mecanismo de proteção e deixar a mente ter mais opções, em vez de só se concentrar no que está errado?

O CÉREBRO É CONDICIONADO

Você provavelmente já ouviu falar que o cérebro é como um iceberg. Nossa *mente consciente* é uma pequena fração – a maioria dos especialistas atribui a 10% – que fica visível, acima da superfície. É responsável pelo que pensamos naquele momento e pelo que notamos com atenção – se estamos com frio ou calor, o que queremos almoçar, as palavras na nossa frente agora. O restante da mente, os 90% do iceberg abaixo da superfície, é nossa *mente inconsciente*.

> **Um iceberg fez o Titanic afundar, e a maior parte do nosso cérebro de iceberg – o inconsciente negativo – também pode nos fazer afundar.**

O que se esconde lá embaixo é um bloco de gelo enorme que congela e armazena todos os comentários cruéis que já ouvimos, todo trauma (micro e macro), toda crença que formamos da cultura e do condicionamento da infância – todas as emoções com as quais tememos lidar. Ah, e não tem um botão de deletar. Aff.

Minha introdução ao condicionamento começou com Ivan Petrovich Pavlov, o famoso fisiologista russo, ganhador do Nobel e figura clássica de aulas de introdução à psicologia. Ao alimentar os cachorros, ele tocava um sino, condicionando-os a saber que o sino representava comida. Mesmo que não fosse hora do jantar, os cachorros babavam ao ouvir o sino.

Seres humanos não são diferentes; temos reflexos condicionados, que são particularmente intensos se associados ao medo.[16] Os psicólogos estadunidenses John Watson e Rosalie Rayner provaram esse fato com uma experiência (um pouco sádica) conduzida com o "Pequeno Albert". Antes da experiência, mostraram um rato a Albert, um bebê, que não sentiu nenhum medo. Em seguida, Watson e Rayner tocaram uma buzina alta ao mostrar o rato, e o choque do barulho ensinou o coitado do Pequeno Albert a morrer de medo do rato.

As pessoas podem aprender a temer ou detestar qualquer coisa, se associarem um objeto ou experiência com perigo. Podemos ser condicionados a temer o cheiro de cigarro se não gostávamos de uma babá fumante. O condicionamento por associação pode até criar medo de um dia da semana. Meu irmão mais velho tem pavor de domingo, porque tinha medo de voltar à aula no dia seguinte, e até hoje, décadas depois, não conseguiu se livrar do incômodo com o dia.

O condicionamento explica por que nossa mente inconsciente "conecta o padrão" de gatilhos emocionais e comportamentos. O psiquiatra, neurocientista e autor estadunidense dr. Judson Brewer, PhD, diz que pessoas que comem *junk food* por conforto podem estar conectando o padrão do comportamento à alegria e comemoração de festas de aniversário infantis. Para muitos de nós, essas festas davam liberdade total para comer pizza, batata frita e bolo à vontade. O cérebro aprende a desejar comidas de festa porque historicamente associava essas épocas com liberdade, diversão e amizade. Romper o hábito da alimentação emocional é muito difícil, porque também podemos sentir que estamos sacrificando a alegria infantil, mesmo sem perceber conscientemente.

Tudo que acreditamos nos foi ensinado, e essas lições começaram nos anos de esponja, antes dos seis, quando absorvemos, absorvemos e absorvemos, sem espremer nada. A parte crítica do nosso cérebro ainda não foi formada, então recebemos tudo e aceitamos como fato garantido. Somos muito vulneráveis quando começamos a aprender sobre o mundo. É por isso que pais e professores são tão influentes no nosso desenvolvimento, para o bem e para o mal.

Podemos ter pais maravilhosos que só nos programaram da melhor forma, ou pais que sofriam com as próprias questões e que, sem perceber, prejudicaram nosso programa inicial. Qualquer que seja nossa situação individual,

---

16 MAREN, Stephen. "Neurobiology of Pavlovian Fear Conditioning". *Annual Review of Neuroscience*, v. 24, n. 1, 2001, p. 897-931. Disponível em: DOI: 10.1146/annurev.neuro.24.1.897. Acessado em: 17 maio 2022.

nenhum de nós é imune à marca da cultura na nossa mente inconsciente. Por exemplo, muitos de nós fomos condicionados a acreditar que mais é melhor, dinheiro traz felicidade e consumo nos ajuda a pertencer.

> **Tudo – momentos pequenos ou traumas grandes – pode causar falhas na programação.**

Mexendo no YouTube, encontrei um vídeo de Eckhart Tolle, autor best-seller de *O poder do agora: um guia para a iluminação espiritual*, explicando que crenças aprendidas na infância nos afetam na vida adulta. Ele contou a história de um menino que fazia escândalo até os pais cederem à exigência para fazê-lo parar. Naqueles momentos, a criança aprendeu que mostrar infelicidade era o caminho para conseguir o que quisesse. Por isso, como adulto, continuou. Ele reclamava e se enfurecia, achando que era o caminho da felicidade. No entanto, esse tipo de comportamento (como sabemos bem) teve o efeito oposto: ser um babaca era a causa da *infelicidade* dele.

Naturalmente, essa educação a respeito do condicionamento me fez começar a desafiar toda crença que tinha. Minhas crenças políticas eram minhas ou dos meus pais? E minhas crenças religiosas? Minha preferência pela cidade ou pelo campo? Até a comida de que eu gostava! Uau, quando começamos a analisar, vemos que tudo que pensamos ou acreditamos provavelmente foi influenciado pelo que aprendemos com nossos pais, comunidades ou cultura. Foi uma enorme revelação para mim: eu andava por aí carregando um saco de lixo de inseguranças porque, no meio do caminho, acreditei que comentários negativos de outras pessoas eram verdade e, como resultado, os assimilei.

AS HISTÓRIAS QUE ESCREVEMOS

Marisa Peer, hipnoterapeuta britânica, colocou um argumento que me marcou. Nenhum bebê chega ao mundo com medo, nem com crenças como "Sou tímido". Bebês sorriem e fazem barulhinhos para todo mundo. A inocência e o amor que vemos em bebês é prova de que todos, no fundo, somos um montinho de amor, curiosidade, compaixão e inocência. Aprendemos a ser ansiosos. Aprendemos nossas inseguranças. Aprendemos nossos preconceitos. Aprendemos nosso medo. Gerações transmitem crenças e hábitos tóxicos como se fossem uma gripe.

Algumas das nossas crenças mais formadoras e nocivas não parecem nada ruins até as examinarmos melhor. Na nossa infância, minha mãe treinou a mim e a meus irmãos para sermos "bonzinhos", e aprendi que ser "agradável" era essencial. Como adulta, levei isso ao extremo, e esse condicionamento muitas vezes me impediu de me impor, por medo de ser desagradável.

O que "sabemos" ser verdade a nosso respeito, todos os rótulos que absorvemos como "identidade" – "bonzinho", "preguiçoso", "ruim em matemática", "encrenqueiro", "insuficiente" –, veio de algum lugar externo. Ainda assim, nós nos contamos a mesma história repetidamente. Comecei a perguntar aos meus amigos quem eles achavam que eram, no fundo, e comecei a ver que também tinham críticos internos escrotos, como a minha Regina. Uma achava que era uma inútil, mesmo que fosse muito inteligente e bem-sucedida. Outra se achava burra, mesmo sendo uma palestrante renomada.

O lado bom é o seguinte: se uma coisa pode ser aprendida, então é possível desaprendê-la. Condicionamentos mostram que nossa "identidade" é apenas um amálgama do que ouvimos a respeito de nós, basicamente construído por um monte de opiniões (que provavelmente não pedimos). O amor do cérebro humano por narrar histórias significa que é possível reescrevê-las em versões novas, mais simpáticas e mais felizes (mas não perfeitas) e reformar a percepção que temos de nós.

Por causa da capacidade humana de evoluir constantemente, ninguém precisa se prender às histórias que os outros contam.

Pensar nisso foi muito libertador, e comecei a vislumbrar como seria um futuro diferente, sem me prender ao passado. Não precisava estar aprisionada por minhas ideias degradantes. Podia tomar o controle e me livrar delas.

Estava conversando com minha mãe a respeito dessas descobertas empolgantes quando ela me contou uma história que eu nunca tinha ouvido. Aos doze anos, ouvi de uma professora que eu era ruim em inglês e, por consequência, comecei a detestar aquela aula e a tirar notas baixas. Eu tinha aceitado as notas e a crítica como puro fato, e teria continuado acreditando pelo resto da vida se minha mãe não tivesse interferido. Em segredo, ela foi falar com a professora e disse:

– Como a Poppy vai saber o que faz de certo, se você só disser o que ela faz de errado?

Uma semana depois, essa professora começou a me dar estrelinhas por tudo. Lembro que achei estranho ter virado um gênio do inglês da noite para o dia, mas gostava de ganhar estrelas por acertar a pontuação. Em seis meses, motivada pelo retorno positivo, minha confiança aumentou muito, o que levou a enorme melhora. Virei uma das melhores alunas da turma, e inglês se tornou minha matéria preferida.

Fiquei chocada ao ouvir essa história, décadas depois. Não acreditava que uma mudança tão pequena podia ter impactado tão drasticamente o curso da minha vida. Eu não estaria aqui escrevendo este livro se não tivesse mudado a narrativa de "Sou horrível em inglês" para "Devo ser bem boa, se ganho tantas estrelas". O poder das nossas crenças no que fazemos e pensamos é, ao mesmo tempo, aterrorizante e empoderador. A frase "Acreditar que é capaz já é meio caminho andado", comumente atribuída a Theodore Roosevelt, estava começando a fazer muito sentido.

A autora Tara Brach escreveu, em *Aceitação radical: como despertar o amor que cura o medo e a vergonha dentro de nós*: "Talvez a maior tragédia da nossa vida seja que a liberdade é possível, mas podemos passar anos presos aos mesmos padrões de sempre [...] Podemos querer amar outras pessoas sem nos conter, nos sentir autênticos, respirar a beleza ao nosso redor, dançar e cantar. Ainda assim, todo dia, ouvimos as vozes internas que mantêm nossa vida pequena".

O processo de condicionamento é parte do motivo para tantos de nós terem essas vozes internas escrotas que declamam mentiras! Absorvemos os comentários críticos e os repetimos sem parar, nos prendendo na "síndrome do mundo pequeno". Eu não ia mal em inglês. Só fui criticada por uma professora e, sendo uma criança sensível, aceitei sua opinião como fato. Eu também não era gorda, só ouvia implicâncias de um menino inseguro no parquinho e aceitei como verdade. Um pequeno voto de confiança no momento certo pode mudar a vida inteira de alguém, mas o oposto também pode ocorrer.

Podemos fornecer essa voz para nós mesmos, rompendo nosso condicionamento e desafiando todas as nossas crenças. No entanto, a maioria de nós, ao longo da vida, só segue em frente, sem nos darmos o tempo e energia para questionar nossos pensamentos.

Eu estava subsistindo nos equivalentes mentais de hambúrgueres ruins no café da manhã, no almoço e no jantar. Minha dieta mental era horrível, mas estava muito condicionada pela ideia de que perfeição era felicidade para desacelerar e contemplar meus padrões nocivos. Precisava desaprender o que tinha CERTEZA ser verdade e questionar o que eu realmente queria. Estava começando a alongar meus pensamentos pela primeira vez, olhando para minhas crenças "factuais" sobre mim e sobre a vida e questionando se seriam mentiras. Precisava conferir as *fake news* da minha cabeça, como tinha começado a fazer no Facebook. Nossa crítica interna escrota pode ser o eco de uma professora de inglês malvada; e por que continuar a carregar isso? Foi aí que começou meu processo de descondicionamento.

SE AS NECESSIDADES BÁSICAS NÃO FOREM SUPRIDAS, ESPERE PROBLEMAS

Fazia sete anos que eu não dormia em horário normal. Meu hábito era trabalhar ou farrear até de madrugada, dormir por cinco horas e acordar de manhãzinha para começar de novo. O médico tinha deixado *muito* claro que dormir seria parte fundamental da minha recuperação. De acordo com um estudo recente da UCLA, falta de sono faz tão mal para o cérebro quanto bebedeira extrema.[17] "Concluímos que privar o corpo de sono também priva os neurônios da capacidade de funcionar corretamente", disse Itzhak Fried, PhD,

---

17 NIR, Y.; ANDRILLON, T.; MARMELSHTEIN, A. et al. "Selective Neuronal Lapses Precede Human Cognitive Lapses Following Sleep Deprivation". *Nature Medicine*, v. 23, n. 12, 2017. Disponível em: DOI: 10.1038/nm.4433. Acessado em: 17 maio 2022.

autor sênior do estudo.[18] A falta de sono está ligada à depressão e à ansiedade, pois diminui a capacidade de pensamento consciente. Eu andava basicamente tentando dar conta da vida como se tivesse virado duas garrafas de rosé e uma dose de vodca antes das oito da manhã. Era claro que minha bússola emocional tinha perdido a direção.

Enquanto me recuperava, um amigo me mandou o link da apresentação TEDx da psicóloga Julia Rucklidge, de título "The Surprisingly Dramatic Role of Nutrition in Mental Health" ["O papel surpreendentemente drástico da nutrição na saúde mental"], e comecei a ver por que minha dieta também andava negligenciada. É tão óbvio que comida afeta o humor. Ficar com raiva de tanta fome acontece muito. Eu tinha quase esquecido como é fundamental suprir essa necessidade humana básica para fazer nosso *hardware* biológico funcionar. Fazia sentido eu estar sobrecarregada de ansiedade, já que me sustentava com uma dieta nada nutritiva.

Nós, seres humanos, somos incrivelmente sensíveis às necessidades físicas. Contudo, nossas necessidades emocionais têm impacto equivalente na saúde geral. Quando não nos sentimos seguros, por exemplo, é praticamente impossível agir em nosso melhor estado. O modelo mais famoso que explora a questão vem de Abraham Maslow, PhD, um psicólogo estadunidense. Em "The Theory of Human Motivation" ["A teoria da motivação humana"], seu artigo pioneiro de 1943, ele escreveu sobre a hierarquia das necessidades humanas. Temos que satisfazer a base da pirâmide antes de subir para o nível seguinte. É como tentar passar de fase em um videogame. Maslow disse: "O homem é um animal de desejo perpétuo".[19] É isso! Assim que uma necessidade é suprida, olhamos para a seguinte. Ele acreditava que a sensação de desejar/precisar nunca vai embora.

---

18 SCHMIDT, Elaine. "Spacing Out After Staying Up Late? Here's Why". UCLA Newsroom, 6 nov. 2017.

19 MASLOW, A. H. "The Theory of Human Motivation". *Psychological Review*, n. 50, 1943, p. 370-396.

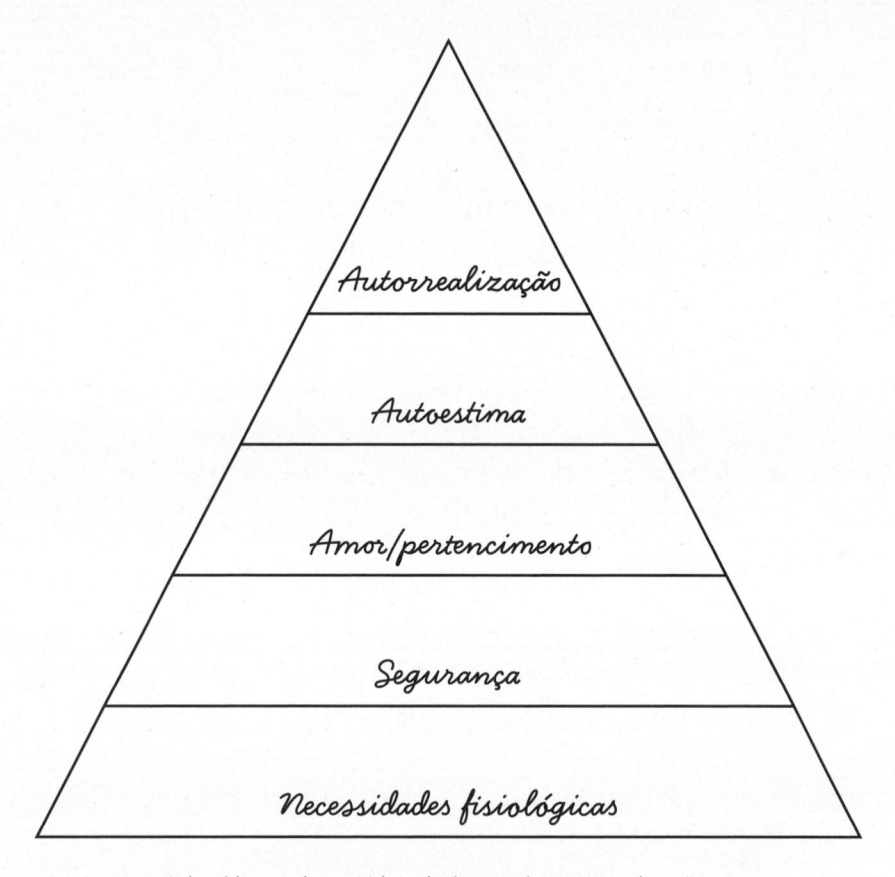

```
          Autorrealização

           Autoestima

        Amor/pertencimento

          Segurança

      Necessidades fisiológicas
```

O caminho é longo da comida e da água até a autorrealização. #metas

Na base da pirâmide de Maslow estão nossas necessidades fisiológicas, como comida, água, ar limpo e sono. Quando cuidamos disso, passamos a nos preocupar com segurança, como um ambiente estável, moradia, trabalho que cubra gastos e a sensação de termos os recursos necessários para sobreviver.

Depois disso vêm as necessidades de amor e pertencimento, como intimidade romântica e a sensação de ser aceito em comunidade. Maslow argumentava que é fundamental seres humanos amarem e serem amados. Sem amor, arriscamos perigos emocionais como solidão, ansiedade e depressão. No entanto, só quando suprimos as necessidades humanas básicas (abrigo e segurança) podemos começar a compartilhar amor plenamente.

Meu nível de amor e pertencimento estava em frangalhos. PERTENCIMENTO era o sentimento que estava buscando, e o que me daria: a sensação de estar segura, amada e suficiente. Esse desejo humano por pertencimento criava e impulsionava minha necessidade de perfeição.

Para me encaixar e me sentir parte do grupo, eu achava que precisava mudar.

Achava que não era suficiente como eu era e, inconsciente e conscientemente, escondia partes de mim que eu acreditava que me impediam de pertencer. Gradualmente, perdi conexão com meu eu verdadeiro e, sem nem notar, estava fingindo ser alguém que achava mais impressionante. Já que não estava vivendo sinceramente, achava difícil tomar decisões. *O que a versão produzida de mim quer?* Como eu saberia? Fazia tanto tempo que estávamos divorciadas.

A ironia é que quanto mais aceitarmos quem somos de verdade e encontrarmos pertencimento interno, menos sentiremos a necessidade de pertencimento externo. No entanto, eu ainda não sabia disso. Estava aprendendo isso tudo como um recém-nascido abrindo os olhos pela primeira vez.

De volta à pirâmide de Maslow: quando nos sentimos amados e aceitos, podemos passar para autoestima, o conforto na própria pele, a sensação de merecer o respeito alheio, a impressão de conquista e a confiança na nossa capacidade. No alto da pirâmide fica a autorrealização, o estado ideal de atingir nosso maior potencial como seres humanos, tentando demonstrar nosso melhor desempenho e buscar a satisfação. Maslow descreve este estado como "O que o homem pode ser, deve ser". Dr. James Doty chama esse nível de nova autoconsciência de "transcendência". A natureza da transcendência ocorre quando "reconhecemos que não somos indivíduos separados, mas parte de um todo, e que o todo é a humanidade", ele explicou ao site *Excellent Reporter*.

Estava começando a ver por que, apesar do treinamento de *mindfulness*, ainda tinha dificuldades com minha saúde mental. Muitas das minhas necessidades humanas não estavam sendo supridas. Não podia nem dizer que minhas necessidades básicas estavam resolvidas, já que eu estava dormindo e comendo mal, e vivendo uma existência nômade. Sentia pertencimento familiar, mas me achava indesejada no campo romântico. Autoestima? Bom, agora você já sabe que a minha era praticamente inexistente. Eu me sentia desesperadamente solitária no sofrimento. A autorrealização era o Everest, e eu estava empacada no acampamento-base.

Outro modelo de necessidades humanas me mostrou novamente como era crucial ter uma variedade de necessidades supridas para ter a oportunidade de sentir felicidade. Criado pelo neurocientista David Rock em 2008, é chamado de modelo SCARF.[20] SCARF é, em inglês, a sigla para *Status, Certainty, Autonomy, Relatedness* e *Fairness*, ou seja:

Status, sensação de importância em comparação com outras pessoas.
Certeza, confiança na previsão do futuro.
Autonomia, sensação de controle sobre a vida.
Relação, sensação de segurança junto a outras pessoas.
Justiça, percepção de justiça social.

Analisar que necessidades não estão sendo supridas nos ajuda a ver por que podemos estar enfrentando dificuldades. Dr. Rock acredita que as cinco são necessárias para prosperar. Se uma necessidade SCARF for suprida, ganhamos uma "recompensa", uma dose satisfatória de dopamina. Se uma necessidade não for cumprida, sentimos uma "ameaça", que leva a uma cascata de cortisol. Por exemplo, uma mulher vai a uma festa. Se as melhores amigas dela, que a amam e adoram, estiverem lá, o Status e a Relação estão em nível alto, e ela sente segurança por saber que é querida! No entanto, se a festa foi organizada por alguém que nunca gostou dela, seria estressante, pois o Status e a Relação estariam em níveis baixos. O cérebro ligaria a FERROU FM.

De novo, era claro que eu tinha entrado em colapso de *burnout*. Estava andando por aí sem Certeza, temendo que meu trabalho estivesse prestes a desabar; sem Relação, porque achava que meus colegas me odiavam; sem Autonomia, nem Status, pois os investidores estavam no controle. De acordo com esse modelo, eu estava emocionalmente falida. Era um reflexo preciso, e finalmente estava começando a entender por que talvez tivesse pifado. Estivera tentando sobreviver (e ainda ter sucesso) no deserto, sem água.

Mesmo com muitas necessidades SCARF fracas e empacada na base da pirâmide de Maslow, ainda senti uma onda de conforto ao aprender tudo isso e ver claramente que muitas das minhas questões eram causadas pelo ambiente, como a rotina desregrada, o sono ruim, a dieta nociva e a falta de

---

20 ROCK, David. "SCARF: A Brain-Based Model for Collaborating and Influencing Others". *Neuroleadership Journal*, 2008.

certeza e autonomia. Meus pensamentos, comportamentos e hábitos prejudiciais eram, em parte, resultado das necessidades que não estavam sendo supridas. O difícil de engolir era que eu mesma tinha criado aquela situação. Eu tinha me preparado para uma queda, mas, se tinha me levado até ali, estava começando a entender, eu podia também me levar para outro lugar.

PENSAMENTOS SÃO ENERGIA

Um colega do app Happy Not Perfect me apresentou os ensinamentos do dr. David R. Hawkins, PhD, autor de *Poder* vs. *força: os determinantes ocultos do comportamento humano*, um psiquiatra conhecido pela pesquisa a respeito dos níveis da consciência. Ele criou uma Escala de Consciência, classificando emoções e energia.

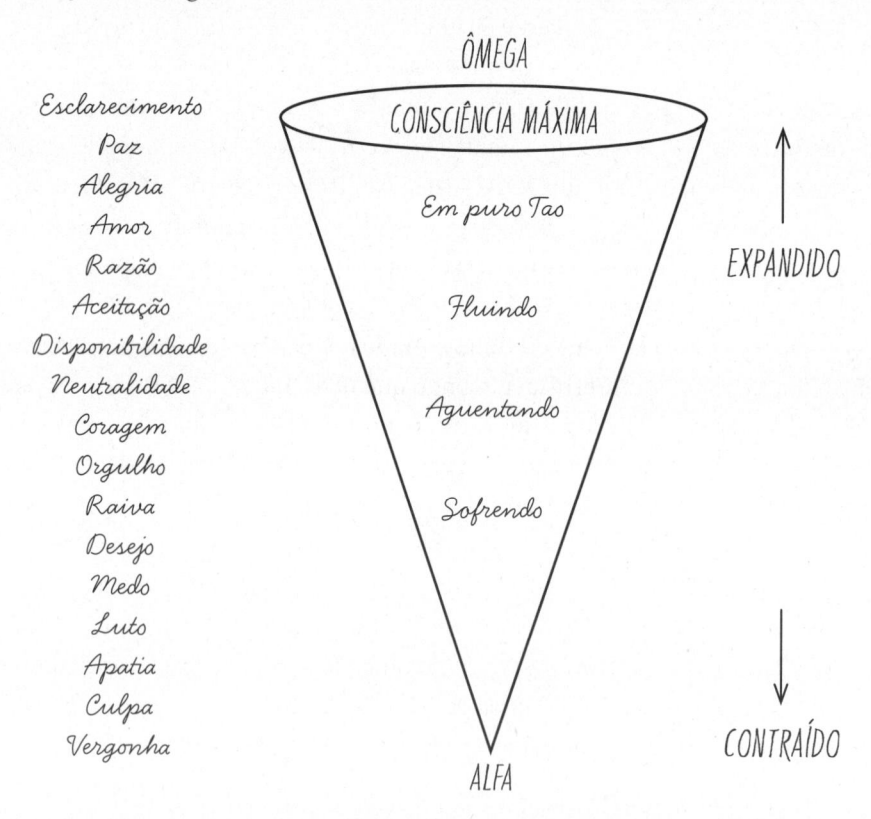

ÔMEGA
CONSCIÊNCIA MÁXIMA

Esclarecimento
Paz
Alegria
Amor
Razão
Aceitação
Disponibilidade
Neutralidade
Coragem
Orgulho
Raiva
Desejo
Medo
Luto
Apatia
Culpa
Vergonha

Em puro Tao

Fluindo

Aguentando

Sofrendo

↑ EXPANDIDO

↓ CONTRAÍDO

ALFA

As emoções mais baixas? Vergonha e culpa. Ai, não é um choque! As mais altas? Esclarecimento e paz, o que eu procurava e não sabia como encontrar.

Hawkins propõe que emoções baixas (alfa), como humilhação, culpa, desejo, arrependimento, ansiedade, ânsia, ódio, desprezo e vergonha, são energias de "força", que nos enfraquecem. Emoções altas (ômega), como confiança, compreensão, otimismo, perdão, serenidade e júbilo, são energias de "poder", que nos fortalecem. Quando vi esse gráfico, alguma coisa se encaixou para mim. Aprender que as várias emoções nos fazem vibrar em frequências diferentes me ajudou a entender por que emoções são tão contagiantes.

Nossos pensamentos e nossos sentimentos são feitos de energia.

A ideia de que somos seres magnéticos que sentem ondas energéticas (emoções) e se conectam com outras vibrações energéticas se encaixa muito bem com minha própria perspectiva de como a mente e o corpo funcionam em conjunto. Era claro que minha saúde mental estava afetando meu sistema imunológico. Eu estava presa em emoções de vibração muito baixa, rebaixando o sistema inteiro, me enfraquecendo. Aprender a Escala de Consciência me ajudou a entender que precisava elevar essa vibração imediatamente e começar a sentir emoções de mais energia, em vez de ficar presa nos níveis mais baixos, adoecendo e gastando a reserva do tanque.

A MAIOR DESCOBERTA DE TODAS: REEDUCAÇÃO

O livro que me convenceu de que a mudança é possível e realmente transformou minha vida foi *The Upward Spiral: Using Neuroscience to Reverse the Course of Depression One Step at a Time*,[21] de Alex Korb, PhD. Amei tanto o livro que fiquei obcecada pelo neurocientista, e encontrei o autor no Twitter! Depois de alguns tweets, ele gentilmente aceitou me encontrar, e ficamos amigos. Na Starbucks do campus da UCLA, Alex me explicou a ciência do cérebro em linguagem que finalmente entendi, dando até um curso resumido de arquitetura cerebral. Em suma, regiões diferentes controlam funções diferentes.

---

21 *A espiral ascendente: usando a neurociência para vencer a depressão, uma pequena mudança de cada vez*, em tradução livre. (N.E.)

O córtex pré-frontal é como o CEO fodão do cérebro, o tomador de decisão racional da "função executiva". Essa região diz: "Talvez *não* seja boa ideia chamar meu chefe de babaca narcisista."

A amígdala cerebral é a mente primata emocional, sempre pronta para reagir a qualquer sensação de ameaça e começar a gritar.

Os núcleos da base são o "cérebro réptil", o crocodilo preguiçoso dentro da gente que diz quando é hora de comer, dormir, fugir ou transar. Controla ações aprendidas relativas aos hábitos de coisas nas quais não pensamos conscientemente.

Imaginei o CEO fodão, o primata e o crocodilo preguiçoso juntos em uma sala. Não seria legal se o CEO conseguisse controlar o primata e o crocodilo, e usar seus poderes *para o bem*? Não deveríamos aspirar a nos livrar das emoções, porque não é possível. No entanto, se pudéssemos botar rédeas nelas, explorá-las e acessar sua força, teríamos muito mais sucesso e aproveitamento na vida! Do jeito que a banda tocava, meu primata deprê e meu crocodilo irritado tinham passado anos dominando minha mente racional, me dando a impressão de estar constantemente atropelada.

Outra coisa que li no trabalho de Alex Korb me deu bastante paz: a região do CEO fodão (o córtex pré-frontal) não acaba de se desenvolver até os 25 anos! Então, quando minhas emoções estavam fritas nos meus vinte e poucos anos, me faltava uma parte vital do sistema para dar conta de tudo. Era claro que minha amígdala cerebral deprê estava fazendo o que quisesse. Tinha controle total! Meu cérebro de CEO racional ainda não estava funcionando plenamente! Eu era controlada por um primata sem ter ideia disso.

A verdadeira revelação que Alex compartilhou e mudou para sempre meu entendimento de saúde mental: **eu não tinha que continuar a me sentir assim**. E era tudo por causa da *neuroplasticidade*, a ciência que provou que nosso cérebro não é feito de pedra. Nem de longe. Nosso cérebro é "plástico", mole, maleável, reprogramável e FLEXÍVEL. Essa pesquisa confirmava que **eu não estava presa**. Não precisava viver para sempre estressada e descontrolada. A biologia podia mudar. Gritei "Aleluia!".

Apesar de todos os fatores que perpetuam pensamento negativo, nós *temos a capacidade de reformar nossa mente* e reprogramar padrões que repetimos desde sempre.

Assim como cobras mudam de pele, podemos mudar de pensamento e padrão.

Aí estava, preto no branco, aprovado e confirmado pela ciência. Eu não precisava ficar presa à minha perspectiva atual, miserável e destrutiva. Tinha a capacidade, assim como todos os seres humanos, de aproveitar nossa biologia maleável para me libertar de padrões de pensamento e comportamentos condicionados que não estavam me ajudando. Era cem por cento possível reprogramar, e eu só precisava encontrar a melhor maneira de moldar meu cérebro em uma nova forma de pensar. Contudo, como Alex explicou, se eu estivesse querendo mudar a sério, seria necessário cuidado e repetição diários.

Fiquei fixada na ideia de cuidar dos meus pensamentos, como se cuidaria de uma criança. Tinha passado anos me agredindo verbalmente. Nunca trataria uma criança ou um amigo do jeito que, consciente e inconscientemente, eu gritava comigo por erros simples como interpretar errado uma situação – "Poppy, NÃO ACREDITO que você disse isso, que vergonha" – ou reagir de maneira destrutiva se alguma coisa dava errado. Minha amiga Jules, coitada, teve que ver um surto de choro quando meu voo foi cancelado e eu estava prestes a perder uma reunião com investidores; cheguei a me culpar pela tempestade que impediu o avião de decolar. Foi ridículo e desnecessariamente escroto. Não era surpresa meu corpo e minha cabeça pifarem depois de tanta crueldade.

Crianças ficam assustadiças e ariscas por causa de gritos e críticas constantes, e meu cérebro tinha feito o mesmo. Estava implorando por uma coisa muito simples: paciência e gentileza. Eu precisava aprender a me tratar internamente com a mesma compaixão que trataria uma criança igualmente perdida. Como disse o curandeiro e autor mexicano Don Miguel Ruiz, "Seu eu verdadeiro ainda é uma criança que nunca cresceu". O filósofo alemão Friedrich Nietzsche teria dito que em todo homem de verdade há uma criança escondida que quer brincar. Nenhuma criança floresce em ambientes instáveis e violentos, e o mesmo se diz da nossa criança interior.

Essa crise dos vinte e tantos estava me fazendo descobrir coisas a respeito do meu *hardware* biológico que iam mudando permanentemente meu ponto de vista. Um lado bom finalmente estava surgindo da minha queda ao fundo do poço.

A não ser que abordemos a reprogramação mental de maneira cuidadosa, carinhosa e EMOCIONAL, continuaremos a tocar a estação FERROU FM e a reagir de modo extremo à rejeição, à ansiedade e ao estresse, em todas as situações. Eu estava gritando com meu cérebro, em vez de negociar com ele e, finalmente, entendendo o fato de que precisava mais do que um bastão de cola e algumas curtidas nas redes sociais para me manter inteira.

Só havia um caminho: precisava pedir aos meus PNAs que mudassem de ninho, ensinar Regina a ser menos cruel, mudar o rádio para a RLX FM, atualizar o sistema para um *software* mais esperto e me consertar com a Super Bonder da aceitação, da consciência, de desafiar crenças e da fé em romper o hábito dos pensamentos tóxicos. Para viver uma vida plena, precisava aprender a me soltar e pensar com mais cuidado e flexibilidade. A ciência mostrava que, afinal, era possível. Meu cérebro era plástico; eu precisava esticá-lo e alongá-lo em um formato que não tinha antes.

OS TRÊS MANTRAS DE OURO PARA GRUDAR NO ESPELHO

Pelo poder da educação e da abertura, aprendi que minhas crenças centrais defeituosas estavam causando a vasta maioria dos problemas na minha vida. Antes de investigar a ciência, não havia nem notado que tinha tanta tendência a me prender à negatividade. Só sabia que estava infeliz e sobrecarregada. Finalmente, entendendo o viés do cérebro, o condicionamento de PNA e as estratégias de sobrevivência falhas ativadas pelo meu caos emocional, podia começar a curar minhas feridas e cuidar da saúde (mental e física) de maneira significativa.

Por mais bizarro que pareça, agradeço os muitos dias que passei de cama, me sentindo destruída, acompanhada de um travesseiro encharcado de lágrimas. No entanto, não acredito que eu, nem ninguém, deva se demorar no fundo do poço por um segundo a mais do que o necessário. Aprender me trouxe de volta. Minha educação a respeito do cérebro foi a luz que entrou na minha vida e afastou o escuro. Durante meu período de estudo intenso, voltava sem parar para três ideias simples e libertadoras que, nos anos seguintes, virariam do avesso minha vida, minha carreira e minha perspectiva.

Grudei esses três lembretes de ouro no espelho e na geladeira para garantir que me lembrasse deles ao acordar, ao ir dormir e ao pegar o leite. Só de olhar para os lembretes, espirais negativas paravam abruptamente.

1. **Pensamentos não são fatos, vá com calma.**
   Nosso cérebro mente constantemente. Minha Regina escrota tinha cochichado "coisas erradas" e me fizera procurar e criar problemas onde não existia nenhum.

2. **Flexibilidade mental acalma o medo.**
   Todos lidamos com ansiedade e negatividade constantes, o viés que pensamos e sentimos desde o nascimento, e as crenças defeituosas que aprendemos no caminho. A estratégia que alivia padrões de pensamento profundos que ativam a ansiedade é a *flexibilidade*, ser capaz de moldar, reestruturar, desafiar e enxergar a si e ao mundo por outra perspectiva.

3. **O cérebro precisa ser atualizado.**
   Sabe quando o computador e o celular mandam aqueles lembretes de "atualize o software", e a gente vai ignorando para sempre, até o aparelho começar a travar? Quando basicamente pifa, a gente FINALMENTE nota: *ah, é porque não instalei a atualização*. Aí atualizamos e, como em um passe de mágica, o aparelho volta a funcionar em velocidade total.

O cérebro implora para atualizar os sistemas instalados pela evolução e pela infância de cada um. Aprendi o vício em trabalho, a evasão emocional e o hábito de reagir exageradamente na infância, como modo de sobrevivência. Aprendi a crença de que perfeição era igual a amor e segurança sem rejeição, e foi com base nela que construí minha vida viciada em trabalho. A notificação da minha necessidade desesperada por ser atualizada veio do meu corpo, na forma de exaustão crônica e *burnout*. Recebi a notificação e fechei sem ler. Eu era campeã em ignorar notificações. Descobrir que meu cérebro era culpado pelo colapso de saúde foi a sacada necessária para entender como reprogramar meus vieses e meu condicionamento cerebral.

Minha pesquisa pós-*burnout* foi só o começo da minha educação. Troquei o papo com caras bonitinhos por mensagens com neurocientistas. Criei o podcast *Not Perfect* ("Perfeita não") para entrevistar e aprender com especialistas e compartilhar as conversas com quem quisesse cultivar uma mente mais gentil. Ao longo dos últimos anos, conheci um conjunto de Chapeleiros

Malucos incrivelmente maravilhosos, estranhos e geniais, cujo trabalho transformou toda a minha vida. Com a ajuda de muitos desses pensadores e pesquisadores consegui, além de me recuperar, atualizar minha mente e substituir o pensamento preso na rotina por abordagens flexíveis. Nas Partes Dois e Três, vamos nos aprofundar em como fazer o mesmo.

Flexibilidade é se permitir ser humano.

Fundamentalmente, somos todos iguais. Tentamos satisfazer a mesma necessidade de amor e pertencimento, e somos vulneráveis ao mesmo medo de rejeição e solidão. Por mais que a gente aprenda a encontrar amor e apaziguar o medo, ainda temos muito mais a aprender. Felizmente, como T. H. White escreveu, "Aprenda por que o mundo se move, e o que o move. É a única coisa que a mente nunca pode esgotar ou alienar, nunca pode deixar que a torture, nunca pode temer ou desconfiar, nem nunca sonhar com o arrependimento".

Nesse processo eterno de aprender a estar vivo, todo ser humano vai se machucar pelo caminho. Nossa flexibilidade para lidar com pancadas inesperadas determina o grau da ferida e a rapidez da cura. Ironicamente, o que muitas vezes fazemos para nos proteger – ser rígido, robótico e evasivo – pode causar a maior dor.

Comecei a jornada viciada em trabalho e implacável, desesperada para ser perfeita e sedenta por aceitação, para sentir que eu tinha importância ou algum significado.

Agora sou uma mulher que finalmente se admira, aceita uma vida emocional completa sem se sentir controlada por ela, e tem a confiança de se orgulhar de quem é. Uma reunião com investidores antes me jogava em espiral, e não receber resposta de um cara ativava pensamentos de ódio, mas isso não acontece mais. Quando a ansiedade começa a subir, aprendi a parar e me conectar comigo. Escolher me manter conectada com meu lado autêntico, bravio, sem condicionamento, me faz manter a conexão com minha verdade. Agora posso desafiar pensamentos cruéis e mandá-los embora, permitindo que eu me mantenha firme sem precisar me encolher no canto ou me punir nas sombras.

Essa enorme atualização não aconteceu da noite para o dia. Mas continua a acontecer, e minha vida se abriu de modos que nunca nem imaginei possíveis antes de aprender a flexibilidade emocional. O processo todo começou com um desejo de aprendizado e um comprometimento com a mudança, quando acreditei que mudar era possível. Aprendi que a única pessoa capaz de transformar minha vida era eu. Assim como ninguém poderia ir à academia e fazer abdominal no meu lugar, eu também tinha que exercitar a mente sozinha.

A única coisa que alguém pode fazer por você é ajudar a se abrir a novas perspectivas e entendimentos. Ao compartilhar minha história e apresentar você à multidão de especialistas que me inspiraram, espero que se sinta menos só. Espero que veja que não é delirante e que não precisa mais se sentir insuficiente. Acredite, você é mais do que suficiente.

PARTE DOIS

FLEXIBILIZE SUA VIDA

> "A medida da inteligência é a capacidade de mudar."
>
> *Autor desconhecido (comumente atribuída a Albert Einstein)*

capítulo quatro

O QUE É O PENSAMENTO FLEXÍVEL?

No início da minha recuperação, uma das minhas mentoras me apresentou uma metáfora para a vida na qual penso com frequência.

– A vida é que nem um sino na torre, sempre balançando de um lado para o outro, com os altos e baixos inevitáveis. A maioria das pessoas passa a vida se agarrando ao sino, com medo, sendo jogadas para lá e para cá.

Bom, pelo menos tenho companhia, pensei.

– Mas há outro jeito de passar a vida – continuou. – Você pode aprender a escalar e se sentar em cima do sino. O sino continua a balançar. Os altos e baixos continuam a acontecer, mas você não precisa se sacudir junto, pode se manter centrada.

Não ser sacudida diariamente me parecia uma fantasia. Eu não fazia ideia de como *não* ser afetada por mudanças emocionais.

Para encontrar a plenitude, eu precisava de uma abordagem facilmente adaptável, que funcionasse em todas as minhas questões *e* fosse ampla o bastante para me ajudar em qualquer situação. Uma abordagem flexível.

Eu estava com problemas graves, sem dúvida: estresse crônico, uma abundância de pensamentos negativos, uma perspectiva melancólica e a crise de saúde consequente. O problema não é só meu, claro. É uma epidemia entre a Geração Ansiedade, e muito mais gente. Estamos todos inundados em ansiedade, com bons motivos, interna e externamente. Eu tinha passado tempo demais presa à minha ansiedade, e estava em uma missão determinada a reprogramar essa perspectiva tóxica.

Através de minha pesquisa, aprendi que HÁ SOLUÇÃO. Podemos nos libertar usando *biohacking* e técnicas confirmadas para sair da gaiola mental do pavor, da dúvida e da insegurança.

Se quisermos acordar todo dia mortos de medo, cobertos de PNAs e desesperados por pertencimento que parece sempre inalcançável, podemos continuar existindo como já estamos.

No entanto, se quisermos liberdade do medo, confiança para questionar a negatividade e transformá-la em positividade, e finalmente nos sentir amados e aceitos por dentro (o único lado que realmente importa), precisamos alongar a mente e existir em um mundo mais claro, iluminado de dentro.

Chamei essa abordagem de alongamento mental de Flex. Cresceu das coisas que ajudaram minha recuperação de modo tangível, assim como ensinamentos de *coaches*, mentores e das centenas de pessoas com quem já trabalhei o conceito.

Flex é sobre transformar pensamentos rígidos em pensamentos flexíveis. É essencialmente uma atualização de sistema que conserta os *bugs* de culpa, ansiedade, perfeccionismo, desespero para agradar e evasão. É o que me ajudou a encontrar plenitude, paz e liberdade do passado – e agora, ao compartilhar, é seu também.

É um modelo projetado para ajudar você a se tornar sua melhor versão, deixando emoções fluirem sem se afogar.

Flex leva *mindfulness* para uma nova fase. Concordo com dr. Rick Hanson, que falou: "*Mindfulness* é o treinamento que se faz fora do campo para ter bom desempenho no jogo". Sem dúvida, meditação, *tapping*, ioga, respiração e banhos sonoros "fora de campo" não são negociáveis – nos mantêm na RLX FM, o sistema nervoso parassimpático ativado, tornando o jogo da vida MUITO mais fácil. MAS. Como podemos melhorar e mudar o jeito de jogar para sempre? Com reconexão neurológica.

Hum, como é que é? Reconexão neurológica é diminuir o volume dos velhos pensamentos ruins que nos prendem no fundo do poço. NÃO faz a gente virar uma pessoa completamente diferente, com outra personalidade. Flex não é um transplante cerebral! É uma técnica que ajuda a atualizar nosso pensamento individual para fortalecer a saúde mental, emocional e física.

Estou muito envolvida no processo de desafiar meus pensamentos negativos e resistir à mentira de que perfeição é felicidade, mas Flex tornou tudo na vida um pouco mais fácil. Tem sido estranho, mas de um jeito bom. Sinto mais controle sobre minhas emoções, tanto a nível do minuto quanto do dia, do que sentia antes. Meus pensamentos são construtivos, em vez de destrutivos. Conversas tensas não ativam pânico e dúvida. Meus relacionamentos ficaram mais relaxados. Minha cabeça ficou mais agradável.

Minha personalidade não mudou; ainda gosto de me motivar a agir da melhor forma, aceitando desafios e fazendo tudo acontecer. Ainda sou eu, porém mais maleável, com uma voz interior MUITO mais simpática. Se não tivesse começado a usar o Flex, eu *definitivamente* não teria a confiança nem a força para voltar à correria corporativa, tentar namorar de novo, lançar meu podcast nem escrever este livro. Foi meu avião de resgate, e desde então me deixa voar.

Não entenda mal: Flex não é uma solução imediata. Não dá para usar um dia apenas e esperar que os problemas todos sumam. Ainda tenho pensamentos nocivos e noto o retorno ocasional de hábitos ruins. No entanto, o medo não comanda mais minha vida, porque sei um método para superá-lo.

A atualização mental do Flex está disponível aqui e agora. Eis sua notificação. A única pessoa capaz de baixar a sua atualização é você. Assim como não dá para contratar outra pessoa para fazer agachamentos no seu lugar, e seu bumbum empinado é criado só por você, o mesmo vale para seus pensamentos novos!

FLEXIBILIZE A MENTE

O Flex é baseado no conceito de flexibilidade psicológica, definida como "a capacidade de manter contato com o momento presente, independentemente de pensamentos, emoções e sensações físicas desagradáveis, e de escolher o comportamento com base na situação e em valores pessoais".[22] A primeira

---

22 HOFFMANN, Ditte et al. "Acceptance and Commitment Therapy for Health Anxiety". In: HEDMAN-LAGERLÖF, Erik (org.). *The Clinician's Guide to Treating Health Anxiety*. Londres: Elsevier, 2019.

vez que ouvi falar de flexibilidade psicológica foi no trabalho do psicólogo clínico Steven C. Hayes, PhD, codesenvolvedor da Terapia de Aceitação e Compromisso (Acceptance and Commitment Therapy, ACT), um método de psicoterapia de alta eficiência no tratamento de ansiedade e depressão.[23]

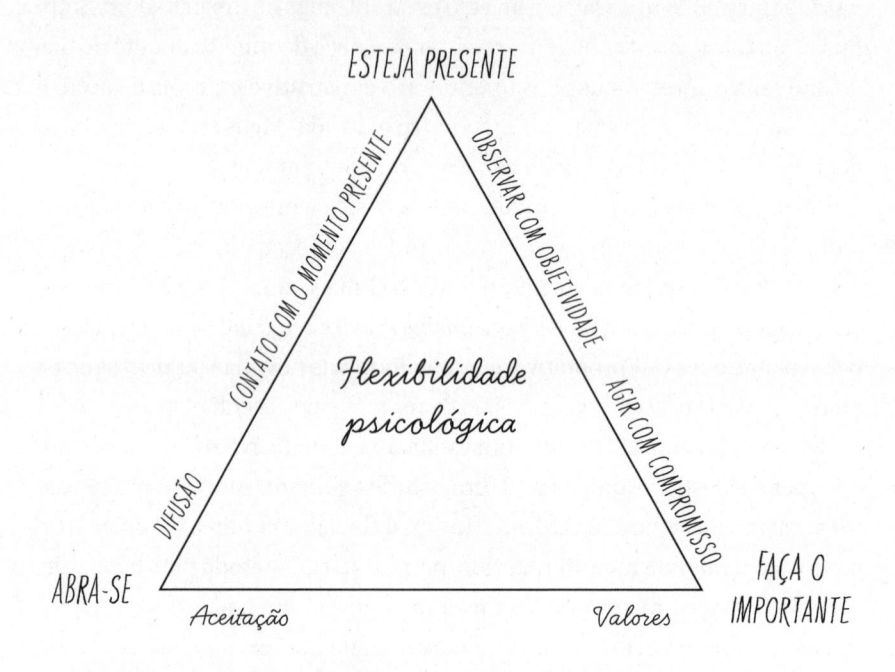

Esteja presente, abra-se e faça o importante. #inspiraçãoflex #simplesassim

Os ensinamentos do Dr. Hayes nos encorajam a nos *curvar* junto às emoções negativas, em vez de negá-las. Eu *amei* a ideia de flexibilizar os pensamentos de "sou insuficiente", "me odeiam" ou "sou uma inútil gorda e feia", em vez de me forçar a aguentá-los com "garra".

Estava ficando exausta (e doente) por tentar ter garra o tempo todo. Eu me pressionava a voltar à ativa, apesar de ainda estar machucada. Treinar resiliência me traz lembranças horríveis de aulas da academia Barry's Bootcamp, inteiramente sem fôlego, com o cabelo desgrenhado, o rosto vermelho que nem

---

23 FORMA, Evan et al. "A Randomized Controlled Effectiveness Trial of Acceptance and Commitment Therapy and Cognitive Therapy for Anxiety and Depression". *Behavior Modification*, v. 31, n. 6, 2007, p. 772-799. Disponível em: DOI: 10.1177/0145445507302202. Acessado em: 17 maio 2022.

um pimentão, os músculos ardendo e ouvindo o instrutor berrar "Continue a correr!". Com medo de ser a única aluna que quer parar e se arrastar, eu aguentava, mesmo sentindo que estava prestes a desabar. Ai, terrível.

Pré-Flex, minha vida toda era como uma aula dessas; meu cérebro gritava "Ignore a dor! Não desista!", e eu não desistia. No entanto, ignorar a dor não a faz ir embora. Só a faz piorar. Vou repetir para quem está desdenhando:

Ignorar a dor não a faz ir embora. Só a faz piorar.

Precisamos de uma nova estratégia, de uma saída para a vida puxada. A mentalidade de nos forçar ao limite *porque é assim* nos deixa doentes e tristes. Há uma alternativa melhor: a vida flexível! Passar pela vida com jogo de cintura não é ver tudo em preto e branco, mas sim explorar as áreas cinzas. É ouvir nosso corpo, fazer miniajustes para sair de saias justas e escolher conscientemente se afastar do medo. É claro que dificuldades surgem, e todos precisamos continuar em frente mesmo com vontade de nos enroscar em posição fetal na cama. No entanto, em vez de resistir com determinação digna de *O exterminador do futuro* ou se paralisar como um coelho pego no farol do carro, ser flexível é reconhecer a dificuldade e se permitir um pensamento diferente. É questão de virar ginasta mental, vendo obstáculos não como bloqueios, e sim como oportunidades de dar um belo salto.

Nossa cultura nos manda ter energia implacável. Flexibilidade psicológica, por outro lado, nos dá a permissão de desacelerar, de mostrar compaixão e gentileza a nós mesmos, e saber que, ao fazê-lo, sempre encontraremos um caminho melhor. Não é só porque conseguimos forçar a energia para "CONTINUAR A CORRER!!" que devemos fazê-lo sempre. Afinal, gastar a energia de hoje é roubar a de amanhã.

Pensamentos Flex são ponderados, desafiadores, receptivos, curiosos e motivadores. Por exemplo, "O que sinto agora?", "Tudo bem sentir isso", "Por que sinto isso?", "O que posso aprender aqui?". O jogo de cintura mental começa no momento em que tomamos consciência do ruído interno e lembramos que pensamentos são transitórios. Eles vêm e vão e podem se esticar em um milhão de direções. Um aspecto-chave da flexibilização mental é o chamado "pensamento crítico". Pensamento crítico é a abordagem dos cientistas a problemas, tentando vê-los de todos os ângulos e imaginando múltiplas possibilidades.

Pensamentos rígidos, por outro lado, são críticos da pior forma – presos a um ponto de vista que normalmente é desdenhoso, exigente e que suga energia. Dão ordens, no estilo "É assim que sempre fiz isso, então vou continuar do mesmo jeito, mesmo com dor e dificuldade". A mente rígida tem perspectiva fixa – "Eu *sabia* que ia dar nisso" – que não cresce nem muda, e nunca pergunta "Por quê?" ou "No que estou me baseando?". Como escreve Karen R. Hurd, nutricionista e autora de *And They Said It Wasn't Possible: True Stories of People Who Were Healed from the Impossible*:[24] "Quando um plano de batalha fracassa, não devemos dizer 'Vou tentar de novo, mas com mais força', e sim 'Volte à estratégia e formule um novo plano. Se esse também fracassar, formule mais um.'"

Pensamentos rígidos	Pensamentos Flex
Ignore a dor, que ela vai embora.	Estou sentindo dor hoje. Onde está a dor e o que ela tenta me dizer?
Não consigo.	Estou sentindo frustração, o que acontece na vida. Antes de me precipitar em conclusões, vou adquirir mais informação e mudar de energia.
Todo mundo me odeia.	Estou sentindo certa insegurança agora, o que parece acontecer em festas. O que, nesta situação, me gera dúvida? Alguém já fez alguma coisa que provasse a veracidade das minhas dúvidas?
Vai ser sempre assim.	Estou sentindo pessimismo quanto ao futuro, o que é normal, e não é grave. O que posso fazer neste momento para me tornar mais otimista quanto ao que vem por aí?

Um dos meus heróis inspiradores flexíveis (uma paixonite intelectual total) é o físico teórico Leonard Mlodinow, PhD, autor de *Elástico: como o pensamento flexível pode mudar nossas vidas* (ele já escreveu livros com Deepak

---

[24] *E disseram que não era possível: histórias reais de pessoas que foram curadas do impossível*, em tradução livre. (N.E.)

Chopra e Stephen Hawking... #ídolos!). Foi ele quem me apresentou o termo "mente elástica". Em entrevista à revista *Scientific American*, ele resumiu perfeitamente o significado dos pensamentos Flex: "*Precisamos* ter disposição para ir além das perspectivas convencionais, para reestruturar as perguntas que fazemos, para nos abrir a novos paradigmas. Temos que depender tanto da imaginação quanto da lógica, e ter a capacidade de gerar e integrar uma variedade ampla de ideias, de acolher experimentação e de tolerar fracasso. Chamo essa forma de pensar de pensamento elástico, em contraste ao pensamento racional ou lógico."[25]

É ISSO AÍ! Eu queria que ELÁSTICO fosse meu modo padrão de pensar, um modo que se encontra na interseção de curiosidade, abertura, imaginação e desejo de ir além do convencional. A melhor parte da elasticidade mental é que TODOS temos a biologia neuroplástica maleável que permite desencadear esse superpoder humano de narrar melhor nossa vida. Então, como podemos liberar esse superpoder interno? "Reconheça as habilidades necessárias, e as alimente", escreveu Dr. Mlodinow.

Fiz uma lista rápida de habilidades Flex: aprender, sonhar, adaptar, buscar soluções inusitadas para problemas convencionais, desafiar perspectivas antigas. Só quando nos concentramos em pensar diferente podemos avançar na tecnologia, na arquitetura, nos negócios e nas artes. Não teríamos lâmpada se Edison não estivesse disposto a alongar a imaginação e considerar uma forma inteiramente nova de criar luz.

Faz perfeito sentido: os indivíduos com mais sucesso são aqueles que flexibilizam continuamente a cabeça para encarar novos problemas. A pandemia foi um ótimo exemplo de como pessoas criativas e flexíveis quase imediatamente deram um jeito de deixar máscaras estilosas e de namorar com distância segura. Essas pessoas acharam mais fácil lidar com o *lockdown* do que aquelas que ficaram presas no luto do mundo antigo. Mlodinow usa o exemplo de Blockbuster *vs.* Netflix. A locadora Blockbuster ficou presa ao hábito e não se curvou às tendências mutáveis, e veja só o que aconteceu. A Netflix, por outro lado, foi flexível como um ginasta, tomou as rédeas dos desenvolvimentos tecnológicos ágeis, nos apresentou a *streamings* e a maratonas e mudou para sempre a nossa forma de consumir conteúdo.

---

25 COOK, Gareth. "The Power of Flexible Thinking". *Scientific American*, 21 mar. 2018.

A elasticidade de pensamento nos ajudou a sobreviver na época do homem das cavernas, e está no cerne do empreendedorismo: flexibilize-se ou morra.

> **O caminho para uma vida mais feliz, saudável e agradável é manter a elasticidade.**

A maioria de nós passa os dias presa ao modo padrão do piloto automático, repetindo os mesmos planos de batalha. Mal pensamos no caminho que tomamos ao dirigir, porque já estamos confortáveis no "nosso jeito". Pensar exige esforço, e nossa mente preguiçosa prefere repetir padrões de ação históricos, mesmo se levar a discussões circulares batidas nos relacionamentos, problemas recorrentes no trabalho e às mesmas reações aos gatilhos. Se não tiramos tempo para nos *alongar*, ficamos presos na reciclagem e na repetição. James Clear, autor de *Hábitos atômicos: um método fácil e comprovado de criar bons hábitos e se livrar dos maus*, escreveu: "O primeiro erro nunca é o que acaba com você. É a espiral de erros repetidos que se segue. Errar uma vez é acidente. Errar duas vezes é o começo de um novo hábito". O Flex ajuda a impedir que isso aconteça.

REINICIE A MENTE

Uma coisa é *saber* dos pensamentos Flex, e é outra coisa *ter* pensamentos Flex. Para fazer essa mudança, precisei entender como nosso cérebro aprende hábitos. Eu me voltei para outra #inspos de mente flexível, dr. Judson Brewer, PhD, autor de *The Craving Mind*.[26] No meu podcast, ele descreveu o processo de formar um novo hábito com as palavras "marcar e esquecer". "Gostamos de aprender habilidades e jogá-las para a mente inconsciente, para abrir espaço na mente consciente", explicou. Por exemplo, aprendemos a andar, se torna hábito, e esquecemos de modo consciente para abrir espaço para refletir sobre outras coisas. Nosso cérebro esperto é muito eficiente. Quer que a gente consiga fazer duas coisas ao mesmo tempo, como solucionar os problemas do mundo (conscientemente) enquanto lava os cabelos (inconscientemente).

---

26 *A mente ansiosa*, em tradução livre. (N.E.)

"Marcar e esquecer" nem sempre é tão fabuloso. Tenho muitos amigos que reagem ao estresse acendendo um cigarro e fumando cinco encadeados, sem pensar. Quando estou estressada, devoro tudo da geladeira sem nem reparar, até acabar. É um exemplo de hábito automático nocivo, e o motivo de nutricionistas recomendarem não comer na frente da televisão, para impedir que a gente consuma o dobro do que precisa, sem reparar.

Felizmente, podemos corrigir esses hábitos usando a mesma química cerebral para marcar e esquecer hábitos novos, mais *benéficos*. Como disse a psicóloga Joan Rosenberg, PhD, criadora do método Emotional Mastery, "Viva a vida por projeto, não por padrão". Em vez de passar a vida sonambulando (e comendo), quando decidimos despertar a atenção conscientemente para os padrões de piloto automático, podemos optar por flexibilizá-los e mudá-los. O processo só exige muita repetição.

Ao reiniciar o cérebro com novos hábitos de pensamento mais saudáveis por meio do Flex, esteja preparado para um pouco de conflito interno. Nosso cérebro primata emotivo não vai querer abandonar o controle com tanta facilidade. Contudo, conforme aprendemos a silenciar o sistema de alarme interno, o primata vai relaxar. Depois de aprender o básico da reconexão neurológica, eu sabia que precisaria de um método para repetir incessantemente, para me ajudar a "marcar e esquecer" esse novo estilo de pensamento flexível.

Flexercício: reinicie a mente

Atenção é tudo, mesmo. Ao aprender o pensamento flexível, é fundamental se atentar a todas as formas em que esteve preso. Por isso, a seguir, liste três hábitos que você marcou e esqueceu e que gostaria de reiniciar de maneira melhor. (Os meus são abrir o Instagram assim que acordo e quando estou entediada, pedir desculpas quando não tenho motivo e comer por estresse.)

1. _____

2. _____

3. _____

DESTRAVE A MENTE

A genial psicóloga e líder pensadora Tara Brach, PhD, escreveu[27] a história de um tigre em perigo de extinção que foi resgatado de uma jaula minúscula e levado a um parque enorme, com um sem-fim de espaços para percorrer e explorar. No entanto, quando o tigre chegou, apesar da terra vasta e aberta diante dele, continuou a andar em círculos pelo pedaço de grama do tamanho da antiga jaula, até o gramado ficar gasto. A dra. Brach compara nossa mente a esse tigre. Apesar da liberdade que nos aguarda, andamos em círculos nas jaulas montadas pelos nossos padrões automáticos e pelo condicionamento.

A maior capacidade que podemos aprender é o controle da parte da mente que *nunca* tomará boas decisões nem terá a coragem de destrancar a jaula – a parte que morre de medo de dor e sofrimento. Viver com medo é uma jaula. Temos tanto medo do que está por aí e de nos sentirmos mal que aprendemos a evitar tudo o que não nos faz bem. Nós nos fazemos acreditar que não queremos certas coisas, sendo que, na verdade, o que queremos é aquilo que estamos recusando.

Já me ouvi dizer "Não quero um relacionamento" quando queria *muito*.

Quando participantes de oficinas me disseram "Não gosto de gente, prefiro ficar sozinho", não acreditei que era verdade, porque tinham vindo a uma sessão em grupo que se anunciava como uma forma de se divertir e conhecer gente nova. Porém, certamente há no mundo quem não queira relacionamentos. No entanto, eu só disse isso no passado porque morria de medo de rejeição e era um jeito de me proteger preventivamente. Fazemos declarações absurdas para evitar nos sentirmos vulneráveis por termos desejos humanos muito normais e naturais de aceitação e acolhimento por um grupo. Essa esquiva, contudo, não se livra dos sentimentos ruins. Só adia o inevitável. Mais cedo ou mais tarde, o medo nos alcança.

Medo é uma parte inegociável da vida, assim como a alegria. Todo mundo tem mágoas, medos, problemas, coisas que nos mantêm trancados na jaula protetora. O efeito das mágoas no nosso comportamento define nossa humanidade. Somos muito melhores em entender com compaixão as batalhas dos outros, mas nos esquecemos de sermos gentis com as nossas. A voz interior

---

27   BRACH, Tara. *Aceitação radical: como despertar o amor que cura o medo e a vergonha dentro de nós*. Rio de Janeiro: Sextante, 2021.

escrota prefere nos trancar no medo a arriscar amor e conexão. Quando nos flexibilizamos, explorando os sentimentos em vez de evitá-los, há a chance de abrir a porta da jaula.

Continuaremos a viver com medo até fazermos algo a respeito disso. É nosso trabalho tirar a mente da jaula.

Viver com abertura para paz, harmonia, amor e ótimas surpresas não acontece espontaneamente. Ninguém acorda magicamente sem inseguranças e vergonha. Contudo, quando contínua e repetidamente superamos a voz negativa e escrota na nossa cabeça por meio do poder do pensamento flexível – nos conectando a nós mesmos, desafiando pensamentos negativos, escolhendo compaixão e nos comprometendo a ações alinhadas com nossos valores –, a liberdade nos aguarda.

Esperar esses ciclos de pensamento negativo desaparecerem sozinhos é pensamento vão, não pensamento flexível.

Por mais irritante que seja, nossos pais estavam certos ao dizer que "Conseguir alguma coisa por esforço é muito mais satisfatório do que ganhar de bandeja". A ciência prova que não conseguir o que queremos imediatamente tem maior impacto no nosso nível de felicidade a longo prazo. É um paradoxo estranho: os desafios da vida têm a capacidade de nos deixar *mais* felizes no fim.

Quando começamos a ampliar nossa perspectiva para além da limitação do condicionamento e do medo, reparamos nas possibilidades infinitas que nos aguardam. O fato de estar lendo este livro mostra que você é uma pessoa curiosa e corajosa, pronta para abrir a própria jaula de pensamentos e comportamentos habituais a fim de explorar o vasto e belo mundo verde.

Flexercício: destrave a mente

Eu morava em uma jaula de perfeccionismo, vício em trabalho e ansiedade da qual me recusava a sair porque achava que encontraria felicidade lá. No entanto, quando saí dessa prisão mental ao flexibilizar os pensamentos e mudar o comportamento, escapei para um mundo muito mais feliz e gentil.

Como você se aprisionou? Que hábitos de pensamento defeituosos prendem você? Liste três jeitos de destravar a mente que deseja. Por exemplo, eu queria me sentir mais relaxada e no controle das emoções, me valorizar e aumentar minha confiança.

1. _____

2. _____

3. _____

Legal, já nos aquecemos com conceitos mais amplos da mente elástica. A seguir, vamos ver, passo a passo, como pôr em prática a psicologia flexível.

O método Flex tem quatro etapas: **Conexão**, **Curiosidade**, **Critério** e **Compromisso**.

Cada um dos quatro Cs (assim é mais fácil lembrar) vai alongar a mente. Combinados, formam uma linda dança da vida em pensamentos. Quanto mais praticar os passos, mais flexível e maleável se tornará.

Minha mãe e eu falamos sobre a forma mais impactante de aprender o Flex e concordamos que cada passo precisa de vários dias de atenção concentrada e repetição por si só, e depois, quando estivermos indo muito bem em cada passo individual, podemos combiná-los para impacto exponencial.

Esta abordagem faz sentido intuitivo e prático para mim. É minha experiência como bailarina – amadora, mas entusiasmada!: aprendo a coreografia melhor quando treino o mesmo passo várias vezes, até fazê-lo bem. E depois o próximo, e assim por diante. Quando cada passo tiver sido treinado o bastante para se impregnar na memória muscular, consigo combiná-los. Em qualquer combinação, em qualquer ordem. Ou seja, precisamos aprender primeiro cada passo muito bem. A partir daí, podemos usar essa base para coreografar uma dança Flex que nossa mente vai gostar de fazer. A esperança é que a gente aprenda tão bem essas técnicas que nossa mente vai conseguir virar de ponta-cabeça os pensamentos e os comportamentos negativos automaticamente, sem esforço. PNAs (pensamentos negativos automáticos) se transformam em PFAs (pensamentos flexíveis automáticos).

Então, nos primeiros dias de aprendizado sobre como alongar a mente, você vai se concentrar em **Conexão**. Durante esse tempo, sempre que a voz interior escrota falar alguma coisa que ative a ansiedade, pratique a conexão entre corpo e mente (que detalharei muito mais profundamente no próximo capítulo).

Quando tiver treinado o Passo #1 até "entrar", pode passar a se concentrar em **Curiosidade**. Desafie os pensamentos negativos que surgirem, perguntando "É mesmo verdade?" e identificando o PNA em jogo. Generalização? Adivinhação? Pensamento preto no branco?

Quando estiver firme nisso, passe para **Critério**. Quando os pensamentos cruéis e as emoções transtornadas surgirem, pergunte-se sempre "Qual é a opção flexível aqui?" e se treine para enxergar todas as escolhas e, com critério, escolher amor em vez de medo, todas as vezes.

Finalmente, se concentre no **Compromisso** de praticar compaixão e busque as dádivas escondidas em todas as experiências (até nas que parecem ruins).

Simplesmente ao praticar os passos individuais, um a um, sua mente vai começar a se alongar e se afastar da ansiedade que enjaula você. Quando tiver desenvolvido essas capacidades a ponto de começar a combiná-las... vai dançar pela vida ao som de uma trilha muito melhor.

Com a atualização Flex, você pode...

- Desenvolver confiança
- Deter a ansiedade
- Questionar pensamentos bobos
- Romper velhos padrões destrutivos
- Responder em vez de reagir
- Ganhar sabedoria sobre si e outras pessoas
- Usar seu sistema de orientação interna
- Apoiar seu sistema imunológico
- Mudar a química neurológica
- Criar novas conexões neurológicas
- Mudar como pensa a seu respeito
- Tomar decisões inteligentes
- Aproximar-se da plenitude
- Sentir o acolhimento da paz interior
- Reestruturar pensamentos com compaixão
- Passar da ação com base no medo para a ação com base em valores
- Lidar com clareza com situações desconfortáveis
- Energizar-se positividade para aumentar sua vibração
- Perdoar e soltar o peso de mágoas antigas
- Expandir sua perspectiva sobre o passado
- Melhorar relacionamentos
- Tratar-se melhor
- Largar o vitimismo
- Viver com o coração aberto

"O ÚNICO JEITO DE ENTENDER A MUDANÇA É MERGULHAR NELA, SE MEXER COM ELA E SE JUNTAR À DANÇA."

Alan Watts

capítulo cinco

CONEXÃO

O Passo #1 do Flex é Conexão. Nos próximos três dias, sempre que um pensamento ou sentimento difícil surgir, treine:

Conexão com o cérebro e o corpo.
Conexão consigo mesmo por meio do movimento.
Conexão com uma energia de vibração mais alta.

Se não aprender mais nada neste livro além deste passo, já vou estar na lua. Este passo mudou minha vida. Achava praticamente impossível "pensar" em como sair de um problema, ou "pensar" em como mudar de perspectiva ou desenvolver padrões de pensamento mais saudáveis. O que mudou tudo foi acolher meu corpo na conversa. A técnica Flex começa com a conexão com seu corpo, usando o poder do movimento para atualizar imediatamente a energia. É realmente a melhor coisa que comecei a fazer.

Na vida pré-Flex, eu estava cronicamente desconectada do meu corpo e dos sentimentos verdadeiros. Vivia uma existência muito rígida, só VAI VAI VAI, como modo de me distrair do que estava realmente acontecendo por dentro. Quando uma crítica casual ou uma sensação de inadequação me afetavam, meu cérebro tocava a sirene, minha crítica escrota interior falava mais alto e eu entrava na espiral. Na mesma hora, liberava o cortisol, respirava ofegante, minha cabeça explodia em fogos de artifício com ameaças em potencial com as quais eu tentava lidar, com dificuldade. Entrava em pânico, surtava ou ficava completamente paralisada.

Naquele momento, não importava o que eu fizesse ou dissesse, ou o que outra pessoa tentasse me dizer. Eu tinha entrado em guerra com pensamentos e sentimentos e reagiria exageradamente na mesma hora. Minha mente primata me enganava, dizendo que fazer alguma coisa era melhor do que não fazer nada.

P.S.: aprendi que isso é completamente normal. Quando a mente primata assume o controle, o CEO fodão sai de cena. Nossa mente racional só pode voltar e criar novas soluções quando ligamos a RLX FM.

Entre o gatilho e a reação, eu nunca pausava, só deixava a minha mente primata responder de modo frenético.

Não estou sozinha nisso. Muitos de nós ignoram sentimentos assustadores e incômodos e "seguem na marra", usando evasão e supressão. Muitos de nós não conseguem se atentar aos sentimentos ou se conectar com nós mesmos, por medo do que encontraremos. Conexão pode exigir que nos sintamos vulneráveis, o que é apavorante. Culturalmente, fomos condicionados a acreditar que emoção e vulnerabilidade não são bem-vindas no trabalho. Eu, por exemplo, morria de medo de demonstrar emoções no trabalho e em relacionamentos, por medo de ser considerada "aquela mulher emotiva".

No entanto, a gente entendeu tudo errado! Emoções não são um aborrecimento, mas sinal de que estamos vivos! Elas existem por um motivo: para nos mandar recado quanto ao que precisamos dar atenção. A fama de sentir e expressar TODA emoção precisa ser repaginada. Por que deveria ser apavorante ou irritante sentir? Tentar controlar nossas emoções de raiva-tristeza-medo faz que elas nos controlem. A abordagem flexível é *se entregar* a uma emoção quando ela surgir, ceder e aceitar sua presença. Quando não brigamos contra um sentimento, ironicamente permitimos que passe mais rápido e, no processo, criamos o silêncio e o espaço para ouvir sua mensagem.

O problema não é ter sentimentos. O problema é que não aprendemos como acolher, processar ou comunicar nossas emoções – ou seja, nos conectar com elas. Sem esse domínio, elas correm desenfreadas e podem nos meter em encrenca.

SINCRONIZAR O CÉREBRO

Nada pode mudar se o corpo e a mente não estiverem jogando no mesmo time. Para a maioria de nós, o corpo vai para a esquerda e a mente para a direita, porque, em vez de escutar o corpo, tentamos nos desconectar dele. Esse cabo de guerra não é *só* devido à rigidez da mente quanto às situações. Várias vezes, fiquei chateada e fiz tudo o que pude para conter as lágrimas. Posso ter tido sucesso temporário, mas, na verdade, tinha trancado a emoção, deixando-a apodrecer.

O pensamento rígido diz "Estou no controle!", encadeando uma batalha entre mente e corpo. A ansiedade crônica, a insônia, o ganho de peso, o inchaço e outras condições e doenças ligadas ao estresse que resultam disso provam que, na verdade, não estamos no controle. A mente não "ganha". O jeito mais garantido de "perder" é desconectar a mente e o corpo.

O pensamento flexível exige que a mente e o corpo trabalhem juntos com o objetivo da integridade. Começa com a atenção ao que nosso corpo inteligente está dizendo, para fazermos um diagnóstico. Pode ser simples: reconhecer que o corpo está exausto e precisa ir se deitar mais cedo, em vez de nos forçar a trabalhar até tarde ou ir a uma festa. Imagine o que seria a vida se confiássemos no que o corpo está tentando dizer. O primeiro passo do Flex conecta sensações físicas e emoções, aceitando o que está acontecendo no momento e nos dando permissão para sentir.

> **Cura não acontece quando a cabeça vai para um lado, e o corpo, para outro.**

Para conectar mente e corpo, precisamos sincronizar os quatro centros emocionais do corpo, os "quatro cérebros". O cérebro da cabeça é só o primeiro cérebro. Quais são os outros?

O segundo cérebro é a barriga. A barriga e o cérebro são conectados por trinta neurotransmissores, inclusive a serotonina, o hormônio da felicidade. Noventa e cinco por cento da serotonina do corpo é produzida no intestino. Quinhentos milhões de neurônios conectam o cérebro e a barriga, inclusive o maravilhoso nervo pneumogástrico, que vai de um ao outro, mandando informações para lá e para cá. Nosso sistema imunológico e nosso bem-estar físico dependem da absorção de antioxidantes e do combate a bactérias que ocorrem na barriga. Estudos mostraram que problemas gastrointestinais, como a síndrome do intestino irritável, podem melhorar com psicoterapia. Intuitivamente sabemos que a barriga afeta as emoções, e vice-versa, o que pesquisas também demonstram. Quando ficamos nervosos, sentimos frio na barriga. Sentimos a barriga afundar quando somos atingidos por uma constatação repentina. A barriga nos manda mensagens o tempo todo, **e precisamos começar a ouvi-las.**

O terceiro cérebro é o coração. Não revire os olhos quando alguém perguntar: "E o que seu coração diz?". Eu também achava que era uma pergunta tilelê de #autoajuda. Aristóteles acreditava que o coração era o centro da razão, do pensamento e da emoção, ainda mais importante do que o cérebro. Nós o ouvimos bater sinais ritmados no mínimo sessenta a setenta vezes a cada minuto de cada dia. Bate mais rápido quando sentimos medo ou amor. Dói quando sofremos e sentimos dor. Dr. Frankenstein se maravilhava com o fato de o coração continuar a bater ao ser removido do corpo, devido à pulsação elétrica. Produz ocitocina, o hormônio do amor e da conexão, em quantidade ainda maior do que o cérebro.[28] Quando sentimos alegria, contentamento e outras emoções positivas, o ritmo do coração fica mais forte. Já se estamos sempre com raiva, temos riscos maiores de doença arterial coronariana.[29] O cérebro e o coração estão em comunicação energética contínua e, através de nervos e substâncias químicas, e quando começamos a nos alinhar ao ritmo da vida, nos lembramos da importância de criar proativamente emoções de vibração mais alta, para manter este cérebro saudável. Quando nos agarramos a arrependimento e ressentimento, o coração sofre.

---

28 GUTKOWSKA, J. et al. "Oxytocin Is a Cardiovascular Hormone". *Brazilian Journal of Medical and Biological Research*, v. 33, n. 6, 2000, p. 625-633. DOI: 10.1590/S0100-879X2000000600003. Acessado em: 31 maio 2022.

29 KAWACHI, Ichiro et al. "A Prospective Study of Anger and Coronary Heart Disease". *Circulation*, v. 95, n. 9, 1996, p. 2090-2095. Disponível em: DOI: 10.1161/01.cir.94.9.2090. Acessado em: 31 maio 2022.

O quarto cérebro é a musculatura. Quando o músculo do ombro trava, é outro recado de estresse e ansiedade que precisa ser ouvido. O corpo deixa marcas no trapézio tenso. Pensamento rígido contribui com pescoço rígido.

Precisamos conectar os quatro cérebros para funcionarem como um time. Times são mais fortes do que indivíduos. Se um estiver em um dia ruim, os outros vão compensar. Ao permitir que os quatro cérebros trabalhem juntos, nos abrimos a informações críticas quanto às reações emocionais (o oposto de evasão e supressão). O corpo não mente, só a cabeça. Quando usamos a sabedoria do corpo e nos conectamos regularmente com o sistema de orientação interior, de repente ficam muito mais claras as respostas a perguntas:

Devo aceitar este trabalho?
É este o caminho?
Por que estou ansioso?
Estou fazendo isso certo?
E agora?
O que deveria sentir sobre isso?

As coisas ficam bem mais evidentes.

A maioria de nós parou de ouvir qualquer outra coisa além da voz interior escrota e, pela desconexão entre mente e corpo, nos privamos do acesso à sabedoria de múltiplas fontes de informação excelentes.

Flexercício: sincronizar o cérebro

Conectar nossos quatro cérebros é como sincronizar o celular, o notebook, o tablet e o computador de mesa. Funcionamos melhor quando conseguimos acessar a informação dos vários aparelhos. Para sincronizar os quatro cérebros, escute o que dizem e chegue a um consenso.

Treine isso pelos próximos três dias e, sempre que tiver que tomar uma decisão ou se sentir desconfortável, use a pergunta: "O que meus quatro cérebros estão me dizendo *agora*?".

Feche os olhos e se atente. Imagine o cérebro, a barriga, o coração e os músculos e os vasculhe em busca de sensações e pistas. Descreva tudo o que notar.

Recentemente, comecei a sair com um cara, mas me senti confusa. Foi assim que pratiquei me conectar com meus quatro cérebros para encontrar clareza na confusão.

Sinal do primeiro cérebro (cabeça): *no papel, ele é ótimo. É bonito, inteligente e um doce, e trabalha.*

Sinal do segundo cérebro (barriga): *não curti. Barriga neutra.*

Sinal do terceiro cérebro (coração): *desejo de amor e atenção romântica.*

Sinal do quarto cérebro (músculos): *ombros e costas rígidos.*

Eu tive a sensação, em corpo e mente, de que não estava dando certo, e graças a Deus não ouvi só meu primeiro cérebro. Meu segundo e meu quarto cérebro SABIAM que não era um bom encontro. Antes da vida Flex, eu teria ignorado os sinais dos outros cérebros, mas agora confio mais neles. Poupei tempo, poupei sentimentos e ganhei mais clareza quanto ao que realmente desejo.

Aumente o volume da mensagem do corpo relaxando. Dr. Mlodinow, autor de *Elástico*, disse: "Quando sua mente está relaxada, é possível brincar com a ideia de um novo paradigma. Não se preocupa com as ideias estarem erradas. Não tem medo de fracasso. Pode experimentar. A mente pode vagar em novos territórios, tropeçar em novas ideias e novas formas de enxergar uma situação". Ele recomenda atividade física suficientemente leve para deixar a mente vagar, pois pode atrair pensamentos criativos e alongados que, de outro modo, talvez não viessem à consciência. Quando estamos relaxados, entramos em modo "Estou seguro", e as antenas do cérebro se abrem para o sistema de orientação interior, recebendo sabedoria dos vários cérebros do corpo. Quando estamos em modo "Merda, perigo!", essas conexões se rompem. Não há espaço para a entrada de sabedoria nem de ideia útil.

Na psicologia infantil, especialistas comportamentais usam a expressão "conexão antes da correção". Antes de dar a uma criança a orientação para mudar um comportamento, é preciso descer à altura da criança e se conectar com ela por meio de contato visual ou de voz suave. Gritar com uma criança que fez alguma coisa errada não funciona, por motivos que já sabemos. Ativa o reflexo de fuga e luta, e a criança entra em modo de defesa e proteção, se fechando e se tornando incapaz de aprender. Se notar as pupilas de uma criança se expandirem durante uma bronca, é sinal de que ela se desconectou e não está recebendo nada do que está sendo dito. Jane Nelsen, EdD, autora de *Disciplina positiva: o guia clássico para pais e professores que desejam ajudar as* crianças a desenvolver autodisciplina, responsabilidade, cooperação e habilidades para resolver problemas*, escreveu: "Pesquisas mostram que não podemos influenciar crianças de modo positivo até criarmos conexão com elas. É uma questão de cérebro (e coração). Às vezes precisamos parar de tratar do comportamento indevido e, antes disso, curar a relação".[30]

Não somos diferentes de crianças. Para nos abrir a ouvir e aprender conosco (ou com outras pessoas), *precisamos primeiro sentir segurança*. **Não podemos gritar críticas para nós mesmos e esperar que sejam positivamente absorvidas; em vez disso, ocorre o oposto, e ativamos mais estresse e comportamento reativo indesejado.** Encontrei segurança na ideia de que qualquer recado dos meus quatro cérebros é apenas informação. Não é julgamento do meu caráter nem da minha autoestima. Quando fico com o estômago embrulhado de dúvida depois de uma entrevista de podcast, em vez de soltar uma ofensa como "Sou péssima", fazendo a FERROU FM tocar com tudo, tento me conectar comigo para acalmar minha resposta de estresse. Com o sistema nervoso regulado e RLX FM tocando, posso explorar onde há "oportunidade de melhora" de modo construtivo. Conexão é criar um estado de segurança para aprendizado, crescimento e flexibilidade, permitindo comportamento positivo.

Gradualmente vou melhorando em encontrar consenso entre os quatro cérebros, em vez de me jogar direto na reação FERROU FM de medo, que traz culpa, autopunição ou autocrítica e não permite que nada de bom aconteça.

ACEITAR E CONECTAR

A mera ideia de aceitação costumava me deixar profundamente desconfortável. Eu era horrível em aceitar qualquer coisa, mas ótima em enfiar meus sentimentos no armário. Ao menor sinal de dor emocional, entrava em modo ocupado. Estava sempre ocupada *trabalhando, fazendo coisas, matando a saudade de Margaret, Jenny e Sammy, mexendo no Instagram, escrevendo mensagens. Deus me livre de perder o último post de #lookdodia da Cherry, porque ela acharia que eu a odeio*. Que calafrio.

---

30 NELSEN, Jane. "Connection Before Correction". *Positive Discipline*. Disponível em: <https://www.positivediscipline.com/articles/connection-correction-0>. Acessado em: 17 maio 2022.

Acredito que somos uma nação de supressores emocionais a nível profissional, e que evasão é uma epidemia, como a ansiedade e o estresse. Assim que sentimos qualquer coisa além de *bem*, fazemos de tudo para abaixar o volume do alarme de incêndio e abafar sensações desconfortáveis. A internet é uma distração muito acessível para emoções desagradáveis.

Se a supressão funcionasse a longo prazo, tudo bem. No entanto, emoções não desaparecem só porque nos recusamos a aceitá-las. A *coach* e conselheira do app Happy Not Perfect, Angelika Alana, uma vez disse: "A maioria das pessoas tenta enfiar os pensamentos desconfortáveis no armário por muito tempo, achando que estão mantendo o quarto arrumado, mas, quando joga um patinho de borracha a mais, o armário todo explode".

Minhas explosões emocionais de um-patinho-de-borracha-a-mais me deixaram em situações desnecessariamente complicadas.

Tinha um colega...

Ele assombrava meus pesadelos à noite e tornava meus dias um inferno na terra. Eu me sentia constantemente minada por ele. Ele tentava voltar outros colegas contra mim, e fazia comentários hostis e machistas pelas minhas costas, dizendo que eu era "irracional" e "nada profissional". Não tive escolha além de suprimir minha raiva e irritação, porque ele tinha mais poder do que eu, então "Engole aí" parecia a opção mais fácil.

Com tantos sentimentos grandes abafados, eu me tornei uma caixinha de surpresa estufada, pronta para *estourar* a qualquer momento. Ele me mandou um e-mail humilhante, com cópia para todos os superiores. Li e surtei sem nem respirar. *COMO ELE OUSA DIZER UMA MERDA DESSAS! QUE MENTIRA!* Em fúria completa, digitei uma resposta irada e dramática. Que nem uma criança, se alguém tivesse tentado falar comigo naquela hora, eu não teria ouvido uma palavra sequer. Só conseguia pensar: *tenho que limpar meu nome!* Parecia que minha identidade, minha integridade, meus anos de trabalho estavam sendo todos ameaçados. Apertei o botão de enviar sem nem reler o e-mail.

Aproximadamente dois minutos depois, aconteceu o inevitável.

Pois é, fui chamada para a sala do chefe e recebi uma bronca pela minha atitude. Passei de raiva para arrependimento, e notei que tinha caído como um patinho na armadilha daquele idiota. Tinha provado que eu era mesmo uma "mulher histérica", sendo que meu objetivo era provar o contrário. Fiquei *morta* de vergonha.

Sem me conectar ao sistema de orientação interior, minha resposta a sentimentos desconfortáveis muitas vezes era maior do que a circunstância pedia, mas eu estava ocupada demais para notar. De acordo com meu amigo, especialista em conexão humana e podcaster do Create the Love, Mark Groves, se alguma coisa nos faz surtar *mesmo*, provavelmente não é pelo que aconteceu no momento, e sim por uma ferida antiga do passado, que não foi curada e ainda lateja. Quanto mais forte a reação, maior a pista de que o buraco é FUNDO.

É pura verdade. Como um e-mail poderia ter me feito reagir de maneira tão extrema? Porque o problema não era *mesmo* o e-mail. Não era nem o *bullying* do idiota. O e-mail tinha mexido na minha ferida mais antiga e funda, a sensação de ser insuficiente. Crítica pública cutucava minha dor enterrada e escondida.

Se eu tivesse parado um segundo para me *conectar* com meus sentimentos, eles não teriam precisado explodir. Eu não queria me constranger na frente de todo mundo copiado naquele e-mail. No momento, contudo, eu não estava pensando estrategicamente. Só via vermelho. Estava tocando a FERROU FM e o "heavy metal" estava me impedindo de ouvir o bom senso.

Para evitar sofrimento, eu suprimia.
Por suprimir, me desconectava.
Por me desconectar, me faltava sabedoria.
Sem sabedoria, eu explodia.
Ao explodir, eu sofria.
Repetir. Repetir. Repetir.

Flexercício rápido: aceitação

Você já deu um ataque e, em retrospecto, notou que talvez tivesse exagerado? Se sim, que experiência, sentimento ou ferida antiga estava tentando muito ignorar? Escreva aqui:

Se eu aceitasse meu medo de insuficiência em vez de suprimi-lo com um e-mail enfurecido, o ciclo não teria me esmagado.

Então, como aceitar em vez de suprimir? Que boa pergunta!

A psicóloga Joan Rosenberg, PhD, autora de *90 Seconds to a Life You Love*,[31] me explicou a "matemática emocional" da aceitação emocional. Todos temos oito emoções desagradáveis que tentamos evitar: **tristeza, vergonha, desamparo, raiva, constrangimento, decepção, frustração** e **vulnerabilidade.** Esses sentimentos normalmente começam no segundo cérebro (a barriga) antes de os notarmos no primeiro cérebro (a cabeça). Nossas reações físicas, causadas por uma onda de hormônios, são ativadas pelo alarme da mente primata. Acontece tão rápido que nem sabemos no que estamos pensando.

Na pesquisa da dra. Rosenberg, ela descobriu que os sintomas físicos das oito emoções desagradáveis só duram noventa segundos. Fiquei chocada ao saber disso.

– Juro que tive tempestades emocionais que duraram anos, não segundos! – falei.

– Você estava surfando a mesma onda de noventa segundos sem parar – respondeu. – Sempre que retomava a lembrança do ocorrido, ativava a onda emocional de novo.

Para *furar* uma onda em vez de ser derrubado por onda atrás de onda, a dra. Rosenberg tem uma técnica de reiniciação chamada de Rosenberg Reset. Começa com a palavra-chave **aceitação**, no sentido de: "Aceito que estou em uma onda agora, mas só vai durar noventa segundos. Se me mantiver presente no desconforto por um período curto de tempo, não haverá tsunami".

O pensamento Flex aqui é dizer: "Estou com raiva e vergonha, mas só vai durar um minuto e meio. Vou aguentar".

Para saber quando a onda passou, confira o sistema dos cérebros. Meu rosto ainda está vermelho? Ainda estou com dor na barriga? O coração ainda está batendo desenfreado? Essa curiosidade analítica não é distração, é uma forma superestratégica e genial de garantir que estamos nos conectando com o cérebro e nos oferecendo a pausa para interromper a resposta de reagir-e-se-arrepender automática. Dra. Rosenberg mudou minha vida ao me ensinar esse truque de noventa segundos para orientação interior.

---

31 *90 Segundos para uma vida que você ama*, em tradução livre. (N.E.)

Um dos motivos para ter passado tanto tempo lutando contra meus sentimentos foi o medo de, se NÃO reagisse imediatamente, perder minha grande chance de ser ouvida e contar minha verdade, "fale agora ou cale-se para sempre". Ao agir, no entanto, eu atraía meu maior medo. Ninguém ouvia minhas respostas primatas, mesmo se fizessem sentido, porque só notavam minha reação exagerada, botando FERROU FM para tocar no volume máximo. Ao me conectar por um minuto e meio com minhas emoções, até elas passarem, pude ver do que se tratava o sentimento e me impedir de causar mais danos.

Excitação emocional é uma parte linda da humanidade. Seríamos robôs sem isso. O pensamento flexível permite que aproveitemos as vantagens dos sentimentos intensos, sem nos tornarmos seus prisioneiros.

Flexercício: reiniciando com aceitação

1. Quando sentir intensidade emocional, localize-a no corpo.
2. Peça especificidade: qual das oito emoções dolorosas centrais foi ativada? Tristeza, vergonha, desamparo, raiva, constrangimento, decepção, frustração e/ou vulnerabilidade?
3. Surfe a onda por 90 segundos, sem fazer nada, contendo as reações.
4. Experimente o mantra "Eu me entrego, eu me entrego, eu me entrego" enquanto espera a onda passar.
5. Quando acabar, pergunte-se: que medo primal foi mexido? Insuficiência? Falta de amor? Insegurança? Você está procurando informação, não necessariamente um plano de ação. Não precisamos agir de acordo com qualquer sentimento momentâneo. Basta deixá-lo acontecer, olhar para ele, ouvir e deixar passar como uma leve brisa.

DESCREVER E CONECTAR

Em 2007, pesquisadores da UCLA[32] usaram uma máquina de ressonância magnética para estudar a atividade cerebral de participantes aos quais mostravam fotos de rostos com raiva, medo e tristeza. Quando os sujeitos viam a emoção nas fotos, a região da amígdala – a mente primata – se acendia. No entanto, quando descreviam a emoção que viam nas imagens, a atividade da amígdala diminuía. Só dizer "raiva" ou "medo" acalmava o cérebro.

Dra. Rosenberg citou esse estudo e explicou: "A pesquisa mostra que dar nome a sentimentos muda a resposta do cérebro. Ao rotular emoções, o estado emocional passa para um estado de reflexão. Menos atividade foi encontrada na amígdala e mais na região pensante do cérebro".

Descrever emoções desagradáveis nos ajuda a desacelerar, processar, diminuir a onda de cortisol e prevenir impulsividade. As palavras podem ser ditas ou escritas. Então, se estivermos sobrecarregados e perto de um prazo apertado, gritar ou escrever "Estou frustrado e chateado!" imediatamente nos ajudará a nos sentirmos menos mal. Identificar e nomear emoção com palavras a dissipa. Eu AMO quando a ciência mostra que as coisas mais simples têm eficácia excelente!

O efeito oposto também foi provado. Se tentarmos dizer "Não estou nada chateado, não dou a mínima para Tom não ter me ligado..." ou "Não estou com raiva, não tem problema Suzy ter roubado meu crédito...", o tiro sai pela culatra. Negar o elefante cor-de-rosa na sala só o aumenta e ativa mais a mente primata.

No app, pedimos aos usuários que façam um check-in emocional diário, escrevendo o que sentem cada dia para reconhecer padrões aos quais precisam prestar atenção. Por que tanto mau humor de manhã? Por que tanta tristeza à noite? Só quando você começar o hábito de se conectar consigo pode começar a identificar o *porquê*.

O que sentimos não é quem somos.

---

32 LIEBERMAN, M. D. et al. "Putting Feelings into Words: Affect Labeling Disrupts Amygdala Activity in Response to Affective Stimuli". *Psychological Science*, v. 18, n. 5, 2007, p. 421-428. Disponível em: DOI: 10.1111/j.1467-9280.2007.01916.x. Acessado em: 17 maio 2022.

Rotular a *nós mesmos*, em vez de rotular a emoção, pode servir de desculpa para comportamentos ruins, ou outro modo de praticar evasão. Além do mais, podemos cair no hábito de rótulos preguiçosos. Por exemplo, quando alguém diz "Sou uma pessoa ansiosa", dra. Rosenberg identifica como disfarce para o que ela está de fato sentindo. Um rótulo mais preciso e útil é identificar a emoção subjacente, como tristeza, vergonha, desamparo, raiva, constrangimento, decepção, frustração ou vulnerabilidade. Com declarações de "Só sou ansiosa", não conseguimos receber a sabedoria que o sentimento na raiz está tentando nos transmitir. Rótulos preguiçosos podem se tornar profecias autorrealizáveis, que nos prendem em padrões negativos; nosso cérebro recebe a instrução inconsciente de buscar provas que confirmem essas declarações. É como se déssemos ao cérebro uma pá para cavar um buraco ainda maior.

Ter uma identidade emocional é marca de pensamento rígido. Eis algumas identidades que você pode ter adotado e que não estão ajudando:

- **O mártir** sempre sofre pelos outros e recebe pouco em troca. "Fiz tanto por ela e ela não me dá nada em troca. Acabou", diz, e no dia seguinte vai levar biscoitos de presente.

- **A vítima** está sempre sendo magoada por outros e pelo mundo. "Levei uma rasteira do cacete, isso sempre acontece", diz. Eu me agarrei à identidade de "vítima" por alguns anos e culpava todo mundo pela minha falta de autoestima. Era verdade que algumas situações eram difíceis, mas, sem reconhecer minha própria agência para mudar, fiquei presa a uma narrativa da qual não tinha controle. Identidades emocionais só servem para nos empacar. Assim que aprendi a me afastar disso, pude começar a acolher a flexibilidade.

- **O acusador** está sempre certo, pronto para apontar o dedo para todo mundo. P.S.: acusadores normalmente são narcisistas sem noção de si mesmos, então você não deve se reconhecer aqui.

- **O envergonhado** sempre aceita a culpa, se julga e se critica para se sentir melhor. "O relacionamento acabou porque fui carente demais", diz. P.S.: você não era carente, estava namorando um narcisista.

- **O pessimista** sempre acha que as coisas dão errado e não confia que o mundo lhe trará alegria. "Não acho que vai dar certo", diz. "O mundo é uma merda e todo mundo está na merda."

- **O preocupado** sempre se inquieta para se proteger de mais tristeza. "Estou com medo de, daqui a dez anos, acordar na dúvida de ter tomado a decisão certa", diz.

Frequentemente estou feliz, mas não sou uma "pessoa feliz". Às vezes fico triste, mas também não sou uma pessoa triste. Fico ansiosa, mas não sou uma pessoa ansiosa. *Só sou eu.* Sou uma mistura de caos, calma, alegria, tristeza, e tudo ali no meio.

Desde que comecei a nomear as emoções sem o peso da identificação, notei como elas são transitórias. Sem a necessidade de me agarrar a uma delas, sinto uma liberdade animadora que me tirou o medo de ficar presa a uma emoção ruim.

Uma última ferramenta genial para usar, verbalmente ou por escrito, que nos permite conectar e sentir com confiança e controle se chama "desarmar". Vem da Terapia de Aceitação e Compromisso (Acceptance and Commitment Therapy, ACT) do dr. Steven C. Hayes. É um truque supersimples que uso constantemente para apagar o pavio de uma bomba emocional.

Em vez de dizer "Estou muito ansioso", desarme-se com "Estou muito ansioso *hoje*". A palavra "hoje" demarca a ansiedade, a frustração ou a raiva como temporárias. Sutilmente tranquilizamos a mente, dizendo que sentir alguma coisa *agora* não é *para sempre*. Um advérbio de tempo, como "hoje" ou "agora", ajuda a diminuir o volume da voz crítica interior e alivia qualquer momento intenso com a lembrança de que hoje não significa sempre.

Também podemos desarmar despersonalizando a emoção (por exemplo, "Hoje, *minha cabeça* está ansiosa"). É outro truque fantástico que uso sempre. Parece contraintuitivo, mas, para nos conectar aos sentimentos, é fundamental nos *separarmos* deles um pouco. Certa distância nos permite vê-los melhor. Dr. Hayes diz: "Não podemos impedir as coisas ruins ou angustiantes de acontecerem. Não precisamos ser prisioneiros dessas experiências. Mantenha distância saudável, não diferença desassociada. Você não pode admirar um quadro com o nariz grudado na tela. Ao dar um passo para trás, pode admirar e descrevê-lo, sem praticar evasão ou desconexão".

Na prática, recentemente, eu estava pensando em mandar mensagem para um cara de quem gosto e, como relógio, sentia um redemoinho de sensações na barriga. É natural sentir vulnerabilidade por demonstrar gostar dele, pois ainda não tinha sido afirmado que ele também gostava de mim. No entanto, em vez de me encher de manteiga de amendoim, ligar para uma amiga ou *stalkear* o Instagram dele, anotei "Neste minuto, minha mente está vulnerável". Só de escrever, um peso saiu do meu terceiro cérebro (o coração).

Flexercício: descrição

Linguagem, falada ou escrita, é um superpoder para nos conectarmos conosco. Por meio da autoexpressão, temos muito mais capacidade de administrar as emoções. Simplesmente com o uso de palavras, podemos atenuar a dor e nos conectar ao sistema de orientação interior. Seria mágico, se não fosse *ciência*. Para explorar o efeito da linguagem nos sentimentos, ESCREVA as respostas para essas três perguntas:

1. O que você está sentindo agora? _____

_____

2. Você se identifica com uma emoção? Se sim, qual é? Você se compromete a acabar com esse hábito, que destrói sabedoria? _____

_____

_____

3. Qual é a versão desarmada da experiência de uma emoção negativa que você se comprometerá a lembrar e usar? (*por exemplo, "Hoje, minha mente está x."*)

_____

_____

ENERGIZAR E CONECTAR

Sabe quando o Wi-Fi está ruim e a bateria está acabando, e a ligação fica caindo? Aí, quando você carrega o celular e acha um sinal melhor, diz "Ah, MUITO melhor, agora estou te ouvindo perfeitamente. Continua, o que estava dizendo?"

Agora imagine que essa conexão fraca é conosco. Não ouvimos as mensagens com clareza se estivermos com energia baixa. O que quero dizer com isso é que, quando surfamos as ondas da baixa vibração (vergonha, medo ou arrependimento, na Escala de Consciência do dr. Hawkins), às vezes mal temos energia para sair da cama, o que dirá para nos forçar a pensar de outro jeito. Se nos energizamos, contudo, temos muito mais possibilidade de ouvir *mesmo* o que diz nossa sabedoria interna e ter a *energia* para Flex!

Atualizar sua energia é uma parte muito importante para concluir o passo da conexão entre mente e corpo. É o que fecha o negócio. Sem vibração alta, é muito mais difícil fazer o esforço mental para se sincronizar com o corpo e mudar a flexibilidade.

Às vezes, mesmo hoje, levo uma rasteira da vida e, antes de conseguir dizer "Flex, Poppy!", acabo cheia de PNAs e enfio emoções no armário porque não tenho energia para lidar com elas. Isso costuma acontecer quando estou com baixa reserva de energia de modo geral. Algumas noites ruins de sono e/ou fome é receita para explosões emotivas. Flex exige concentração! Não dá para treinar para uma maratona nem reprogramar o cérebro sem energia.

> **Trabalhar com pensamento exige tanta energia porque estamos criando novos caminhos neurológicos e muitas vezes indo contra o que parece normal.**

Desenvolvemos padrões empacados e circuitos neurológicos dominantes para reagir ao estresse. Mesmo se nossos padrões não forem saudáveis, eles parecem seguros e reconfortantes porque já passamos tantas vezes por esses circuitos. De certa forma, nosso cérebro gosta de ansiedade, porque é conhecida. Caminhos novos e desconhecidos podem ser muito melhores para nós e trazer paz, mas nosso cérebro humano, que ama o conhecido, sempre opta pelo que sabe em vez do que não sabe. Somos criaturas de hábito, e novos hábitos exigem energia e repetição para superar os antigos.

Então. Para ter sucesso e fazer caminhos neurológicos *desconhecidos* parecerem mais normais, precisamos de energia! O jeito mais rápido de gerar combustível para abrir novos caminhos e superar configurações cerebrais negativas e automáticas de homem das cavernas é mexer o corpo! Quando ativamos *mente e corpo*, é mil por cento mais fácil vibrar em hábitos de pensamento mais saudáveis.

Se quisermos *pensar* diferente, precisamos de energia diferente na criação dos pensamentos, senão voltamos aos mesmos padrões de sempre. Mudar de estado energético é como instalar um disjuntor na espiral de pensamentos. De repente, podemos interrompê-los.

Durante um período difícil de recaída em hábitos ruins de pensamento, eu estava voltando para casa em Nova York, congelando, com os dedos frios demais para digitar no celular. Parecia que a cidade estava sugando a vida de mim. Minha empresa estava em crise financeira, e eu estava morta de medo de não conseguir pagar os salários naquele mês.

Paralisada pelo pensamento de *Estou decepcionando minha equipe incrível*, fui atingida por onda atrás de onda de sensações físicas, aperto no peito, enjoo e tensão muscular. Por acaso, passei por um estúdio de dança chamado Forward Space. Curiosa, olhei lá dentro e descobri que davam aula de hip-hop e pop, estilos abertos para todo mundo. Tinha uma aula começando naquela hora, então fiquei só de *legging* e camiseta e entrei no estúdio, me instalando no fundo da sala. Começou a tocar "I Predict a Riot", da banda Kaiser Chiefs, e a gente começou a pular.

Parecia que eu estava dançando para sobreviver. A sala era escura, então ninguém podia julgar meus passos desajeitados, nem mesmo eu. Só conseguia sentir o progresso da aula e, a cada pulo e chute, a tensão foi relaxando. Lágrimas começaram a escorrer pelo meu rosto. A música e o movimento pareciam me ajudar a liberar o peso do mundo que estava carregando. A cada segundo me sentia mais leve. Quando começou a tocar "Crazy in Love", meu cérebro não estava mais aos gritos, e uma dose de serotonina e dopamina (hormônios da felicidade) inundou o cérebro. A turma foi para a esquerda; eu fui para a direita e esbarrei na pessoa ao meu lado. Pedi desculpas e continuei a dançar, um sorriso no rosto que não aparecia havia semanas.

Quando saí, meu cérebro estava milagrosamente limpo. Soluções para os problemas que eu andava remoendo ficaram mais claras e possíveis. Naquela noite, dormi bem pela primeira vez em semanas. Não conseguia nem acreditar que, entre o caos interno e externo, tinha esquecido o poder do exercício como ferramenta para reiniciar a mente e me deixar sair, literalmente dançando, da gaiola do pensamento. Desde então, não parei de me mexer. Correr me fez aguentar a pandemia de covid-19. Música e movimento são meus tijolos fundamentais de mudança.

Se estiver revirando os olhos ao ler essa história de "uma aula de dança mudou minha vida", considere a ciência. Exercício diminui cortisol e adrenalina, os dois principais hormônios do estresse, e aumenta a produção de endorfina, o reforço de humor e analgésico do corpo. A psicóloga Julia Samuel contou, no meu podcast, que vinte minutos de exercício, cinco vezes por semana, provou ter tanta eficiência quanto remédio antidepressivo em baixa dose.[33]

Óbvio, pode ser difícil correr até uma aula de dança sempre que a nossa energia estiver meio esquisita. Felizmente, não é preciso. Só um pouco de atividade já tem o mesmo efeito.

Vamos mergulhar no MILAGRE da respiração usada como maior transformação de energia. Minha mentora, a psicóloga clínica Belisa Vranich, PhD, fundadora de Breathing Class, me treinou como instrutora de respiração e me ensinou a usar o poder da respiração para surfar a onda do estresse com a prancha mais maneira do mundo.

Respiração abdominal estimula o nervo vago, ou pneumogástrico. É o nervo mais comprido e de maior alcance no corpo, começando no cérebro, bifurcando-se e descendo pela esquerda e pela direita, envolvendo cada órgão vital e levando ao segundo cérebro, a barriga. Controla o sistema nervoso parassimpático (isto é, "descansar e digerir", "freio", "sedação primata"), transmite mensagens entre a barriga e o cérebro, e regula batimentos cardíacos e

---

33 Se estiver tomando remédio antidepressivo, consulte seu médico a respeito dos efeitos da combinação da medicação com exercício, mas não interrompa o tratamento por conta própria! E, se acreditar que só exercício não é eficiente no caso dos seus sintomas, vá a um médico para discutir opções de tratamento.

humor. Pesquisadores na Suíça concluíram que um nervo vago tonificado e estimulado pode reduzir inflamação, tratar depressão e síndrome do estresse pós-traumático, e conter estresse e ansiedade.[34]

Todos esses benefícios podem ser acessados pela respiração! Não é genial?

Flexercício: tonifique o vago!

Respiração profunda vai contra a sensação de *fuga do prédio em chamas* e permite que a mente racional se reinicie. Ah, e além disso estimula óxido nítrico, que acalma o sistema nervoso ainda mais. Um dos principais motivos para criar um app foi tornar mais fácil encaixar a respiração no cotidiano. Só de inspirar e expirar conscientemente por vários minutos, você já notará a mudança extraordinária em toda a energia. Não é incrível? Amo atalhos. Repita comigo: eu falo "Bio", você fala "Hack". "Biohack!"

1. Sente-se em uma cadeira, com os pés no chão ou de pernas cruzadas no chão.
2. Apoie as mãos nos joelhos.
3. Inspire pelo nariz, levando ar à barriga, contando até quatro. (Às vezes, ao inspirar, digo "entrega" em silêncio para mim. "Entrega" é outra palavra para "aceitação".)
4. Segure a respiração, contando até seis.
5. Expire devagar, apertando a barriga, contando até sete.
6. Repita cinco vezes.

Bônus: solte um som de "hum" ou "om" ao expirar, para estimular o ramo do vago no pescoço.

---

34 BREIT, Sigrid et al. "Vagus Nerve as Modulator of the Brain-Gut Axis in Psychiatric and Inflammatory Disorders". *Frontiers in Psychiatry*, mar. 2018. Disponível em: DOI: 10.3389/fpsyt.2018.00044. Acessado em: 17 maio 2022.

Também não subestime o poder de uma mudança de postura para se energizar instantaneamente. A expressão "cognição incorporada" significa que nosso pensamento é influenciado pelo corpo físico, *e vice-versa*. Ou seja, se estamos encolhidos na cadeira, com a cabeça para baixo, em postura triste, vamos nos sentir tristes; e, se nos sentirmos tristes, nos encolhemos na cadeira. Pensar uma perspectiva mais feliz nessa postura é quase impossível. O corpo está mandando sinais *fooooortes* de que estamos cansados, fracos e devemos ir deitar agora mesmo. Quando nos empertigamos, relaxamos os ombros, levantamos a cabeça e soltamos o maxilar, é fenomenal a onda de sentimentos bons que nos vêm quase imediatamente, o que se traduz em confiança de verdade. A pesquisa da psicóloga social Amy Cuddy na Harvard Business School a respeito de "poses de poder" mostrou que, quando abrimos os braços com o peito erguido, nos sentimos como a Mulher Maravilha. Então pode descruzar os braços e as pernas e se esticar.

O psicólogo e especialista em biofeedback Erik Peper, PhD, professor de educação em saúde na Universidade Estadual de São Francisco, estudou[35] a conexão entre postura e humor em 110 universitários, pedindo que percorressem um corredor com postura desleixada por dois minutos e, em seguida, percorressem o mesmo corredor saltitando. Depois de cada volta, os participantes davam notas para o nível de energia. Universalmente, os estudantes relataram energia aumentada após saltitar, se comparado ao caminhar com postura desanimada. "Se começar a integrar mais movimentos corporais no cotidiano, seu nível de energia fica mais alto e sua qualidade de vida é melhor", dr. Peper disse à *SF State News*. "Você pode convencer seu corpo a ter mais energia" em meros dois minutos.[36]

Dr. Peper e sua equipe provaram[37] que simplesmente mudar sua postura reduz os efeitos negativos de lembranças ruins. Em um estudo diferente, quando 145 participantes estavam em postura empertigada, tinham mais

---

35 PEPER, Erik et al. "Increase or Decrease Depression: How Body Postures Influence Your Energy Level". *Biofeedback*, v. 40, n. 3, 2012, p. 125-130. Disponível em: DOI: 10.5298/1081-5937-40.3.01. Acessado em: 17 maio 2022.

36 RILEY, Philip. "Research on Posture Yields Insight into Treating Depression". *SF State News*, out. 2012.

37 PEPER, Erik et al. "Transforming Thoughts with Postural Awareness to Increase Therapeutic and Teaching Efficacy". *NeuroRegulation*, v. 6, n. 3, 2019, p. 153-160. Disponível em: DOI: 10.15540/nr.6.3.153. Acessado em: 17 maio 2022.

capacidade de mudar de perspectiva quanto a experiências passadas. Em outro estudo,[38] ele concluiu que, quando alunos ansiosos faziam equações matemáticas mentais, tinham desempenho pior e relatavam mais dificuldade quando estavam numa postura ruim, se comparados aos sentados empertigados. Ficamos emocional e intelectualmente comprometidos quando estamos em postura encolhida. Por outro lado, empertigar-se indica "Estou seguro" ao cérebro, criando um efeito dominó de respiração mais lenta e músculos relaxados; isso permite que a mente se alongue para solucionar problemas.

Flexercício: microestimulantes

Neste instante, você está de costas curvadas, cabeça baixa, olhando para o celular/livro? Se estiver, tem mais chance de se criticar, reagir exageradamente a uma ameaça e se estressar por causa de experiências passadas e presentes. Seu corpo *não* está em posição de ajudar a *estimular* hábitos de pensamento mais saudáveis. Então mude o fluxo. Pequenos estímulos podem ter tanto impacto quanto uma aula de ioga bem suada.

1. Levante-se.
2. Faça dez polichinelos.
3. Ponha para tocar sua música preferida e dance ela toda.
4. Ande ao redor da sala.
5. Espreguice-se, esticando os braços acima da cabeça e se alongando um pouco para trás.

---

[38] PEPER, Erik et al. "Do Better in Math: How Your Body Posture May Change Stereotype Threat Response". *NeuroRegulation*, v. 5, n. 2, 2018, p. 67-74. Disponível em: DOI: 10.15540/nr.5.2.67. Acessado em: 17 maio 2022.

Para nos conectarmos conosco autenticamente, precisamos de honestidade e de sermos realmente verdadeiros. Não podemos ter uma relação realmente honesta com mais ninguém se, antes, não pudermos ser honestos conosco. Anne Lamott escreveu em *Pedir, agradecer, admirar: as três orações essenciais*, "Quase traria lágrimas aos meus olhos, lágrimas de orgulho de você, pela coragem necessária para ser verdadeiro – real mesmo. Faria eu querer me sentar ao seu lado à mesa de jantar". Adorei ler isso, porque me lembrou como é insuportavelmente chato conversar com alguém que não quer ser verdadeiro e que insiste em se ater à superfície. Não é culpa de ninguém ter medo de ser verdadeiro. Fomos condicionados a achar que "feliz" é a única coisa a projetar. Relacionamentos significativos com os outros e conosco começam nos portões da honestidade. Viver de maneira emocionalmente autêntica é o que torna cada um de nós interessante, e só então pode ocorrer a cura.

Então, pelos próximos três dias – ou pelo tempo que levar para internalizar bem essas técnicas – treine se conectar profundamente com suas emoções sempre que elas aparecerem e SEJA VERDADEIRO. Assim que a Menina Malvada interior escrota que nem a Regina se pronunciar ou você tiver uma emoção ou sensação física desagradável... acolha tudo.

Sincronize os quatro cérebros. Assim que a emoção chegar, antes de reagir, pare por um segundo e escute o que os quatro cérebros estão dizendo. São uma equipe campeã se trabalharem juntos. Esses quatro guardiões compõem seu sistema de orientação interno e são cheios de sabedoria infinita se você parar um tempo para ouvi-los.

Aceite emoções e surfe na onda por noventa segundos. Não demora para deixar um sentimento ruim fluir e diminuir. O método Rosenberg Reset nos dá a chance de decidir como agir ou mesmo se ação é necessária.

Amenize emoções negativas com linguagem. Dê nome aos bois, defina sua zona emocional e desarme com palavras que delimitam as emoções como temporárias e separadas. É o momento de ser muito verdadeiro e sincero.

Energize-se para mudar de humor ou sair da emoção difícil. Antes de tentar pensar numa saída, mexa-se. Trabalhar os pensamentos exige energia para atualizar nossa frequência e entrar em estados emocionais mais elevados, de acordo com a Escala de Consciência de Hawkins. Desenvolva o hábito de caminhar, pular, respirar com atenção ou até mesmo só se empertigar antes de começar a desafiar os pensamentos.

Minha maior transformação ocorreu quando comecei a integrar o Passo #1 na minha vida cotidiana, não só reativamente. Não queria mais me Conectar só quando me sentia esquisita, mas sim viver de maneira conectada, em mente, corpo, coração e alma. Recomendo praticar essas técnicas nos primeiros trinta minutos do dia, todo dia. Pergunte-se: "Como estou me sentindo hoje?" E, mais importante, renove sua energia e seus pensamentos com uma caminhada vigorosa de vinte minutos ou dançando ao som da sua música preferida. Às vezes meu ritual de conexão só dura alguns minutos, mas significa que, quando o dia der rasteiras, posso voltar ao estado conectado, porque se tornou conhecido. Quando este passo estiver no papo – e a prática cria o hábito –, pode passar ao passo seguinte: **Curiosidade**.

> *"E conforme me reinvento, constantemente curiosa perante tudo, mal posso esperar para ver o que está ali, virando a esquina."*
> *Pam Grier*

"TUDO O QUE OUVIMOS É OPINIÃO, NÃO FATO. TUDO O QUE VEMOS É PERSPECTIVA, NÃO VERDADE."

Autor desconhecido (comumente atribuída a Marco Aurélio)

capítulo seis

CURIOSIDADE

O Passo #2 do Flex é Curiosidade. Ao longo dos próximos dias, ou semana, sempre que notar uma emoção desagradável ou um pensamento preso em espiral, concentre-se em demonstrar:

Curiosidade pelos pensamentos.

Curiosidade pela realidade atual e pela memória.

Curiosidade por quem você é por trás das máscaras sociais.

Viver com curiosidade é um estilo de vida, assim como uma etapa-chave do Flex. É o oposto de ser uma esponja. Em vez de acreditar em tudo o que seu crítico escroto interior ou qualquer outra pessoa ridicularizar em você, questione tudo e desconfie das informações que deixa entrar a longo prazo. Curiosidade é só bom senso. Quando o medo fala, diz mentiras disfarçadas de verdade e pode ser bem convincente. Curiosidade é a língua do amor-próprio, porque protege sua mente delicada de acreditar em baboseiras.

Para ser mais flexíveis, temos que nos tornar exploradores e detetives, questionar tudo antes de formar opiniões ou chegar a conclusões. Pensamentos flexíveis desafiam a convenção e ampliam nossa perspectiva. Flexibilidade é uma perspectiva de abertura e uma fome pueril de conhecimento e descoberta.

Pensamento inflexível se baseia em crenças convencionais e definitivas a respeito de tudo. Pensadores rígidos encontram conforto no conhecido e têm muito medo de pensar diferente, de encarar seus medos e de aprender alguma coisa de valor em relação ao mundo e a si mesmos.

Curiosidade nos faz sair do modo inconsciente de piloto automático. Dr. Mlodinow explicou, em *Subliminar: como o inconsciente influencia nossas vidas*, como nosso cérebro de iceberg, rapidamente e sem esforço, avalia todas as informações que chegam, sem termos nenhuma percepção consciente. Ele vasculha nossos bancos de memória para conferir se já tivemos alguma experiência parecida, contextualiza os ocorridos e nos alerta a respeito da informação se o inconsciente decidir que é útil. É por esse processo que, quando as pessoas provam coelho pela primeira vez, dizem que tem gosto de frango. Contexto se torna realidade, o que não teria problema se nosso armazenamento de dados fosse perfeito. No entanto, não é. É cheio de furos, e o cérebro preenche esses espaços com o cimento de crenças falhas e negatividade. Não notamos quando a contextualização ocorre, nem quanto é limitante. Afinal, coelho não tem gosto de frango. Tem gosto de coelho. A flexibilidade se encontra em desafiar a mente a não exagerar no contexto e na comparação, e sim encarar as experiências pelo que são: novas e empolgantes.

Uma amiga me ligou para reclamar do namorado. Ela começou a listar tudo o que ele fizera e dissera para irritá-la, e anunciou:

– Acabou.

– Por que tem tanta certeza?

– Bom, no meu último namoro, aconteceu a mesma coisa, e a gente terminou.

– E seu namorado e seu ex são muito parecidos? – perguntei. – O relacionamento é igual?

Ela pensou por um momento e falou:

– Não, nem um pouco.

– Então por que espera o mesmo resultado, se está lidando com uma pessoa completamente diferente.

Um efeito colateral da contextualização, e do pensamento rígido, é se precipitar em conclusões, normalmente horríveis. Fazemos isso porque nosso cérebro de homem das cavernas ama combinar padrões e tornar tudo negativo na busca constante por ameaça. Faz sentido para a sobrevivência. O cérebro réptil instintivo vê um graveto no chão e, só para garantir, pensa "Cobra". Aí nossa mente primata reage com medo e grita "Perigo! Cascavel!" no volume máximo. Por causa desse instinto de sobrevivência superrápido e do modo "perigoso" e reativo da FERROU FM, fomos salvos de muitas picadas de cobra, mas também é o que nos precipita ao pior caso possível, mesmo sem informação para saber com certeza que o objeto comprido na grama deve ser temido.

Era isso o que estava acontecendo com minha amiga. O namoro anterior dela tinha acabado tão mal que o mínimo sinal de conflito no namoro atual ativava um jorro de cortisol. Ela ficava muito ansiosa, os alarmes internos disparavam, e a mente primata pulava para o pior caso.

Se ela conseguisse se conectar consigo mesma, poderia chegar a um lugar mais calmo (o Passo #1 do Flex). Em seguida, iria ao Passo #2: Curiosidade para analisar a situação e explorar o que *de fato* tinha ativado a ansiedade quanto ao namorado. De que medos centrais e crenças falhas estava fugindo, ou projetava na situação atual, ao se precipitar? Havia *provas* de que ele queria terminar?

Lembre: o cérebro humano tem até 6 mil pensamentos por dia, e setenta por cento é negativo. Esses pensamentos rígidos e implacáveis são: (1) pensamentos negativos automáticos, isto é, PNAs, (2) guinchos da mente primata, (3) grunhidos do homem das cavernas interior e (4) ecos difusos do passado. A etapa de Curiosidade desafia nossos pensamentos e suposições quanto à verdade. Não quer dizer que *todos* os 6 mil pensamentos são mentira. No entanto, *alguns* são, e depende de nós, pela nossa saúde mental, questionar o que acreditamos ser verdade, especialmente quanto a coisas negativas.

Outro lembrete: nosso cérebro é simples. Só temos dois jeitos de reagir ao que vivemos: (1) atribuir sentido/contextualizar ou (2) se manter curioso, de olhos abertos. Noventa e nove vírgula noventa e nove por cento do tempo, atribuímos sentido antes mesmo de perceber. O cérebro faz isso MUITO RÁPIDO. Por exemplo, semana passada estava esperando retorno quanto a um projeto, e minha colega ainda não tinha respondido. Imediatamente, por causa da demora, eu me precipitei à conclusão de que ela estava ODIANDO e tinha medo de me dizer. Precisei me conter para não fazer nenhum tipo de suposição. No fim, ela estava viajando e sem Wi-Fi! Precisamos desenvolver o hábito curioso de dizer: "Espere um segundo. Antes de atribuir sentido a isso, vou encarar com um novo olhar, e talvez veja algo inovador, inesperado, diferente, surpreendente".

Terence Watts, PhD, fundador do método BrainWorking Recursive Therapy, falou da dicotomia entre ser alguém que diz "Interessante!" diante de nova informação *versus* alguém que diz "Ah, vai nessa" com ceticismo e desdém. "Interessante, me conte mais!" abre espaço para um sem-número de possibilidades e aprendizados. Sempre busca nova informação, novo conhecimento. "Ah, vai nessa" é rígido porque nos fecha para mais exploração e pensamentos. Nenhuma ideia nova pode ser encontrada quando ficamos presos ao mesmo de sempre.

Acontecimentos em si são neutros, só coisas que ocorrem. Somos nós que decidimos se são positivos ou negativos, fato ou ficção, úteis ou inúteis, ao examiná-los. Nas experiências ditas ruins, com curiosidade, ainda podemos transformar merda em pepitas de ouro de sabedoria. Penso nas mil vezes que reagi a experiências – reuniões de trabalho, conversas com amigos – como se fossem repetições de experiências anteriores, projetando toda a minha bagagem emocional nelas. Na época, não questionava minha culpa. Só usava minhas observações como evidência factual para provar de novo que eu não era agradável, amável nem suficiente.

Já faz uns dois anos que desafio *tudo*, partindo da premissa de que meu cérebro pode muito bem estar mentindo para mim. Parei de aceitar pensamentos de cara, o que expandiu minha perspectiva e mudou minha vida. Ser uma detetive emocional fará o mesmo para qualquer pessoa, com ou sem boina de Sherlock Holmes.

INVESTIGUE PENSAMENTOS

PENSAMENTOS NÃO SÃO FATOS (está tudo em maiúscula para me lembrar, também). É fundamental nos libertarmos de vieses antigos e do sofrimento que enfrentamos. Questionar nossos pensamentos e nossas interpretações de acontecimentos é a chave para nos soltar das amarras do pensamento defeituoso. Se não o fizermos, vamos reviver as histórias (normalmente cruéis e degradantes) que nos contamos a respeito de quem somos.

> Desde que me tornei curiosa, notei que a maioria das minhas antigas histórias a respeito de quem sou é ficção cruel, não conjunto de fatos.

Seres humanos são terrivelmente culpados de criar mentalmente um noticiário perpétuo de mentiras. A pior parte: acreditamos na nossa própria baboseira, dia após dia.

Para reescrever a ficção cruel da voz escrota na cabeça, temos que começar a investigar nossos pensamentos. A inovadora espiritual e *coach* Byron Katie, um dos raios de luz da minha recuperação do *burnout*, nos forneceu um mapa do processo no livro *A Mind at Home with Itself: How Asking Four Questions Can Free Your Mind, Open Your Heart, and Turn Your World Around.*[39]

As quatro perguntas a fazer a qualquer momento:

1. É verdade?
2. Você tem como saber definitivamente que é verdade?
3. Como você reage, e o que acontece, ao acreditar nesse pensamento?
4. Quem você seria sem esse pensamento?

A simplicidade da pergunta "É verdade?" é genial. Pode não haver nem uma gota de prova no pensamento que está circulando e, ainda assim, atribuímos a ele muito poder e sentido. "Não ouvimos o que alguém disse", escreveu Katie. "Imaginamos o que quis dizer."

IDENTIFIQUE E NOMEIE PNAs SAFADOS

A maioria das baboseiras com que cismamos é pensamento negativo automático (PNA). Desenvolver o hábito de nomear o tipo de PNA que está nos ocorrendo mantém nossa curiosidade viva e esmaga esses filhos da puta.

Lembrete rápido dos oito tipos de PNA:

1. **Tudo ou nada,** ou seja, "Está tudo INCRÍVEL!" ou "Está tudo HORRÍVEL!".
2. **Generalização,** ou seja, "Os homens são todos canalhas" ou "As mulheres são todas doidas".
3. **Espiral,** ou seja, "Não consegui o emprego. Não vou conseguir emprego nenhum. Vou ser despejado, falir, morar na rua..." e assim por diante, até o fundo do poço.

---

[39] *Uma mente à vontade consigo mesma: como quatro perguntas podem libertar sua mente, abrir seu coração e transformar o mundo ao seu redor,* em tradução livre. (N.E.)

4. **Paralisação de análise,** ou seja, "O que isso significa? Vou revirar mentalmente até ficar tonto".
5. **Adivinhação,** ou seja, "Sei o que vai acontecer, e a coisa vai ficar feia".
6. **Rejeitar o positivo,** ou seja, "Valeu pelo elogio, mas estou horrível" e "Até funcionou, mas foi só sorte".
7. **Personalização,** ou seja, "É tudo culpa minha!".
8. **Deveres,** ou seja, "Eu *deveria* já ter me casado".

É um exercício de Curiosidade extremamente terapêutico identificar o tipo de PNA que anda mordiscando sua cabeça e esmagá-lo.

Eu vivo destruindo os PNAs de adivinhação e paralisia de análise. Confesso que minha imaginação é muito vívida e que eu adoro inventar histórias por trás do que as pessoas fazem e dizem. Seres humanos são especialistas em jogos de preencher as lacunas. Se um contato profissional não responde ao e-mail ou à mensagem, minha cabeça rapidamente escreve um conto com os motivos. "Ela está puta comigo... me odeia... acha que matei o gato dela... não me acha talentosa." A história nunca tem final feliz! (Oi, viés negativo.) Nunca é "Ela provavelmente só quer elogiar meu trabalho pessoalmente!".

Nosso cérebro ama provar que está certo, mesmo nos pensamentos mais autocríticos. Ele usa nossas experiências como prova de estarmos certos em nossos piores medos/crenças. Isso se chama "viés de confirmação" e vem meter o narigão feio quando alguma coisa chega perto da minha ferida da "insuficiência", que nem um pé na bunda.

Até hoje, assim que noto a sensação horrível de rejeição surgir, tenho que me pegar no ato e conscientemente fazer as quatro perguntas de Katie para lutar contra esses PNAs.

É verdade que levei um pé na bunda porque era indesejada ou insuficiente? Bom, acho que eu não tinha provas de que o cara que amava camisa havaiana e cheirava a patchouli não me queria ou que eu era insuficiente para ele... mas foi o que senti, porque, se eu fosse digna, por que ele quereria terminar?

Tinha como saber definitivamente que era verdade? Não. Não estava na cabeça do cara.

Como reagi ao acreditar no pensamento? Reagi com culpa, achando que merecia o pé na bunda e listando os motivos para isso, por exemplo, que deveria ter vestido mais camisas havaianas e que não era bonita o bastante para ele. Eu me afoguei em pensamentos de vergonha física e de personalidade que me deixaram desesperada por aprovação. Depois baixei todos os apps de edição de foto, liguei para amigas blogueiras e perguntei como elas usavam filtros, tirei um milhão de fotos, escolhi uma, postei que nem uma maníaca pelas redes sociais, caprichei nas hashtags para ganhar curtidas do mundo e fiquei ali esperando aprovação externa para me sentir pertencente. #desastre

Quem eu seria sem o pensamento? Ainda estaria solteira, mas não me aterrorizaria tanto. Teria sofrido muito menos pelo fim do relacionamento e me afastado sem enfiar minha autoestima em um buraco. Teria conseguido superar mais rápido, com mais confiança e, provavelmente, não teria tentado validar minha existência com *likes* no Instagram.

Nosso cérebro não quer ser escroto, só encontra segurança no que acha estar "certo". Curiosidade nos leva a explorar a incerteza e nos pede para provar que estamos errados em relação ao que achamos estar certo (mas que não está).

Flexercício: Sherlock

O método fundamental é encontrar baboseira cerebral em toda oportunidade. Assim, vai parar de acreditar. Pense em um acontecimento recente ou passado que ativou insegurança, ansiedade ou vulnerabilidade desconfortável. Então passe pelas quatro perguntas de Byron Katie:

1. É verdade? Procure um pouco por PROVA. Um e-mail ou mensagem, uma foto, alguma pista de que o que acredita ser verdade *é* verdade.
2. Você tem como saber definitivamente que é verdade? Se um jornalista não confirmar um fato, não o publica na reportagem. Se uma policial não confirmar um fato, não pode efetuar a prisão. Se, depois de uma completa investigação, não houver provas de que seu pensamento é verdade, você não tem motivo para acreditar.
3. Como você reage, e o que acontece, ao acreditar nesse pensamento? Conecte-se com seus sentimentos e considere objetivamente o impacto deles. Use a curiosidade para explorar de onde a vergonha, por exemplo, pode ter vindo de seu passado.
4. Quem você seria sem esse pensamento? Imagine como pensar de outra forma pode nos oferecer muitas coisas, inclusive uma mudança de humor instantânea. Essa pergunta nos ajuda a ver como nossos pensamentos

podem ser pesados, como nos sobrecarregam. Ao examinar e explorar novos sentidos, podemos sentir mais calma, alegria e equilíbrio imediatamente. Com uma nova perspectiva, uma nova pessoa nos espera! Como disse uma vez a confeiteira e escritora Ruby Tandoh, "A única coisa mais emocionante do que abandonar uma coisa é começar outra coisa nova. No vácuo criado pelo abandono, inúmeros novos talvezes aparecem".[40]

Simplesmente ao dizer "Isso que sempre acreditei não é necessariamente verdade", você criará espaço para novos caminhos neurológicos começarem a se estabelecer. Faça isso sempre que a voz narrativa cruel e escrota surgir em sua cabeça. Este passo é onde o trabalho começa de fato, e se inicia a mudança!

Não precisa acreditar em mim. Em um estudo recente no Reino Unido, pesquisadores analisaram a eficiência de "desarmamento cognitivo" – aprender a se separar dos pensamentos em vez de se envolver neles.[41] Metade dos participantes foram orientados a perguntar "Isso é verdade, importante, ou merece ser mantido?" e examinar como eram afetados pela negatividade dos pensamentos. Comparado com o grupo de controle não curioso, o primeiro grupo relatou ter probabilidade significativamente *menor* de acreditar no pensamento negativo, sentir mais conforto mental e físico, estar mais feliz de modo geral e ter menos pensamentos negativos na sequência. Em meros cinco dias, a curiosidade fez Flex nos pensamentos deles. Bum! Não é simples e genial?

ALERTAS DE BABOSEIRA MENTAL

Fazer trabalho de detetive nas mentiras do cérebro tem algumas armadilhas possíveis.

- **Não se culpe.** Como disse o especialista em *mindfulness* e professor na Faculdade de Medicina da Universidade de Massachusetts,

---

40 TANDOH, Ruby. "Work Sucks, I Know". *WePresent*, 2018. Disponível em: <https://wepresent.wetransfer.com/story/work-sucks-i-know-ruby-tandoh/>. Acessado em: 18 maio 2022.

41 LARSSON, A. et al. "Using Brief Cognitive Restructuring and Cognitive Defusion Techniques to Cope with Negative Thoughts". *Behavioral Modification*, v. 40, n. 3, 2016, p. 452-482. Disponível em: DOI 10.1177/0145445515621488. Acessado em: 18 maio 2022.

Jon Kabat-Zinn, "A maioria dos nossos pensamentos é trivial ou aprisionadora. Como podemos ter mais pensamentos saudáveis e menos que nos atrapalham?".

- **Pergunte "É verdade?" só para pensamentos, não sentimentos.** O pensamento que ativou a emoção pode ser mentira, mas a emoção em si é verdade.

- **O cérebro de homem das cavernas NÃO gostou.** Ele preferiria *muito mais* se manter nas trilhas conhecidas. Porém, como escrito por Deepak Chopra, "prender qualquer coisa é como prender a respiração. Você vai sufocar. O único jeito de conseguir qualquer coisa no universo físico é soltar". Comece soltando os pensamentos mentirosos e defeituosos.

TIRE AS MÁSCARAS SOCIAIS

Pessoas curiosas amam explorar lugares novos e aprender coisas novas. Isso inclui aventuras internas e autodescobrimento. Para fazer isso, precisamos tirar as máscaras sociais editadas, photoshopadas e filtradas que usamos para esconder nossas inseguranças. É questão de se afastar da projeção de quem queremos ser e mostrar honestidade com quem somos de fato.

Se houver um intervalo entre o eu projetado e o eu verdadeiro, todo tipo de merda cai ali no meio. Vergonha. Ódio interno. Dúvida. Autocrítica. Acabamos em estado de constante autoflagelo por nos comparar com a pessoa que fingimos ser. Redes sociais ampliaram MUITO esse intervalo. Vivo me surpreendendo ao mencionar como as férias de alguém estavam lindas no Instagram, e a pessoa me diz, chorando, que foi horrível porque brigou com o namorado o tempo todo. No entanto, mesmo que as férias estivessem péssimas, a pessoa tinha se dedicado a fazer todo mundo acreditar no oposto. Será que o propósito é criar inveja em vez de honestidade? Talvez. Bilhões de usuários ao redor do mundo não só comparam sua vida com a dos outros como comparam sua realidade à própria vida no Instagram. Ficam abalados quando a disparidade dessa vida dupla é tão clara quanto o filtro Amaro.

Para uma vida íntegra e plena, temos que nos encontrar na zona da verdade. O único jeito de avançar é largar a máscara social e diminuir o intervalo entre a cara pública 2D e o eu verdadeiro 3D. Para muitos de nós, que nos escondemos faz tanto tempo, isso é vulnerável e assustador. No entanto, a integridade está bem do outro lado de aprender a gostar de todas as nossas partes, mesmo as que queremos esconder em sombra.

De acordo com as ideias do psiquiatra suíço Carl Jung, a Sombra é a pessoa que preferimos não ser. Ele teorizava que sofrimento emocional vem da supressão daquela pessoa, e SÓ podemos nos curar quando decidirmos aceitar e amar nossa Sombra.

Eu não fazia ideia de como seria aprender a amar as partes de mim que tinha suprimido intencionalmente, ou as partes que inconscientemente escondia e/ou negava por considerá-las desagradáveis. Foi então que li o inovador livro *O lado sombrio dos buscadores de luz: recupere seu poder, criatividade e confiança e realize os seus sonhos*, de Debbie Ford. O livro explica como nós, seres humanos, odiamos e suprimimos partes da personalidade por causa do condicionamento social e da formação de identidade na infância, e como forçá-las às sombras é devastador para nosso bem-estar.

De acordo com Ford, mensagens como "você não é digno", "você é insuficiente" ou "você não é amável" vêm das "sombras". Evitamos chegar lá e enfrentar essas crenças dolorosas porque temos medo de explorar nosso lado sombrio. Seria como adentrar um caldeirão de inseguranças.

Por medo disso, nos esforçamos ainda mais para projetar o lado "luminoso" da personalidade, o lado agradável, socialmente aceitável – como talvez dissesse Jung, *a pessoa que preferimos ser*.

Somos todos supressores profissionais das nossas próprias sombras.

Sei que soa desanimador. No entanto, se esse argumento tocou você, é só prova do nosso medo. Claro, é assustador mergulhar nas sombras, como se fosse uma piscina infestada de tubarões. Ouvimos desde criança que devemos evitar becos escuros, temer o que não vemos, que a curiosidade matou o gato. Simba explorou as terras sombrias e quase foi devorado por hienas. Eva supostamente foi expulsa do Jardim do Éden por sua fome de aprendizado! Poucas culturas, se alguma, apoiam e encorajam curiosidade.

Temos que ser capazes de falar do que nos assusta para nos livrarmos do pensamento rígido que nos aprisiona. A sombra que nos recusamos a reconhecer se derrama sobre nossos pensamentos de qualquer forma.

A vida moderna é como soprar ar em uma fornalha, deixando nossos medos mais quentes, claros e maiores. Tudo, da mídia à cafeína, à tecnologia, chupa cada segundo do nosso dia, e facilmente podemos nos distrair do trabalho com as sombras, para fugir dos medos. No entanto, nem Usain Bolt corre rápido o bastante para fugir disso. Nossos medos vão acabar nos alcançando.

Para começo de conversa, nosso cérebro é programado para procurar perigo (viés negativo) basicamente o tempo todo. Então partimos daí. Além do mais, nossa memória falha é dominada por experiências infantis de nos sentirmos mal-amados, indesejados e/ou inseguros, de uma forma ou outra. Esses medos estão vivos em nós agora mesmo, e nosso viés de confirmação inconscientemente os afirma em cada oportunidade. Além disso, tentar suprimir os medos só os deixa mais fortes.

Ao enfrentar os medos, podemos diminuir sua força. Se quisermos mesmo liberar nossa mente, temos que iluminar as sombras e aceitar o que nos assusta sobre nós!

Nossos lados sombrios na verdade são muito mais interessantes do que nossos lados iluminados. Se fôssemos só brilho e luz, seríamos um *saaaaaaco*. Notar isso me fez rir. Sempre quis ser aceita e acolhida, e achei que deveria ser uma Poliana perfeita. A verdade é o oposto. Sou mais agradável e interessante quando aceito toda a minha personalidade, os pensamentos sombrios e as qualidades supostamente desagradáveis que todos temos. Todo mundo. O que me levou a mais felicidade do que eu achei ser possível foi a curiosidade, conhecer e fazer amizade com meus eus sombrios – meus lados egoísta, invejoso, controlador, dramático, difícil, fresco, mártir, vaidoso, competitivo, manhoso (e mais...) – e acolhê-los na minha vida consciente.

Precisamos fazer essa amizade. Nossas sombras são como crianças malcriadas. Não vão ficar no canto só porque mandamos. Vão começar a causar problema EXATAMENTE quando tentamos ignorá-las. Nossos monstros internos não vão nos dar um momento de paz até darmos atenção a eles.

Para começar uma exploração das terras sombrias, comece a olhar para pessoas realmente irritantes, aquelas que incomodam mesmo e causam uma reação ruim instantânea. Você consegue pensar em alguém que causa essa sensação em você? O que odiamos em outros normalmente é algo que não enxergamos ou aceitamos em nós.

Quando começou a crise da covid-19, no início de 2020, uma amiga me ligou para passar dez minutos reclamando do nojo que sentia dos vizinhos. Eles tinham chegado em casa com a mala do carro cheia de papel higiênico. Honestamente, eu nunca a tinha ouvido xingar ninguém daquele jeito.

– O que te irrita tanto nisso? – perguntei.

– Acúmulo excessivo é avareza! – disse ela.

– E você nunca é mesquinha? Acúmulo não é uma resposta ao medo? Você nunca sente medo?

Eu sabia que essa amiga também era acumuladora a seu próprio modo, economizava obsessivamente, era meio pão-dura. Ela raramente gastava consigo. Sugeri gentilmente que talvez o que tivesse ativado aquela raiva do acúmulo dos vizinhos fosse o fato de, no fundo, ela se identificar com o medo. Ela se identificava mesmo. O trabalho tinha diminuído durante a crise e a ansiedade dela aumentara conforme suas economias diminuíam. Medo é contagioso: será que o medo dela em relação a dinheiro e à situação incerta do mundo estava sendo ativado ao ver reações de medo de outras pessoas, como o acúmulo?

Nossos medos exigem conversas delicadas, mas, para crédito dela, minha amiga admitiu que, no fundo, estava sendo afetada pelo próprio medo e negação. Reconhecer as sombras do medo dela a fez ficar menos irritada com os outros e mais motivada a mudar seu pensamento.

"É ao reconhecer a dor dos outros que atingimos nossa humanidade plena."
Hamza Yusuf

Trabalhar com as sombras e mergulhar nos nossos medos mais profundos e sombrios promove uma perspectiva curiosa de questionamento. Que lado sombrio está aparecendo agora? O que estou escondendo de mim e projetando em outras pessoas? Também nos impede de nos precipitarmos em conclusões a respeito dos nossos sentimentos por outras pessoas e por nós. Tudo e todos são reflexos do nosso mundo interior. Ao conhecer nosso mundo interior extremamente bem, começando de fora para dentro, podemos vagar livremente nele. Se não mostrarmos curiosidade, contudo, nossas sombras ficam trancadas lá dentro, onde podem nos torturar para sempre.

Flexercício: descubra suas sombras

A *coach* de desempenho e perspectiva Polly Bateman me pediu que fizesse este Flexercício, que achei fascinante. Espero que você também ache!

Escreva aqui três pessoas que admira: _____

_____

O que admira nelas? Quais são suas forças? _____

_____

O que acha que são suas possíveis fraquezas? _____

_____

Analise suas respostas. Elas soam familiares? Não é surpresa estar descrevendo alguém muito parecido consigo. Só podemos reconhecer a sombra e a luz dos outros se também as contivermos. O que admiramos e desaprovamos nos outros reflete os aspectos melhores e mais temidos da nossa própria personalidade. Quando nos amamos *por inteiro*, nossa força aumenta e nossa fraqueza diminui. Ao nos sentirmos à vontade conosco, criamos sentimentos de segurança, amor e suficiência, e nos sentimos confortáveis como nunca.

Independentemente de sermos naturalmente curiosos ou não, podemos adotar uma perspectiva de questionar e desafiar o que sabemos ser "certo" ou verdade e, no processo, aprender, mudar e crescer. Penso neste passo como viajar para um lugar ao qual nunca fui e me sentir animada sobre o que vou descobrir em cada canto. E depois, quando voltar para "casa", trazer aquela nova perspectiva comigo, e ela muda como vejo tudo.

Para conseguir esse "espanto pueril", uma marca da criatividade e da flexibilidade, precisamos fazer algumas coisas.

Pensar antes de atribuir sentido a qualquer coisa. Antes de a mente pular de cabeça em uma piscina de viés e contexto, sopre o apito e diga "Um minutinho! Tem mesmo água na piscina?". Saia do piloto automático ao desafiar pressupostos, certezas e o conhecido.

Encontrar a baboseira do cérebro e identificar os PNAs safados em jogo. Nossas conclusões, associações e memórias formativas? Podem ser completa baboseira. O único jeito de descobrir é passar pelas quatro perguntas de Byron Katie e procurar provas de que o que você acha ser verdade é mesmo, ou não. Na falta de provas, a notícia é falsa, então, como isso muda seus pensamentos e sentimentos? Identifique os pensamentos negativos automáticos em jogo para pontos extra de investigação.

Encarar medos. Fazemos isso com honestidade radical, caindo na real quanto aos nossos gatilhos. Quando finalmente permitir que a luz entre nas sombras por meio da curiosidade gentil, você vai começar a ver, como eu vi, que as verrugas que tentamos esconder atrás de máscaras sociais, ou as partes que consideramos convencionalmente desagradáveis, não são tão ruins, têm seu próprio mérito e são *muito normais*. Quer gostemos disso ou não, é o que somos, uma versão menos socialmente selecionada de nós, mas uma versão surpreendentemente íntegra. Quando aceitamos nossas sombras juntamente com nossa luz, aproximamo-nos de reunir nosso ser 3D único.

Passe três dias ou mais praticando curiosidade, fazendo as quatro perguntas, identificando e nomeando PNAs maliciosos que aparecerem, e investigando, como um detetive, as verdades sobre quem você é e de onde vem a baboseira do seu cérebro. Depois de uma boa porção da semana desafiando todos os pensamentos, dizendo "Interessante. Deixe-me procurar mais pistas antes de confirmar" e "É verdade?" até se tornar natural, você estará pronto para o Passo #3: **Critério.**

> *"O maior segredo da vida é que não tem segredo. Não tem atalhos, nem caronas. Só tem você, este momento e uma escolha."*
>
> *Oprah Winfrey*

"PARA PERCEBER O MUNDO DE MODO DIFERENTE, PRECISAMOS DE DISPOSIÇÃO PARA MUDAR NOSSO SISTEMA DE CRENÇA, DEIXAR O PASSADO PARA TRÁS, EXPANDIR NOSSA NOÇÃO DE AGORA E DISSOLVER O MEDO EM NOSSA MENTE."

Gerald J. Jampolsky

capítulo sete

CRITÉRIO

O Passo #3 do Flex é Critério. Quando estiver bastante hábil nos dois passos anteriores, é hora de dedicar o foco a uma nova lição. Quando encarar um sentimento, um pensamento ou uma situação difícil, faça uma escolha consciente com...

Critério de que voz interior ouvir.

Critério de como trata a si mesma e aos outros.

Critério do que pede na vida.

Até agora, no Flex, você se treinou para fazer uma Conexão para aceitar os sentimentos conforme ocorrem, e fazer a pausa necessária para energizar o corpo e acessar seu sistema de orientação interno. Depois, concentrou-se na Curiosidade, explorando novas perspectivas e estabelecendo um ponto de vista de "Interessante!". Agora, o objetivo é ter Critério nas escolhas do que pensar e do que fazer, aproximando-se do amor e se afastando do medo.

Flexibilidade é entender que, o que quer que estejamos vivendo, sempre temos múltiplas opções de como prosseguir.

O que seria mais rígido do que acreditar que NÃO temos opção? Quando ouço alguém dizer "Bom, não tenho opção, preciso...", não consigo deixar de pensar "MENTIRA, você só está preso na Terra Rígida!!".

Não é culpa de ninguém estar preso lá. Poucos de nós fomos ensinados a pensar de modo maleável. Eu achava que não tinha opção e precisava atingir a perfeição, porque acreditava, com cada fibra do meu ser, que era o ÚNICO jeito de me sentir aceita e amada e finalmente pertencer. Notar que, na verdade, há inúmeros caminhos de amor e aceitação, e que perfeccionismo pode ser um dos mais cruéis e difíceis foi um dos grandes presentes desse processo.

Negatividade automática – a voz interna escrota – sempre vai prevalecer, a não ser que escolhamos com Critério mudar a direção do foco e abandonar o pensamento rígido. Passei anos vivendo com medo, obsessão, ansiedade e estresse. Mas não era minha culpa, e não é sua, se você sentir o mesmo. Nossa biologia nos encoraja a isso, se não intervirmos. Pensamentos rígidos crescem em uma vida com base no medo. Pensamentos flexíveis crescem em uma vida com base no amor. Ou, como dizem na jardinagem, "Quem planta erva daninha colhe erva daninha; quem planta flor colhe flor". Eu queria flores lindas e cheias de amor.

A loucura dessa história mental é que, quando desaceleramos, temos *muito* mais controle do que achamos ter sobre o que escolhemos pensar, como reagimos e nos comportamos. Este passo Flex talvez seja o mais libertador, porque nos dá o poder de conduzir a vida. Pode nos lembrar conscientemente que estamos ao volante e *podemos escolher* botar uma focinheira mental na mente primata tagarela ou ceder a ela. Podemos escolher acolher a integridade, aceitando nossa mistura brilhante de beleza e defeitos, ou continuar a nos sentir uma fraude. Podemos escolher nos perdoar e perdoar os outros por erros e transgressões, em vez de nos punir ou manter rancor tóxico. É como parar um segundo em uma bifurcação para decidir se vai pegar o caminho do amor ao norte ou do medo ao sul. Escolha o norte.

As escolhas mentais e emocionais diante de nós nem sempre são indolores. No entanto, sempre existem escolhas e o modo como vivemos na nossa cabeça *depende inteiramente de nós*. Quando identificamos a baboseira das mentiras do cérebro, não somos mais guiados pelos vieses natos, e criamos espaço para decidir independentemente como enxergar a vida. Reconhecer o poder que temos de fazer escolhas diferentes e, portanto, ter pensamentos diferentes, é a maior liberdade que nos é oferecida. É o pensamento flexível empoderado.

QUE LOBO QUEREMOS ALIMENTAR?

Durante uma entrevista com dr. Rick Hanson, ele mencionou a linda parábola de que, dentro da nossa mente, há apenas dois lobos.

Um é o Lobo do Medo, que se alimenta de ansiedade, sombra, desespero, tudo de horrível. O outro é o Lobo do Amor, que se alimenta de esperança, luz, amor, todas as belas maravilhas.

Nossos pensamentos se tornam comida e os dois lobos estão sempre brigando sobre qual vai comer, porque só podemos alimentar um deles por vez. Cada escolha que fazemos nutre medo/sombra ou amor/luz. Quando nos inundamos de pensamentos cruéis, preocupados e arrependidos, o Lobo do Medo fica mais gordo e forte, exigindo mais petiscos deliciosos. Enquanto isso, o Lobo do Amor, privado de comida, vai ficando menor e mais fraco.

Nossos vieses negativos e de confirmação automaticamente oferecem travessas transbordantes para o Lobo do Medo, então ele sempre vai ter vantagem. Portanto, não é possível fortalecer e fazer crescer o Lobo do Amor sem *esforço consciente*. Por isso, precisamos nos concentrar em servir banquetes para o Lobo do Amor – com porções caprichadas de perdão e compaixão para conosco e para com os outros – se quisermos criar um novo futuro mais feliz.

Deepak Chopra também fala que o cérebro não sente gratidão e medo ao mesmo tempo, pois a mesma parte do cérebro é responsável pelas duas emoções. Portanto, o centro emocional se encontra em estado de gratidão ou medo, assim como não podemos escutar a FERROU FM e a RLX FM ao mesmo tempo; temos que optar.

Flexercício: mantra para alimentar amor

Quando ouvi a parábola dos dois lobos, pensei "Bom, é claro que quero alimentar o Lobo do Amor". Mas, em um piscar de olhos, o Lobo do Medo roubou o bife.

A *coach* de desempenho Polly Bateman me falou: "O universo está se cagando para a decisão que você toma, e vai dar o que você pedir. Então, se quiser ficar presa ao medo, é mais medo que ele vai dar! E, se quiser mostrar amor, é amor que vai oferecer".

Como o Lobo do Medo tem mandíbulas muito ágeis, Bateman sugere ter uns mantras na manga para ajudar a desacelerar esse lobo faminto. Sempre que ouvirmos nosso ruído mental negativo ou tomarmos uma decisão, ela recomenda (além de respirar) um mantra como "Estou pronto para mudar" e/ou "Espero o inesperado". Abertura é flexibilidade. Se escolhermos desafiar o medo com abertura, podemos criar espaço para nos alongar na direção da gratidão e do amor.

A indústria da saúde passou décadas nos ensinando o benefício de ter uma dieta alimentar saudável e um bom plano de exercícios. Coma vegetais cinco vezes ao dia, caminhe dez mil passos, diminua o consumo de açúcar etc. e tal. Tudo bem. Mas não podemos deixar este Critério fundamental no projeto de uma vida saudável: a escolha de pensamentos de qualidade. Estudos provam que a saúde física tem conexão integral com o que acontece mentalmente, e qualquer plano de saúde física se beneficia de pensamentos carinhosos e positivos. Uma mente com ódio raramente cria um corpo saudável. O cérebro é tão poderoso que pode criar remédio genial para nós ou jogar toxina no nosso corpo. Pensamentos carinhosos, esperançosos e otimistas são os melhores comprimidos anti-inflamatórios e antioxidantes do universo. Pensamentos odiosos e assustados são equivalentes a engolir veneno.

A mente é o remédio do corpo

O corpo com amor	O corpo com medo
Cheio de dopamina, ocitocina e endorfinas	Cheio de cortisol
Baixa inflamação	Alta inflamação
Digestão saudável	Digestão lenta
Alta imunidade	Baixa imunidade
Pressão cardíaca normal	Pressão alta
Sono melhor	Insônia
Vibrações altas de campo eletromagnético, que são contagiosas e aproveitadas por todo mundo	Vibrações baixas de campo eletromagnético, também contagiosas e nocivas para todo mundo

CRUEL OU GENTIL?

A compaixão costuma ser vista como uma coisa leve e fofinha, mas seus benefícios para a mente e o corpo vão além do que qualquer comprimido ou compra promete. Ao se erguer ativamente para além dos pensamentos escrotos, aceitar vulnerabilidade alheia e ter o desejo de aliviar o sofrimento dos outros, e também de nós mesmos, podemos reduzir estresse[42] (e todas as doenças inflamatórias associadas), depressão, ruminação (pensar obsessivamente na mesma coisa) e ansiedade.[43] A compaixão aumenta a positividade e a conexão social, *e previne burnout*![44]

> **O que mudará nossa percepção do mundo – e o mundo em si, se todo mundo entrar nessa – é *escolher compaixão*.**

Sei que às vezes a palavra "compaixão" dá certa preguiça. É um termo usado levianamente em determinados contextos, mas, até pensarmos em uma ideia melhor, vamos entrar nessa. Todo mundo tem necessidade de gentileza! Ter compaixão significa optar por abaixar a guarda. No entanto, se não nos dermos permissão para a fragilidade às vezes, vamos nos separar da verdade e, ainda mais importante, impedir o crescimento e passar mais tempo lutando com ansiedade e estresse em quantidade epidêmica. Como já falei, pelo medo da vulnerabilidade, acabamos evitando relacionamentos. Pelo medo de fracassar, nós nos paralisamos em perfeccionismo e procrastinação. Pela dor do

---

[42] ERIKSSON, Terese et al. "Mindful Self-Compassion Training Reduces Stress and Burnout Symptoms Among Practicing Psychologists: A Randomized Controlled Trial of a Brief Web-Based Intervention". *Frontiers in Psychology*, n. 9, 2018. Disponível em: DOI: 10.3389/fpsyg.2018.02340. Acessado em: 18 maio 2022.

[43] FERRARI, Madeleine et al. "Self-Compassion Interventions and Psychosocial Outcomes: A Meta-analysis of RTCs". *Mindfulness*, n. 10, 2019, p. 1455-1473. Disponível em: DOI: 10.1007/s12671-019-01134-6. Acessado em: 18 maio 2022.

[44] SEPPÄLÄ, E. et al. "Loving-Kindness Meditation: A Tool to Improve Healthcare Provider Compassion, Resilience, and Patient Care". *Journal of Compassionate Health Care*, v. 1, n. 1, 2014. Disponível em: DOI: 10.1186/s40639-014-0005-9. Acessado em: 18 maio 2022.

crescimento, evitamos aprender. Flexibilidade é questão de abrir a mente e o coração para acolher um pouco de vulnerabilidade e se atualizar.

Pesquisas provam que a compaixão pode nos deixar mais fortes mentalmente. Dr. James Doty, professor de neurocirurgia na Faculdade de Medicina de Stanford e fundador e diretor do Centro de Pesquisa e Educação em Compaixão e Altruísmo na Universidade Stanford (Sua Santidade, o Dalai Lama, é o doador fundador), é um dos meus heróis há anos. Ele estuda o impacto da compaixão na depressão, na ansiedade e no estresse crônico. "Compaixão pode mudar o mundo", escreveu. "Apesar da sobrevivência dos mais fortes levar a vantagem de curto prazo, pesquisas mostram claramente que é a sobrevivência dos mais gentis que conduz à sobrevivência de longo prazo de uma espécie. É nossa capacidade de nos unirmos em grupo, de nos apoiarmos, de nos ajudarmos, de nos comunicarmos para compreensão mútua e de cooperarmos que trouxe nossa espécie até aqui."

Autocompaixão é entender e aceitar nossos próprios defeitos, assim como reconhecer que outras pessoas passam pelas mesmas porcarias que a gente. De acordo com a rainha da pesquisa em compaixão, Kristin Neff, PhD, psicóloga da Universidade do Texas, em Austin, e autora de *Autocompaixão: pare de se torturar e deixe a insegurança para trás*, autocompaixão envolve três decisões-chave.

Autogentileza *versus* autojulgamento. Quando nosso crítico interior disser "Você fez uma lambança daquelas!", retruque gentilmente, dizendo "Ei, todo mundo erra". Escolher gentileza não é autocomiseração, nem negar responsabilidade por erros. Só amolece a grade da jaula do julgamento. Trate-se como uma criança, com honestidade quanto aos erros, mas oferecendo comentários com gentileza e respeitando o quão profundo é o medo dentro de si.

Humanidade comum *versus* isolamento. Ninguém está só no sofrimento. Podemos ter certeza de que não somos só nós que sentimos a dor da rejeição. O lado positivo disso é que, em nossa dor, nós nos conectamos ao mundo inteiro. Falar que "estamos todos juntos" pode lembrar Zac Efron em *High School Musical*, ou a pandemia, ou mudanças climáticas (ou os três). Por mais brega que pareça, estamos mesmo todos juntos, e saber disso pode nos fazer sentir menos isolamento, solidão e diferença. (*Nota bene*: os dados indicam que *estamos todos sofrendo*. De acordo com o Relatório Global de Emoções Gallup de 2019,[45]

---

[45] Gallup 2019 Global Emotions Report, s.d. Disponível em: <https://www.gallup.com/analytics/248906/gallup-global-emotions-report-2019.aspx>. Acessado em: 18 maio 2022.

um "retrato das experiências positivas e negativas das pessoas" com base em 151 mil entrevistas com adultos de 140 países, 55% dos estadunidenses relataram sentir estresse "grande parte do dia", e 45%, se preocupar "muito".)

Mindfulness versus hiperidentificação. *Mindfulness* é viver e pensar no momento presente e aprender a se demorar com um pensamento sem julgá-lo. Hiperidentificação é o que ocorre quando nossa resposta emocional é intensa *demais*, e vamos de sentir uma coisa a nos obcecar pelo sentimento. Eu era culpada de me afogar nas ondas emocionais e, naturalmente, sentimentos hiperidentificados não costumam ser positivos. Assim chegam espirais de raiva, vergonha, frustração, arrependimento e ansiedade. Se praticarmos autocompaixão, nos guiando até pensamentos gentis e tolerantes, diminuímos a chance de pensamentos negativos dominarem.

> *"A maior arma contra o estresse é nossa capacidade de escolher um pensamento no lugar de outro."*
> William James

"Autocompaixão fornece uma ilha de calma, um refúgio dos mares revoltos do autojulgamento positivo e negativo sem fim, para então finalmente podermos parar de perguntar 'Sou tão bom quanto eles? Sou bom o bastante?'", disse dra. Neff. "Ao acessar nossas fontes de gentileza e reconhecer a natureza compartilhada da condição humana imperfeita, podemos começar a nos sentir mais seguros, aceitos e vivos."

Ao ler o trabalho de dra. Neff, eu só tinha uma missão: encontrar o mapa dessa ilha de compaixão e calma de que ela fala. Para lutar contra as sombras, não precisava dos feitiços de Harry Potter nem da inteligência de Hermione Granger; precisava do meu pote de autocompaixão gloriosa que me permitiria me tratar com tanto respeito quanto trataria uma amiga.

Para acrescentar à lista, compaixão também ajuda a aliviar o peso de pensamentos autocentrados, coisa com a qual eu (euzinha, eu mesma) lido muito. A psicóloga e autora de *The Happiness Track*,[46] Emma Seppälä, PhD,

---

[46] *A trilha da felicidade*, em tradução livre. (N.E.)

do Centro de Pesquisa e Educação em Compaixão e Altruísmo de Stanford e do Centro de Inteligência Emocional de Yale, escreveu: "Pesquisas mostram que depressão e ansiedade estão ligadas a um estado de autofoco, uma preocupação com o 'eu'. Quando se faz algo por outra pessoa, contudo, esse estado de autofoco passa para um estado de outro-foco". Ela então descreveu uma experiência com a qual me identifico: quando a gente está se sentindo mal, e um amigo liga para falar de um problema. De repente, só de ajudar alguém a lidar com o próprio problema, nós nos sentimos melhor e esquecemos nossas questões por um segundo. Já aconteceu com você? A ciência mostra que ser gentil com um amigo libera ocitocina (o hormônio agradável do amor) e nos dá uma sensação gostosa e acolhedora no centro de recompensa do cérebro.

Isso se encaixa em uma ferramenta essencial de autocompaixão que é ao mesmo tempo simples, genial e transformadora. É só perguntar: "O que eu aconselharia para um amigo que vive o que estou vivendo agora?".

Seres humanos são esquisitos. Sempre sabemos como um amigo deveria lidar com a situação, mas ficamos empacados quando o problema é nosso. O motivo para isso é que, quando falamos sozinhos, nosso cérebro emocional é ativado. O ruído primata interior do ego. No entanto, ao aconselhar amigos, usamos o cérebro analítico, o CEO fodão do córtex pré-frontal. Então, quando nos lembramos de fazer essa mudança mental em terceira pessoa com a simples pergunta "O que eu aconselharia para um amigo que vive o que estou vivendo agora?", também podemos encontrar o mesmo conselho acolhedor, útil, motivador e solidário. Que incrível!

Quando em dúvida em relação a *qualquer* coisa, recorra a isso, e não vai se arrepender. Proporciona distância fundamental e uma nova perspectiva imediatamente. E nos deixa acessar e compartilhar nossa própria sabedoria guardada.

Já que é muito improvável dizermos a um amigo que o achamos um exemplo solitário, medíocre e triste de ser humano, o conselho amigável que daríamos para nós provavelmente é muito mais gentil do que o crítico interior escroto que já temos na cabeça. Desenvolver uma voz interior acolhedora de compaixão é chave para escolher a flexibilidade.

Lembre-se da infância. O que fazia você se sentir melhor: uma bronca aos gritos ou um abraço? Ao aprender a parar de gritar conosco dentro de nossa cabeça, podemos começar a nos abraçar mentalmente. Autocompaixão não soluciona problemas. No entanto, torna a administração deles muito mais fácil.

Quando reduzimos o estresse, e o cortisol não está fluindo, tudo fica mais claro e as soluções surgem com mais facilidade.

Escolher reagir com compaixão é a resposta para todo bloqueio emocional que impomos. É como regar e botar no sol uma planta em terra escura e seca. Se não tomarmos ação consciente para mudar o viés negativo do cérebro e os PNAs, sempre teremos dificuldade de crescer e viver. Compaixão nos dá a permissão e o apoio para florescer.

Flexercício: ponto de vista amigo

Treine usar a voz amiga em terceira pessoa em aspectos da vida em que pode estar encontrando dificuldade.

- O que aconselharia a um amigo que vive o mesmo tipo de dificuldade de relacionamento/solteirice que você vive agora?
- O que aconselharia a um amigo que vive o mesmo tipo de desafios profissionais que você vive agora?
- O que diria a um amigo que quer planejar um futuro como o seu?
- O que falaria a um amigo que tem os mesmos objetivos de saúde que você?

Reflita sobre suas respostas. Você não precisa de guru. Você, meu amigo, tem tanta sabedoria quanto qualquer guru. Só precisa ligar seu cérebro de CEO fodão e mudar a estação para RLX FM.

SEGURAR OU SOLTAR?

Para nos alongar de maneiras que nunca imaginamos ser possível, para criar futuros que nem ousamos sonhar, temos que soltar a mochila pesada do medo, do ressentimento, da raiva e da negatividade em relação a nós e a outras pessoas. Isso significa virar profissional do perdão.

Certo dia, aos dezoito anos, eu estava sentada em uma livraria em Oxford, na Inglaterra, uma cidadezinha muito simpática. Estava só ali, sentada, tomando um café, e uma garota tentou roubar minha bolsa. Notei o que estava acontecendo, me levantei e fui impedi-la de sair correndo com a bolsa. Quando tentei agarrá-la, ela se virou e esfaqueou minha testa.

Sangue começou a jorrar da ferida. Lembro que era quente. Tinha sangue para todo lado, um rio escorrendo pelo meu rosto.

– Ela roubou minha bolsa, ela roubou minha bolsa – não parava de dizer.

A polícia e uma ambulância chegaram e eu fui levada ao hospital. Três semanas depois, precisei identificar a garota na delegacia, o que foi, no mínimo, um gatilho. Ela foi presa, mas não me senti mais segura, nem satisfeita. Por muitas semanas, morri de medo de sair de casa. Eu me culpava por ter deixado a bolsa no chão, pensando: *que idiota, Poppy. É culpa sua isso ter acontecido.* Se eu tivesse deixado a bolsa em um lugar mais seguro, teria prevenido o trauma. Não teria uma cicatriz no canto superior direito da testa. Aquela garota não me deu só uma ferida física, mas uma ferida emocional maior. Naquele dia, ela roubou algo muito mais valioso do que a minha bolsa: minha paz.

Um sábio mentor meu disse:

– O que você ganha ao se segurar a tanta culpa e ressentimento?

– Bom, ela praticamente rasgou minha cara ao meio – respondi.

– Acha mesmo que ela queria machucar você?

Pensei nisso. Não, não achava. Infelizmente, eu estava no lugar errado, na hora errada, e uma garota aflita estava só tentando sobreviver. As ações dela não me diziam respeito, mesmo tendo sido feitas contra mim. Ela não achava que tinha opção além de roubar, então foi o que fez. A mente dela devia estar tocando FERROU FM a pleno volume, e ela não estava pensando racionalmente ao pegar a faca. Seu comportamento errático era manifestação do desamparo e do caos na própria mente. Eu me identificava.

Naquele momento, meu mentor me levou a entender a inutilidade da minha raiva da garota. As ações dela foram erradas, sem dúvida. No entanto, ficar com ódio e me agarrar ao acontecido só me fazia mal. Ela não tinha intenção de me machucar, pessoalmente. Poderia ter sido qualquer pessoa. Eu tinha duas opções: perdoar e seguir em frente, levantando minha vibração energética com compaixão, ou não perdoar, continuar remoendo, dando voltas naquilo, presa a estados emocionais de baixa vibração, como desamparo e condenação. Eu tinha escolha.

A diferença foi como dia e noite. Ao escolher o perdão, senti o peso sair do meu ombro, e meu coração brilhar. Eu me senti *tão melhor*. Notei, naquele momento, que perdão corta a conexão energética que temos com acontecimentos passados; eu não precisava mais sofrer por causa das ações dela.

Perdoar não é justificar comportamentos ruins. É uma escolha de soltar o passado, assim como de aspirar ao melhor da nossa natureza.

O presente de uma experiência muito ruim me ensinou uma lição poderosa. A irmã Elizabeth Kenny certa vez escreveu: "Aquele que te irrita te domina". Perdão não é sobre a outra pessoa. É uma ação que tomamos por nós, para guardar a experiência na gaveta mental de "caso encerrado". Para não sermos devorados por emoções negativas, visto que já as temos em abundância.

Para deixar para lá, não precisava escrever uma carta para minha agressora dizendo "Eu perdoo você". No entanto, ajudaria fazer essa declaração para ela, na minha imaginação. Os psicólogos clínicos Leslie Greenberg e Wanda Malcolm pesquisaram a eficiência de "diálogos com cadeiras vazias" para ajudar os 26 participantes a resolver assuntos inacabados com pessoas que conheciam na infância.[47] Descobriram que, só de imaginar se sentar, conversar e perdoar, as pessoas tinham melhor resultado (mais resolução) do que ao tentar expressar as necessidades não supridas pessoalmente.

Genial. Só de nos sentar ao lado de uma cadeira vazia e puxar papo, podemos nos liberar do peso do rancor, aquecer o coração duro, derrubar paredes e levantar muito o estado vibratório emocional.

Quando eu estava segurando muita raiva e culpa em relação àquela sócia cruel enquanto tentava desenvolver o método Flex, foi este passo que me liberou de anos de vitimismo. Para me curar, eu precisava escolher perdoá-la. Briguei comigo mesma por dias, pensando que ela não merecia meu perdão, e listava *de novo* tudo o que ela tinha dito e feito. Estava tentando validar minha mágoa. No entanto, sempre que começava a refletir, me sentia cair na energia baixa e tóxica de culpa, vergonha e desamparo.

---

[47] GREENBERG, L. S.; MALCOLM, W. "Resolving Unfinished Business: Relating Process to Outcome". *Journal of Consulting and Clinical Psychology*, v. 70, n. 2, 2002, p. 406-416. Disponível em: DOI: 10.1037/0022-006X.70.2.406. Acessado em: 19 maio 2022.

Assim como meu mentor me conduzira a perdoar a agressora, mudei a perspectiva quanto aos investidores perturbadores, e finalmente vi que o comportamento prejudicial deles também não tinha nada a ver comigo. Vinha da necessidade deles de agir assim por causa de seus sistemas de crenças, comportamentos aprendidos e histórias. Eu não tinha nada a ver com como eles se comportavam.

> *"O que outras pessoas pensam de mim não é problema meu."*
> *Autor desconhecido*
> *(comumente atribuída a Eleanor Roosevelt)*

Tive que escolher perdoar os investidores *e* me perdoar. Eu tinha 26 anos, nenhuma experiência, e estava tentando fazer meu melhor do meu jeito. Como disse Maya Angelou, só é possível agir melhor quando se sabe mais. Eu não sabia na época e, ao me dar esse perdão, comecei a sentir certo orgulho de ter sobrevivido aquela jornada e construído o que tinha criado sem desistir. Precisei me alongar *bastante* para perdoar, e demorei. Flexibilidade exige muito esforço e repetição para lembrar nossos cérebros negativos de que merecemos aquilo. Mas funciona. Escolher o perdão me liberou de lembranças passadas e me permitiu me empoderar para acolher o presente.

Flexercício: perdão

É fácil dizer "Pare de se agarrar a esse ressentimento. Largue a raiva!". O difícil é fazer.

A maioria dos Flexercícios fala de olhar para dentro. Desta vez, olhe para fora. Faça algumas perguntas para alongar sua perspectiva em relação à pessoa que magoou você. Por quê? Porque você precisa ver que o comportamento babaca NÃO É PROBLEMA SEU. Você pode repetir este exercício quantas vezes quiser, alongando pessoas diferentes a cada vez.

- Como foi a vida dessa pessoa quando jovem?
- Que feridas ela sofreu que a faria querer magoar outras pessoas?
- Que pressões ou estresses a afetavam quando ela ofendeu você?

Essas perguntas não servem para justificar ou defender, mas para entender melhor os pontos dolorosos, vulneráveis e humanos da outra pessoa. Geralmente, quanto mais entendemos por que pessoas fazem coisas com as quais não concordamos, mais flexíveis e menos reativos nos tornamos no futuro.

Se ajudar, e acho que pode ajudar, transforme isso em um "papo com a cadeira vazia" e imagine conversar e perdoar a pessoa em questão. Explique por que a pessoa que deseja perdoar é como é... e por que você não precisa mais se deixar afetar.

Todos já ouvimos que "Viver bem é a melhor vingança".

Pois eu digo que "Flexibilizar é a melhor vingança". Ao usar seu CRITÉRIO Flex para se afastar dos PNAs e da mágoa, alongamos nossa mentalidade de vítima, transformando-a em uma perspectiva forte e flexível. Como muitas pessoas sábias já disseram, "A vida não acontece *com* você, acontece *por* você". É você quem decide seu ponto de vista.

Pensamentos rígidos de reação à mágoa são amargos, cheios de ressentimento e vingativos. Para ser flexível, é preciso fazer a escolha de transformar pensamentos negativos a respeito de alguém em pensamentos carinhosos e compassivos a respeito de nós mesmos. Se estivermos dedicados a levantar nossa vibração ao olhar para a vida com gratidão e compaixão, precisamos tomar a decisão consciente de colocar o foco ali. *Especialmente* quando sentimos a sombra se infiltrar, temos que jogar sanduíches a mais para o Lobo do Amor.

FLEXÍVEL OU RÍGIDO?

No fim, é essa a questão. A escolha básica atrás de qualquer... todo... aspecto da vida, micro, macro, de um comentário isolado a um relacionamento inteiro, de perguntas pequenas como "O que vamos almoçar?" a perguntas grandes como "Qual é meu propósito?", é entre flexibilidade e rigidez, entre abertura a aprender e se fechar a novas ideias, entre viver uma vida inteira ou viver uma meia-vida.

A opção flexível reconhece que não existe emoção negativa – sentimentos são só sentimentos; todos os temos, e eles têm propósito para existir –, e que **todo sentimento e perspectiva pode mudar ao usarmos os óculos Flex.**

É a escolha de **demonstrar mais compaixão para conosco todos os dias e aprender como isso funciona melhor para nós.** Entendo como isso é difícil, porque muitos de nós fomos condicionados a acreditar que somos insuficientes. Estamos habituados a ser nossos capatazes cruéis, gritando em um megafone: "*Continue! Faça mais! Mexe essa bunda mole! Ainda não está bom!*". Podemos decidir diminuir o volume do megafone e **nos alongar na gentileza.** (E nossa bunda NÃO É MOLE! E, se fosse, E DAÍ, PORRA? Será que o Isaac Newton se preocupava com a flacidez da bunda? Provavelmente não, porque estava liderando uma revolução científica.)

Podemos **escolher amor em vez de medo.** Temos o poder de construir novos hábitos de pensamento de compaixão e perdão para manifestar um futuro melhor, cheio de amor e saúde. Exige trabalho. Sem uma decisão consciente de alimentar o Lobo do Amor, o Lobo do Medo vai engolir tudo, de modo a nos tornar vulneráveis a autossabotagem, ressentimento, vitimismo, vergonha e culpa.

Usar o Critério não é questão de *gaslighting* ou de mentir para si, esmagando PNAs e escolhendo o amor. Muito pelo contrário! Com o Flex, você traz a sinceridade e a atenção à experiência emocional (Conexão), explora onde e como a baboseira começou (Curiosidade) e escolhe com Critério uma perspectiva que vai liberar você do passado e abrir a mente para as possibilidades do futuro.

Por um tempo, treine perguntar "Quais são minhas opções? Que critério alimentará o Lobo do Amor, e o que me fará voltar a alimentar o medo?". Pergunte-se em qualquer momento de angústia emocional, e note a sensação de cada opção em nível vibratório (que escolhas deixam você mais lento, ou mais energizado?). Continue a repetir o passo do Critério até escolher amor, compaixão e perdão se tornar normal, sem esforço. Quando começar a ficar mais familiar, você pode ir ao último passo: Compromisso.

Vou concluir o Critério com uma frase que costumam atribuir ao lendário pensador flexível Albert Einstein: "Só há dois jeitos de viver. Um, como se **nada** fosse um **milagre**. Outro, como se **tudo** fosse um **milagre**".

Fica a nosso critério.

Agora, vamos ao último passo do Flex: **Compromisso.**

"O JEITO MAIS EFICIENTE DE FAZER ALGUMA COISA É FAZÊ-LA."

Amelia Earhart

capítulo oito

COMPROMISSO

O Passo #4 do Flex é Compromisso. Nos próximos dias, ou semana, você treinará o...

Compromisso com ações para causar mudanças.
Compromisso com valores, quaisquer que sejam.
Compromisso com encontrar as dádivas em meio à dificuldade.
Compromisso com sentir gratidão e comemorar as alegrias da vida.

Pensamentos rígidos nos levam a ficar presos em ciclos de preocupação e a repetir, de novo e de novo, hábitos ruins criados no passado.

Pensamentos flexíveis se alongam, encontrando novas perspectivas, possibilidades e compreensões para criar o futuro brilhante que queremos.

Dr. Mlodinow explicou na *Scientific American*: "Felicidade, contentamento e gratidão não são só objetivos de vida importantes; também nos levam a ampliar a gama de pensamentos e ações, explorar o ambiente e nos abrir a novas informações, e tudo isso é importante para o sucesso". No entanto, não acho que precisamos começar felizes. Para mim, a flexibilidade veio primeiro, seguida por mais felicidade e sucesso. Acredito que a felicidade e o sucesso *contínuos* dependem do meu *compromisso* com a flexibilidade psicológica.

É assim: a gente se alonga e se alonga mais e, depois de MESES com dificuldade, finalmente alcança a ponta dos pés. Eba. Missão cumprida. No entanto, se não continuarmos a nos alongar, vamos enrijecer de novo, a ponta dos pés vai ficar longe, e vai parecer que essa flexibilidade toda nunca aconteceu. A flexibilidade mental se desenrola ou enrola exatamente do mesmo jeito.

O quarto e último passo do Flex é o Compromisso, porque estamos falando da libertação a longo prazo da ansiedade e da dúvida. Mudança exige esforço. Novos caminhos neurológicos não são formados de um dia para o outro; novos hábitos não se enraizam em um dia, uma semana ou um mês. Mudança de verdade só acontece por meio de *flexibilização constante*.

Apesar de o passado ser arquiteto do presente, o futuro ainda está sendo construído.

Todo momento adiante se trata de flexibilizar pensamentos no sentido que nos levar a uma direção liberada e compassiva. Não vai acontecer sozinho magicamente. Temos que ser conscientemente flexíveis no momento presente para garantir que manifestaremos um futuro melhor.

Assim como tudo o que vale a pena, é preciso desejo e esforço para criar nossos novos pensamentos brilhantes. O Flex é uma verdadeira fábrica de pensamentos saudáveis. Só temos que querer manter as máquinas ligadas para aproveitar vantagens infinitas. É preciso um pouco de esforço para ampliar nossos horizontes, ter a coragem de desafiar e imaginar *novos* desfechos mais felizes.

CASO FECHADO

Nada acontece se não fizermos acontecer. Não conseguiremos o emprego para o qual não nos candidatarmos. Não namoraremos o cara cuja mensagem não respondermos. Não teremos boa saúde mental se não agirmos para romper padrões de pensamento limitantes e ciclos de drama ansiosos.

Eu era horrível nisso! Alguma coisa ativava minha ansiedade, eu começava a falar do assunto... e acharia novas pessoas com quem discutir a mesma preocupação, quem quer que fosse, qualquer pessoa com o coração batendo e dois ouvidos. Eu não resolvia o problema. Só me sentia compelida a encontrar mais gente com quem remoer o drama.

Sem o barulho do arquivo sendo fechado com força, nosso cérebro considera o assunto estressante "aberto" e não nos deixa descansar. Daí acordar a uma da manhã, depois às três da manhã, e de novo às cinco etc. O motivo para acordarmos de repente no meio da noite normalmente é o cérebro não ter conseguido arquivar nossas preocupações. Sonhos são mecanismos de apoio para isso; ajudam o cérebro a processar e entender pensamentos desorganizados.

A psicóloga russa Blusa Zeigarnik notou que tendemos a esquecer coisas que completamos e lembrar nossos assuntos inacabados. O efeito Zeigarnik veio da observação de garçons, que lembram o pedido dos clientes antes de entregá-los, mas perdem a informação assim que o prato encosta na mesa. Os psicólogos E. J. Masicampo e Roy Baumeister descobriram em sua pesquisa[48] que tarefas incompletas distraem e causam desconforto mental, mas que fazer um plano para completá-las, como uma lista de afazeres, é um truque útil para aliviar a ansiedade.

Ao falar, falar e falar, eu não estava fazendo, fazendo e fazendo. Se tivesse tirado alguns minutos para anotar coisas práticas que podia fazer a respeito da preocupação, e as fizesse de fato, teria ajudado a mente a fechar o caso, interrompido os ciclos rígidos de pensamento nos quais estava presa, e sentido o doce alívio. Agir para conter a ansiedade cria a sensação de conclusão, limpa a mente e ajuda a desenvolver resiliência contra preocupações futuras semelhantes e, mais importante, ajuda a desligar a ruminação.

Flexercício: libere a mente

Quando falo de agir para conter a ansiedade, não me refiro a escalar o Everest. Pode ser tão simples, e significativo, quanto:

1. Abrir um aplicativo de notas.
2. Digitar algumas palavras.
3. Pronto!

---

48 MASICAMPO, E. K.; BAUMEISTER, R. F. "Consider It Done! Plan Making Can Eliminate the Cognitive Effects of Unfulfilled Goals". *Journal of Personality and Social Psychology*, v. 101, n. 4, 2011, p. 667-683. Disponível em: DOI: 10.1037/a0024192. Acessado em: 19 maio 2022.

Caí na gargalhada quando encontrei este exemplo no celular:

....

(Poppy de hoje)
Muito chateada não convidada para a festinha de Corona no Zoom da minha amiga.

....

Não faço a menor ideia de que festa no Zoom era essa para a qual eu não tinha sido convidada. Ao reler, vejo como minhas emoções eram hilárias. Mostra que, só de escrever, aquilo sai da gente, e depois dá para ler e rir da bobeira da nossa mente primata.

AJA COM BASE EM VALORES

Em passos anteriores, falei muito do poder de não reagir quando o cortisol está à toda. No entanto, em certo momento, precisamos fazer *alguma coisa*. Que *coisa* é essa é a próxima parte fundamental do método Flex. Para fechar os ciclos de preocupação, precisamos de conclusão. No entanto, só *decisões ponderadas* alinhadas com nossos valores desejados gerarão a conclusão da qual nos orgulharemos.

Não estou falando dos valores que aprendemos com família, religião e figuras de autoridade. Muitos desses valores são bagagem condicionada e inconsciente. O maior problema e maior culpado de pensamentos inflexíveis são as pessoas presas a valores aprendidos que não se encaixam com seus verdadeiros valores de alma. Se quisermos adentrar um futuro mais gentil, mais calmo e mais confiante, NUNCA chegaremos a não ser que tomemos decisões para ser mais gentis, calmos e confiantes. É como querer entrar em forma sem nunca tomar a decisão de fazer exercício. Nossos dias são cheios de decisões, em geral menores, mas às vezes maiores, que nos fazem avançar se quisermos. Se, conscientemente garantirmos que cada ação se baseia em sustentar um valor com o qual nos importamos, sem dúvida criaremos vidas alinhadas e significativas.

O que achei mais surpreendente ao aprender a respeito de decisões com base em valor foi notar que eu não sabia de fato quais eram meus valores. Achei que soubesse, mas, considerando a lista, vi que muitos eram valores aprendidos, que achei que *deveria* ter. Eis alguns dos meus valores verdadeiros, que me guiam. Quais deles são mais importantes para a sua alma?

Abertura	Generosidade
Altruísmo	Honestidade
Autoaceitação	Humildade
Calma	Integridade
Compaixão	Júbilo
Confiabilidade	Lealdade
Determinação	Otimismo
Devoção	Respeito
Dignidade	Responsabilidade
Entusiasmo	Segurança

Para mim, entusiasmo, honestidade, integridade, otimismo, autoaceitação, compaixão, generosidade, abertura e determinação são os valores nos quais baseio minhas ações. Você pode ter muitos outros que não estão registrados acima.

Se estiver com dificuldade de pensar nos valores mais importantes para você, um truque útil é selecionar alguns Mentores Flex para inspiração e orientação. Mentores Flex são pessoas que você respeita acima de todas as outras. Considere por que as respeita tanto e pense em que valores priorizaram para ser quem são. Mentores Flex são a personificação dos valores que admiramos, respeitamos e desejamos emular. Então, se nos encontrarmos em uma espiral, ajuda considerar rapidamente "O que um dos meus Mentores Flex faria nesta situação?" antes de (re)agir.

Quando minha crítica interior escrota se pronuncia, muitas vezes pergunto "O que Oprah faria?" (*Oprah é a MAIOR das minhas Mentoras Flex.*) Sei que ela defenderia o valor da autoaceitação, da gentileza, mas também da força interior, e, com Oprah e seus valores em mente, tomo uma decisão alinhada.

Tenho Mentores Flex determinados para áreas diferentes da vida. Quando me sinto desanimada com relacionamentos, pergunto "O que John e Alice fariam?". São um casal incrível que eu conheço, que se diverte horrores junto, e são meus mentores quando se trata de criar uma parceria épica. Então, quando uma mensagem que recebi, por exemplo, serve de gatilho, sei que eles diriam "Perdoe, relaxe e ria".

Quando me sinto azarada e ansiosa, pergunto "O que Charlotte faria?". Ela é uma mulher sensacional, cuja alma é puro poder, e *brilha* de esplendor sempre que entra em qualquer lugar. Só pensar em como ela agiria em determinada situação levanta minha vibração para tentar emular o clima *extra* fabuloso que ela sempre leva.

Minha melhor amiga é sempre muito ponderada e calma, especialmente quando as coisas não vão bem; então, quando estou puta, pergunto "O que Suki faria?". A resposta normalmente é "Valorizaria a paciência, seria racional. Desaceleraria e procuraria mais provas do que me deixou com tanta raiva, e se merece isso tudo". Ao fazer isso, milagrosamente me contenho e não mando uma mensagem furiosa com seis pontos de exclamação. Suki não faria isso, então ajo decidindo canalizar o autocontrole dela.

Como sabemos pelo trabalho com as sombras, admiramos qualidades alheias que também temos. É preciso ser para reconhecer. O mesmo é verdade no campo dos valores. Se você notar e admirar um valor em seus Mentores Flex, é capaz de incorporar os mesmos valores.

Dr. Judson Brewer me falou do conceito de Melhor e Maior Oferta (MMO). Nunca desenvolveremos um novo hábito se não tivermos uma cenoura enorme nos seduzindo a criar novidade. A MMO tem que ser TÃO incrível que nosso cérebro vai *querer* se lembrar de se alongar. Os valores dos Mentores Flex são sua nova MMO. Por exemplo, pensar que eu poderia ser até um décimo tão fabulosa quanto a Charlotte me deixa comprometida a superar a ansiedade e os padrões de pensamento negativos quando estou em situações sociais e a emulo. Então, quando estiver em uma situação complicada e precisar agir, pergunte-se "O que meu Mentor Flex faria?", e faça isso. Cenouronas aguardam adiante.

Sempre aprendemos pela cópia (o que seres humanos veem, seres humanos fazem). Temos "neurônios-espelho" – neurônios que se ligam quando imitamos ações que observamos, como fazemos com falar e andar quando bebês – que nos ajudam a aprender praticamente tudo. Não temos que parar de aprender pela cópia nunca e, melhor ainda, agora podemos ESCOLHER quem copiar. Continue este processo valioso de crescimento/aprendizado ao escolher Mentores Flex e ative conscientemente esses neurônios-espelho ao estudá-los (ler seus livros, segui-los nas redes sociais, ouvir seus podcasts, toda e qualquer coisa) e reproduzir seu comportamento. Mentores Flex ajudam nosso cérebro a reconhecer oportunidades suculentas que surgem na nossa própria vida para nos fazer avançar em direções positivas.

Você é a média das cinco pessoas com quem mais passa tempo, então garanta que está passando bom tempo com pessoas que inspiram você, mesmo que não estejam fisicamente presentes. Ao fazê-lo por bastante tempo, o novo hábito de se comportar como pessoa calma, confiante e fabulosa será o novo normal. Ao tomar muitas decisões baseadas no que aqueles que inspiram você fariam, logo estará no caminho certo para crescer alinhado àqueles que respeita, o que, por sua vez, cria mais respeito próprio.

Ao comprometer-se com esse método, seus ídolos se tornam seus professores perpétuos e podem impedir situações de espiral de estresse e impulsionar você a sentir mais confiança, ter mais fé em sua capacidade e ver possibilidades infinitas.

Não é "fingir até conseguir".

É "ser até se tornar".

Flexercício: seja indomável

Se não conseguir pensar em um Mentor Flex para incorporar, TUDO BEM! Não se estresse em busca de sua Oprah ou Charlotte. A ideia é identificar valores e a personificação desses valores, para se aproximar da integridade.

Outra forma, com igual impacto, para ajudar a lidar com decisões e ações é usar sua Versão Indomável (isto é, sua Versão Elevada) como mentora.

No meu podcast, entrevistei Michaela Boehm, autora de *The Wild Woman's Way: Unlock Your Full Potential for Pleasure, Power, and Fulfillment*.[49] Ela definiu "indomável" não no sentido de #festeira descontrolada, mas de alguém que está em profunda sintonia com cada aspecto de si *sem vergonha*, com integridade e limites saudáveis. A Versão Indomável não é inibida, não duvida de si. Confia nos instintos (o que se assemelha muito a ouvir nossa orientação interior e sincronizar os quatro cérebros). Presta atenção nos nossos ritmos naturais e os respeita. A Versão Indomável nos *permite* passar por ciclos de energia e descanso, de criação e repouso, para vivermos na nossa vida que acontece no momento.

---

[49] *O caminho da mulher indomável: desbloqueie todo o seu potencial para o prazer, poder e realização*, em tradução livre. (N.E.)

Clarissa Pinkola Estes escreveu, em *Mulheres que correm com os lobos*: "Quando [pessoas] reafirmam sua relação com a natureza indomável, recebem uma guardiã interna, uma sábia, uma visionária, um oráculo, uma [inspiração], uma intuitiva, uma geradora, uma criadora, uma inventora e uma ouvinte que guia, sugere e encoraja vida vibrante nos mundos interno e externo. Esta professora indomável, mãe indomável, mentora indomável sustenta a vida interna e externa, a qualquer custo".

Isso sim é algo a que aspirar! Ser natural, instintivo e graciosamente acolhedor como uma criatura silvestre com liberdade total para ser quem é e que nos inspira a ser vibrantes. O poder e a inspiração vêm de dentro.

Pense em um momento em que se sentiu o mais conectado possível. Em que sua energia era "vencedora", como minha amiga Sharmadean gosta de descrever. Um momento em que estava com pleno poder, totalmente conectado com seu corpo e o mundo ao seu redor, quando estava gloriosamente livre e sentia que nada poderia impedi-lo. Identifique esse momento (ou o mais perto que puder disso) e o identifique como sua Versão Indomável à qual pode retornar.

Sempre que estiver confuso quanto ao que fazer a seguir, ou decidindo como agir, volte a essa Versão Indomável. O que sua versão mais conectada, liberada e vencedora decidiria? Essa Versão Indomável é plenamente autêntica, cercada só por amor incondicional. Note como suas decisões mudam quando você começa a tomá-las a partir do lado indomável intrépido e cheio de amor (o lado que corre com lobos), não do lado assustado e domado.

ENCONTRE AS DÁDIVAS

Procurar dádivas, isto é, o lado bom das coisas, nos força a alongar os pensamentos para além da rigidez de "isso é duzentos por cento merda". Quando alguma coisa "ruim" acontece e nos comprometemos com a flexibilidade, abrimos a mente para ver como a experiência nos fez avançar. Joseph Campbell disse que devemos abandonar a vida que planejamos, para aceitar aquela que nos espera. A vida que descobrimos a cada minuto é melhor do que a que imaginamos, e a flexibilidade nos ajuda a nos desligar de qualquer expectativa fixa e decepção, e a ver que tudo se desenrola exatamente como deveria. Nosso caminho é repleto de dádivas, se nos comprometermos a olhar.

Minha mãe tem a capacidade genial de procurar dádivas e ver a vida cheia de milagres. Quando meu irmão foi rejeitado para um trabalho que queria muito, *muito* mesmo, minha mãe disse:

– Claramente não era o trabalho certo para você. Tem alguma coisa melhor para acontecer.

Acreditar nisso é superdifícil, especialmente se estivermos presos a ideias fixas de nossos desejos. Ela estava certa, e ele arranjou um emprego muito melhor um mês depois. O sofrimento ocorre no espaço entre as expectativas e a realidade. Flexibilizar e encontrar dádivas nesse espaço resolve a dor.

A dádiva na decepção nem sempre é óbvia ou imediatamente aparente. Nem sempre vem na forma de presentes embrulhados com lacinho e tudo; pode ser difícil de aceitar; você pode querer devolver. Penso nessas dádivas como "pepitas de crescimento", lições apresentadas a nós que precisamos realmente aprender. Mesmo que sejam difíceis, aprendê-las nos faz bem. Se dirigirmos o foco para encontrar pepitas de crescimento o tempo todo, é garantia que apareçam, provavelmente em lugares inusitados. A outra abordagem possível é dizer "Foda-se esse pensamento positivo/enganação de contos de fadas. Essa situação é um lixo, um lixo total" e desistir. Bom, isso garante o lixo, porque, se não procurarmos as dádivas e aprendermos a lição, definitivamente não vamos encontrá-las, reconhecê-las ou tirar vantagem delas.

Um experimento famoso dos psicólogos Christopher Chabris e Daniel Simons fez participantes assistirem a um vídeo de seis pessoas, três de roupa branca e três de roupa preta, jogando uma bola de basquete de um lado para o outro. Os participantes receberam a orientação de contar quantas vezes um jogador de branco passava a bola. No meio do experimento, um gorila de roupa preta entrava no meio da ação, olhava para a câmera e batia no peito por nove segundos em tela. Por mais incrível que pareça, metade dos participantes nem notou o gorila. O experimento mostra que, quando concentramos a atenção em uma só coisa – um emprego, uma paixão, um objetivo, um desejo – podemos facilmente nos cegar para o que mais estiver acontecendo. Daí o nome do experimento: o Gorila Invisível. Provou que (1) não somos tão observadores quanto acreditamos ser e (2) nem sabemos o que estamos perdendo.

O cérebro inconsciente está sempre procurando novas informações relevantes e só alerta o cérebro consciente a respeito do que considera útil e, de resto, não o perturba. Já comprou um carro? Ou um vestido? E começou a notar quantas pessoas na rua usam o mesmo vestido ou dirigem o mesmo carro?

É um ótimo exemplo de como o inconsciente pode mudar automaticamente que alertas o cérebro consciente nos manda, só de comprar uma coisa diferente. Não existem mais carros vermelhos na rua, só estamos mais atentos a eles, já que a informação se tornou relevante. Encontrar as dádivas funciona da mesma forma. Ao nos comprometermos a procurar as dádivas da vida, nossa mente começa a nos alertar naturalmente, sobrepondo-se ao viés negativo que caça ameaças constantemente e a ver onde estão as oportunidades. Se acreditarmos que cada carvão contém um diamante, encontraremos mais diamantes.

> *"Aprenda a se conectar com o silêncio dentro de si e saiba que tudo nesta vida tem propósito, que não há erros nem coincidências, e todos os acontecimentos são bênçãos que nos foram dadas para aprender."*
> Elisabeth Kübler-Ross

Recentemente, um relacionamento acabou em Nova York, me deixando bem desorientada. Foi uma dessas conexões que chegam e se vão tão intensamente que fiquei perdida, sem saber o que tinha acontecido. Em vez de me deitar e ponderar por que estava tão chateada com o término, procurei dádivas e as encontrei aos montes:

- Tinha maior clareza quanto ao que queria de um relacionamento.
- Aprendi o que acontece quando não ouço meus instintos e me perco na fantasia projetada.
- A perda me fez notar que estava com saudades da Inglaterra.

Voltei a morar no Reino Unido temporariamente e tive muito tempo para notar e agradecer as dádivas de retomar contato com antigos amigos, de me sentir enraizada pela primeira vez em oito anos de vida nômade e de passar muito tempo com meus pais e apreciá-los ainda mais, um presente e uma benção. Ao refletir, notei que estava, estranhamente, agradecida pelo cara ter terminado comigo. Ele me deu TANTAS pepitas de crescimento!

Flexercício: apanhando pérolas

Talvez você já tenha enfrentado uma situação horrível, sem dádivas ou pérolas aparentes, como "Esse relacionamento todo foi uma perda de tempo. Ele era um babaca, um cuzão egocêntrico e arrogante, e fui idiota de me envolver com ele!!", ou "NADA dá certo comigo, odeio meu trabalho, odeio meu apartamento, odeio meus colegas de apartamento. Estou puto da vida".

Mesmo quando as coisas estiverem desanimadas pra cacete, veja pela perspectiva Flex: qual é a dádiva em sentir que está no fundo do poço?

Acredito mesmo que nada no mundo acontece sem motivo. Girafas responderam à adversidade esticando o pescoço, porcos-espinhos ficaram mais pontudos e grilos passaram a pular mais alto. Nossa capacidade de encontrar a dádiva em toda situação que se apresenta é a chave da nossa adaptação a uma vida melhor. As ondas emocionais acontecem *para* nós, para nos impulsionar para onde devemos ir e nos dizer quando mudanças são necessárias. Todas as nossas dificuldades nos aproximam de melhorar e viver mais alinhados. Mas precisamos *estar* presentes para encontrar o presente.

Não se trata de positividade falsa, e sim de aceitar que não existe "só ruim" ou "só bom", mas um EQUILÍBRIO na vida íntegra. Algumas coisas *são* um saco; não têm jeito. Sua Versão Indomável não se lamenta de épocas difíceis; ela as aceita, pois a vida é cíclica e tem estágios de ritmos diferentes, então faz o melhor que pode naquele momento. Ao aceitar e flexibilizar as dificuldades, podemos passar por elas com os bolsos cheios de pérolas.

COMEMORE!

Não devemos apenas alimentar o Lobo do Amor. Devemos dar uma festança e tanto para ele! Comemore amor e liberdade. Quando agimos com base nos valores, temos pensamentos compassivos, desenvolvemos um novo hábito saudável e prevenimos uma espiral por meio do Flex, devemos estourar fogos de artifício mentais.

Para tornar qualquer mudança permanente, ela deve ter reforço positivo. Além de procurar dádivas, por que não nos dar pequenos presentes quando os merecemos? Faça o cérebro *querer* ser cada vez mais Flex e transforme esse hábito de pensamento saudável em seu padrão, ao aproveitar as cenouras do caminho. Cante da janela. Saltite por aí. Me mande uma mensagem! Amo compartilhar histórias Flex de viver com mais compaixão e encontrar as dádivas em todas as situações.

Como escreveu dra. Christiane Northrup, a lendária autora e especialista em saúde feminina, "É nosso direito divino sentir prazer e fazer o que nos dá alegria!". Tristeza e depressão levam à inflamação, que pode causar doenças. Nosso sistema imunológico se fortalece quando estamos felizes. Biologicamente, nosso corpo é projetado para o prazer. Devemos ser criaturas alegres, porque é assim que tudo em nós funciona melhor. Dra. Northrup acredita que tomar decisões com base no que nos faz sentir vivos – de cheirar rosas a dançar, a cantar no chuveiro – é o melhor e único trabalho que temos na Terra.

Flexercício: encontre seu prazer

A cada manhã, comprometa-se com atividades e ações que reforcem o prazer. Pode ser um gesto pequeno, como fazer café, caminhar ou conversar com amigos. Cinco minutos, dez minutos, uma hora, vale tudo. Encha seu dia de pequenos momentos de prazer. Minha amiga tem uma planilha de coisas de que gosta, que consulta como inspiração quando está de mau humor. Você pode fazer isso... ou apenas listar três coisas que melhoram sua vida:

1. _____

2. _____

3. _____

FAÇA POR OUTRA PESSOA

O valor máximo ao qual aspirar: altruísmo.

Cientistas sociais provaram que é mais provável nos comprometermos com um novo comportamento se for feito em nome de outra pessoa.

No Reino Unido, o governo sabia que, se pedisse para a população ficar em casa durante o *lockdown* da covid-19, seria complicado. Descobriram então que o resultado seria melhor se identificassem a quarentena como um ato altruísta para proteger outras pessoas e nosso sistema público de saúde, em vez de só "se proteger". Pesquisas mostraram que cidadãos tinham dez por cento a mais de probabilidade de mudar de comportamento se soubessem que isso beneficiaria outra pessoa.

Achei fascinante descobrir que não somos programados para egoísmo total. Eu supunha o posto. O cérebro humano na verdade é programado para altruísmo. É mais provável manter novos hábitos se for em benefício de alguém de quem gostamos muito.

Se isso funcionar para você, explore uma abordagem altruísta de mudança: Pense em uma pessoa querida por quem faria qualquer coisa e que quer fazer mais feliz. *Comprometa-se ao pensamento flexível por ela.* As vantagens para você são inúmeras, menos estresse, mais paciência, saúde melhor e mais energia; e, ao mesmo tempo, a sua mudança, sem dúvida, terá impacto positivo nessa pessoa.

Para mim, comprometer-me a me afastar do medo em nome das pessoas que amo foi uma motivação forte. Quando comecei o Flex, minha autoestima estava tão baixa que eu não sabia se merecia pensar de outro jeito. Não tinha coragem de desafiar meu cérebro, nem de considerar que as mensagens na minha mente eram besteiras. A única coisa que me deu energia para mudar foi pensar em fazê-lo por outras pessoas. Pensei nos meus pais e melhores amigos, e no estresse que tinha causado a eles ao longo dos anos. As lágrimas de madrugada eram ainda piores para eles do que para mim. Depois de desabafar, eu me sentia melhor (temporariamente) e a preocupação ficava com eles. Ansiedade é contagiosa, e eu era um supervetor. Eles não mereciam ser infectados. Notei que, se pudesse pensar diferente para melhorar minha saúde, também melhoraria a imunidade *deles*.

Se não sentirmos que merecemos paz, aceitação e felicidade, pensemos nas pessoas que mais amamos e nos comprometamos a uma vida de compaixão por elas.

Tome decisões melhores por essas pessoas. Como resultado, todos tiramos vantagem. Escolher uma vida de aceitação e compaixão é o caminho menos egoísta que podemos tomar. Não é fácil. Estamos lutando contra décadas de hábitos aprendidos e vieses. No entanto, se soubermos que estamos lutando pela melhoria de outra pessoa, descobriremos que nossa força não tem limites.

Compromisso é sobre CONSISTÊNCIA AO LONGO DO TEMPO. Cura não é linear. Pense em "progresso, não perfeição". Uma semana de Flex para deixar tudo de lado depois não vai ter impacto no longo prazo. É como comer brócolis em uma refeição e achar que não precisa mais comer vegetais. Às vezes nos sentimos fortes, gratos, cheios de ímpeto positivo no início, e acabamos perdendo o ritmo. Lembre-se da metáfora do alongamento para encostar nos pés! Se praticar todo dia, sempre conseguirá chegar lá. Então treine estratégias de Compromisso todo dia – com foco determinado em três ou mais dias para "marcar" mesmo – para livrar a mente de ansiedade.

Anote o que está incomodando para tirar da sua cabeça. Use Mentores Flex e/ou sua Versão Indomável instintiva para orientação e inspiração na hora de tomar ações ponderadas em busca de desfechos melhores e integridade.

Procure pérolas no oceano, porque estão à sua espera.

Comemore as vitórias e aproveite os pequenos prazeres da vida. Você merece!

Seja altruísta, porque a vida é mais rica e feliz quando agimos em nome de outras pessoas.

Às vezes, apesar de praticar o Flex todo dia, podemos nos sentir empacados de novo, como se não estivéssemos fazendo progresso nenhum. Nesses momentos, podemos querer apertar o botão do "Foda-se!" e largar de mão. É aí que temos que permitir confusão e aceitar que o mundo é cheio de surpresas. Tenho que me controlar constantemente quando meu perfeccionismo volta a surgir. Posso me tornar perfeccionista quanto à flexibilidade, com ímpeto de me punir quando faço algo rígido. É aí que me digo: "Poppy, Flex é o oposto do perfeccionismo: não tem certo ou errado, só aprendizado!" e jogo um quilo de carne vermelha para o Lobo do Amor, entregando-me ao alongamento.

Ninguém nasce sabendo jogar futebol ou pensar flexivelmente. Precisamos adquirir a habilidade com muito e muito treino. A única habilidade inicial de que você precisa ter é desejo. Desejo incentiva ação. Jogadores profissionais de futebol amam o jogo e treinam o tempo todo para serem ótimos. Nossa saúde emocional funciona do mesmo jeito. Use seu desejo de uma vida cheia de prazer e note que, quanto mais treinar o Flex, mais saudável e feliz será.

Cada passo do Flex é útil em si só. Às vezes, usar só um passo já basta para passar por uma crise. Juntos, no entanto, nos conduzem à liberdade de acolher a integridade de quem somos, o bom e o ruim. Minha amiga íntima Jenna Zoë, especialista em design humano e professora espiritual, uma vez me disse: "Quero concretizar todos os meus maiores sonhos, mas só se estiver criando uma existência e uma vida bobas, relaxadas e espontâneas, com toda a leveza que tínhamos na infância, antes de sermos treinadas a abandoná-la". Flex foi meu jeito de fazer exatamente isso. Foi meu método para criar uma vida lúdica, inspiradora e curiosa.

Quando entrevistei Daniel Ryan, hipnoterapeuta de Nova York, ele explicou que passamos a maior parte da vida em transe, um modo ocioso de piloto automático do qual nosso cérebro gosta porque não precisa de muita energia. Flex exige energia. Estamos pedindo à mente para ficar consciente, abrir novos caminhos e criar novas soluções, e nosso cérebro preguiçoso ficaria no piloto automático se estivesse no controle. Intervenção é necessária. Ninguém manifesta a vida dos sonhos no sonambulismo e, se quiser construir um futuro com sentido, depende de acordar e se comprometer com viver com flexibilidade de pensamento consciente.

Na próxima seção do livro, vou me aprofundar em como rigidez e padrões fixos nos limitam em áreas grandes da vida, e como podemos usar o Flex para superar problemas, afetar desfechos e mudar o futuro para melhor.

Uma vez encontrei uma citação ótima no Instagram: "Em uma sociedade que lucra com sua insegurança, gostar de si é um ato de rebeldia".

Flex é minha rebeldia e meu ativismo. Espero que seja o seu também.

"Uma pessoa que tem bons pensamentos nunca pode ser feia. Pode ter nariz esquisito, boca torta, papada, dentes enormes, mas, se tiver bons pensamentos, eles vão brilhar pelo rosto como raios de sol, e você será sempre lindo."

Roald Dahl

PARTE TRÊS

FLEX na VIDA REAL

"Aceitar o passado – a história – não é se afogar nele; é aprender a usá-lo."

James Baldwin

capítulo nove

PASSADO FLEX

Somos o resultado do nosso passado, de tudo o que já fizemos ou sentimos. Mas queremos que o futuro seja igual ao passado, repetindo os mesmos padrões? Se for como eu, você pode estar pronto para mudar.

Quero chamar atenção para o fato de estarmos lidando com um personagem muito escorregadio: o passado. Ele pode se contorcer em qualquer papel que queira desempenhar. Como um artista fantástico, conta histórias que nos empolgam, inspiram, envolvem, capturam ou apavoram, assombram, vitimizam e aprisionam. Devemos pensar duas vezes antes de confiar na memória e deixar que ela seja nossa Estrela do Norte. Segui-la como o Flautista de Hamelin pode nos levar por estradas pelas quais já viajamos e esperávamos não rever.

Cada experiência e sentimento que já tivemos está armazenado no inconsciente, mas a ciência provou que o sistema de arquivo do cérebro é *bugado pra cacete*. Lendo *Subliminar*, do Dr. Mlodinow, caí na real ao notar que o cérebro não pode guardar *todo* detalhe da memória. Lembramos as linhas gerais – o suficiente para criar uma história que faça sentido para nós – e, como ele explicou, preenchemos as lacunas com expectativas, desejos, conhecimento prévio e crenças. É como se o cérebro preparasse metade de uma refeição e acrescentasse uma xícara extra de temperos antes de servir, mudando completamente o gosto original, mas o mantendo comestível. O efeito do tempero acontece inconsciente e involuntariamente. Por exemplo, o cérebro não quer que nos lembremos com clareza da dor. Se lembrássemos, mulheres nunca paririam mais de uma vez.

Enquanto fazia o documentário *The Memory Mirage*,[50] o diretor Josh Freed descobriu que heróis de guerra em turnê de palestras gradualmente aumentavam suas aventuras ao contar as histórias várias vezes para públicos diferentes em cidades diferentes, a ponto de, no final, soarem irreconhecíveis. O processo era involuntário. Quando nosso cérebro tem uma nova versão de uma história, apaga a anterior. Nem as máquinas de ressonância magnética mais sofisticadas distinguem verdade de ficção quando as pessoas acreditam no que dizem. Freed falou: "Aprendi que é sábio não discutir com minha esposa em relação a quem disse o quê para quem há sete anos. A ciência sugere que provavelmente estejamos ambos errados quanto a muitos acontecimentos no álbum da memória".[51]

Pensadores rígidos ficam presos no passado, relutantes/incapazes de deixá-lo para trás. Ficam em uma tempestade de crenças fixas, encharcando-se e aguentando desconforto desnecessário. No entanto, a descoberta de que nossa memória frequentemente não é precisa pode ser ao mesmo tempo estranha e libertadora. Pensadores flexíveis têm uma verdadeira oportunidade de criar novas interpretações e associações de acontecimentos do passado.

Sempre que eu pensava em um certo relacionamento passado, sentia forte decepção por ter acabado, porque eu tinha gostado muito dele, e acabava me culpando pelo fim. Um dia, minha melhor amiga me reorientou, bem Flex:

– Pare de se lembrar dele como se fosse um deus! Ele te deixava chateada continuamente ao longo do relacionamento! Dizia que sua energia de manhã era irritante, dentre outras coisas. Não é um relacionamento para lamentar.

Eu tinha convenientemente esquecido *aqueles* detalhes.

Ser Flex com o passado não é esquecer. É diminuir o poder do passado, extraindo a sabedoria para seguir em frente e criando algo novo conscientemente.

---

50   *A miragem da memória*, em tradução livre. (N.E.)
51   FREED, J. "The Memory Image". *CBC Behind the Lens*, 2019.

ESCOLHA UMA NOVA HISTÓRIA
Novos personagens, novo enredo, novo roteiro

Nosso cérebro é narrador compulsivo, sempre nos encaixando em enredos da imaginação. A tendência é filtrar os filmes mentais pela lente da nossa preocupação; muitos dos meus filmes foram sobre tudo o que me decepcionou ou que eu mesma fiz para me decepcionar, ou um ciclo sem fim de drama.

Para um bom enredo, é preciso um herói e um vilão. Somos condicionados pela narrativa do bem contra o mal encontrada em tudo, desde filmes da Disney, aos avisos dos nossos pais a respeito de pessoas ruins ("Não aceite doces de desconhecidos!"), a histórias de James Bond. Assim como uma xícara de chá quente ou um cobertor pesado, saber como as pessoas se encaixam no errado e ser capaz de prever o fim nos dá conforto. As histórias de vilão e vítima reciclam a mesma merda, um filme com um milhão de continuações, sempre exatamente iguais. É como o *Feitiço do tempo* na vida real, no qual a maioria de nós vive.

Meus enredos eram quase sempre histórias de "coitadinha de mim". Meus sonhos adolescentes frustrados de ser atriz ganhavam vida quando eu interpretava meu teatro cotidiano, com falas como "ACREDITA QUE FIZERAM ISSO COMIGO?". Eu estava namorando um cara (por quem tinha me apaixonado mesmo) e, do nada, ele terminou comigo. Poucos dias depois, soube que ele já tinha entrado em outro namoro e, meses depois, eu continuava a contar o horror. Liguei para minha amiga Margo, uma roteirista muito sábia de Los Angeles, para reclamar, e comecei:

– *Acredita que...*

– Pops, primeiro, acho que você namorou sua imaginação, não quem o cara realmente era. Vocês mal se viam – disse ela.

Bom, isso não estava no roteiro. Era para ela dizer "Coitada...".

Pensamento flexível é sobre escolher reescrever a história ao ampliar a lente do que aconteceu, para ter uma perspectiva multidimensional. Primeiro, temos a tendência de tornar todas as histórias profundamente pessoais, sendo que, na maior parte do tempo, não têm nada a ver com a gente. Por exemplo, crianças muitas vezes se culpam ou se colocam em um papel central no divórcio dos pais. Segundo, o cérebro escroto gosta de personagens bidimensionais e enredos simples. Já a mente flexível se expande para três dimensões, com complexidade e profundidade que permitem compaixão e gentileza. Apesar de batalhas básicas entre o bem e o mal resultarem em cenas empolgantes – e serem divertidas de escrever na madrugada, planejando vingança e nos lamentando por sermos vítimas –, esses pensamentos simples e rígidos impedem a sinceridade e a honestidade de que precisamos para criar uma vida mais feliz e saudável.

A *coach* de perspectiva e desempenho Polly Bateman descreve pessoas relutantes em reescrever narrativas passadas como moscas que batem sem parar na janela ao tentar entrar. Se parasse de bater e olhasse ao redor, a mosca encontraria uma porta escancarada bem ali. "Ficamos tão fixos nas nossas histórias que não procuramos outras, nem descobrimos trilhas mais fáceis", disse. "Temos que trabalhar para ver a janela aberta ao lado. Mas não é tanto trabalho! Só o esforço de olhar para os arredores."

Assim como bem e mal, fomos muito condicionados a acreditar em certo e errado. No entanto, de acordo com Bateman, *certo* e *errado* são meros conceitos culturais criados para existirmos em uma sociedade pacífica. Regras e leis são úteis e necessárias, claro. No entanto, quando se trata do estresse e da ansiedade de "errar", ou de tentar "acertar", não precisamos delas. "Desafie o conceito", disse ela. "Pare de brigar para estar certo, não tema estar errado. O cérebro não distingue real de imaginário. Escolhemos o que mais gostamos. Pegamos o que aconteceu, desmembramos o significado suposto com base em condicionamento passado da família, da escola e da cultura e reagimos. Amamos estar certos e amamos atribuir culpa, então facilmente podemos acabar presos em rotinas."

Ri sozinha ao ouvir Bateman, porque tinha acabado de discutir com uma amiga que vivia atrasada. Eu aprendi quando criança que atraso é falta de educação e de respeito, sinal de não valorizar a pessoa que vai encontrar. Quando reclamei do atraso constante, minha amiga achou que eu estava exagerando e me pediu para não levar tão a sério. Na família dela, todo mundo vivia atrasado, então ela não achava grave, e aquilo não tinha significado nenhum além de desorganização. Acho que nenhuma de nós estava certa ou errada; eu não deveria interpretar o atraso como sinal de que ela não gostava de mim, e minha amiga deveria fazer um pouco mais de esforço para chegar na hora.

É, ao mesmo tempo, assustador e libertador pensar que experiências que "sabemos" ser certas ou erradas podem simplesmente ter sido inventadas na nossa cabeça.

Nosso novo filme pode começar a qualquer momento. No minuto que escolhermos um pensamento Flex – "Qual é a prova?", "Minha lembrança pode não ser precisa" ou "A janela está fechada, mas talvez tenha uma porta aberta..." –, já estamos em uma nova história e podemos mudar o roteiro como quisermos. Flex devolve nosso poder no momento presente para perdoar o passado, parar de reprisar falas e cenas habituais, desenvolver uma nova narrativa...

... e se comprometer com uma nova *voz interior*.

Nossa lembrança do passado é muito influenciada pela linguagem que usamos.

Elizabeth Loftus, uma das psicólogas mais influentes do mundo, mostrou que, ao mudar a linguagem de como contamos o passado, podemos mudar nossa relação com ele. Em um experimento, ela exibiu vídeos de acidentes de carro e perguntou aos espectadores o que viam. Os participantes que receberam a pergunta "Qual era a velocidade dos carros na hora da colisão?" indicaram velocidades mais altas do que os participantes que responderam "Qual era a velocidade dos carros na hora da batida?".[52] Uma só palavra mudou a resposta.

Além do mais, quando os participantes foram convidados a voltar uma semana depois e falar sobre o vídeo, o grupo da "colisão" tinha mais probabilidade de se lembrar de ter visto muito vidro estilhaçado (não tinha vidro nenhum) do que o outro grupo. É extraordinário o efeito da memória com uma mudança sutil na linguagem. E, graças à ciência, podemos tirar vantagem desse conhecimento na nossa vida. Eba!

Flexercício: mude as palavras, mude a narrativa

Use a linguagem a seu favor e conte sua história do passado de modo empoderador. Esse exercício é muito forte, porque seu cérebro acredita em tudo o que você contar.

Para transformar "fracasso" em "crescimento", edite palavras rígidas e as substitua por termos elásticos.

---

52 LOFTUS, E. F.; PALMER, J. "A Reconstruction of Automobile Destruction: An Example of the Interaction Between Language and Memory". *Journal of Verbal Learning and Verbal Behavior*, n. 13, 1974, p. 585-589.

O médico, virologista e epidemiologista estadunidense Jonas Salk, mais conhecido por ser o inventor da primeira vacina antipólio, certa vez disse: "Não existem experimentos fracassados, só experimentos com resultados inesperados".

Portanto, substitua palavras improdutivas como "fracasso", "estrago", "merda" e "desastre" por "inesperado".

Versão rígida: "Decidir fabricar esses produtos quando os recursos da empresa estavam baixos foi um desastre completo."

Edição Flex: "Fabricar esses produtos foi uma experiência com resultado inesperado. Vai me ajudar a pensar melhor nas experiências futuras."

Versão rígida: "Foi um desastre total quando eu caí de cara no colo de um ator de Hollywood na minha primeira oportunidade como repórter na televisão. Que merda."

Edição Flex: "Foi muito inesperado eu errar a mira da cadeira, desde então aprendi a sempre olhar antes de me sentar."

Experimente. Escreva todos os seus "fracassos" e troque as palavras por "inesperado". Ajuda muito a diminuir o impacto e, mais importante, nos faz voltar à perspectiva curiosa e avançada. Flexível.

VOCÊ ESTÁ PRESO AO PASSADO?
Muitas vezes somos controlados por acontecimentos de muito tempo atrás

Para começo de conversa, ficar preso ao passado é exaustivo. É como se o inconsciente estivesse acorrentado a uma rodinha de hamster do inferno. Para descobrir se está preso nessa esteira, leia as frases a seguir. Com quantas você se identifica?

1. "Vivo cometendo os mesmos erros."
2. "Não sei por que fiz isso!"
3. "Melhor não fracassar."
4. "Nem me pergunte, não sou bom nisso."
5. "Essas coisas sempre acontecem comigo."
6. "Homens/mulheres são sempre..."

7. "Tenho medo de..."
8. "Sou um fracasso horrível."
9. "Não deveria ter feito isso."
10. "Nunca vou me/lhe perdoar."
11. "*Ainda* estou puto."
12. "Estou me sentindo inseguro."
13. "Não sei por que isso é um gatilho tão grande para mim."
14. "Reagi exageradamente."
15. "Gosto/não gosto disso [antes mesmo de experimentar]."

Se metade ou mais dessas declarações gerar identificação, é provável que você esteja preso ao passado. Mas não se castigue! *Não é sua culpa!* Na verdade, é bem normal. Eis a seguir o porquê.

Ficar preso ao passado é questão de sobrevivência. Se nossos antepassados tinham uma memória de serem perseguidos por um leão, rapidamente aprenderam o que fazer na mesma situação: CORRER. Ao usar caminhos estabelecidos, nosso cérebro poupa tempo e energia. Como homens das cavernas, precisávamos conservar o máximo de energia para lidar com as dificuldades da vida. Por isso, o menor sinal da aproximação de um leão causaria um reflexo automático de buscar segurança. Graças a memórias passadas, sobrevivemos a muitas ameaças futuras.

MAS hoje isso não é mais tão útil: se temos uma lembrança da infância de, por exemplo, levar uma bronca de uma figura de autoridade, e aprendemos que fazer escândalo fez a bronca parar, repetir o comportamento quando adulto não nos servirá.

Usar memória para poupar energia e nos ajudar a sobreviver: sensacional.
Usar memória para informar reações emocionais: péssimo.

É questão de eficiência. Ao se apoiar em memória em vez de pensamento presente, a mente consciente tem espaço para pensar em outras coisas. Por exemplo, ao entrar no supermercado, o inconsciente sabe que já esteve lá e imediatamente abre o arquivo da memória. Na mesma hora, sabemos pegar uma cesta, andar pelos corredores, pegar nossas compras e seguir para o caixa. Ao mesmo tempo, podemos conversar pelo celular sobre coisas muito mais importantes, tipo o fato de que Moe e Charlie se pegaram ontem, ou o que entrou na grade da Netflix. Sem piscar, fizemos compras, voltamos para casa e guardamos a comida, sem usar um pensamento consciente sequer no processo. Estamos só repetindo ações que aprendemos no piloto automático. Muito útil e conveniente no mercado, mas não é ideal na vida toda! É um pouco incômodo passar quase noventa por cento do dia no piloto automático, praticamente vivendo sempre com base na memória.

É questão de certeza. Um grande motivo para repetirmos padrões, mesmo sabendo que não nos fazem bem: nosso inconsciente *ama* o que conhece. Nosso cérebro *tem fome* de certeza deliciosa. Está em missão constante para nos mostrar sempre que o que acredita é certo. Afirmar o que "sabemos" ser verdade é o espaço seguro do cérebro.

Veja por esse lado: um jogo de futebol seria um caos se não tivesse regras, certo? Sentimos segurança e tranquilidade com as regras e queremos que sejam as mesmas sempre que sairmos de casa. O problema é que as regras (como se relacionar, como reagir, como se comportar) que nosso cérebro confirma constantemente podem ser nocivas, perniciosas e limitantes.

O cérebro SEMPRE nos impulsiona para a certeza, porque contemplar o futuro incerto pode ser apavorante demais.

Este é o mantra dos pensadores rígidos: "Mais vale o mal conhecido do que o bem para conhecer." Preferem se ater ao passado previsível, mesmo se for uma droga. É *mesmo* tentador se agarrar ao passado, como ficar com um ex. Ou procurar o mesmo tipo de parceiro sempre, mesmo que seja tóxico. Ainda dá certa sensação de segurança, por ser conhecido e dar a impressão de "Ah, sim, me sinto em casa, já estive aqui antes". Essa familiaridade pode ser como um lobo em pele de cordeiro.

Podemos ter *alguma* noção de repetir padrões de pensamento ou comportamento porque cometemos os mesmos erros e escolhas ruins de novo e de novo, passando por relacionamentos, empregos, dietas e amizades que parecem todos levar ao mesmo beco sem saída. No entanto, é difícil romper esses padrões. Já perdi a conta de quantas vezes pensei: **desta vez vai ser diferente**. Mas rapidamente vira **por que isso sempre acontece?**. Mesmo que, por otimismo, acreditamos que a mudança está no horizonte, nossos hábitos emocionais seguem sempre o mesmo ritmo, pela mesma trilha.

A não ser que a gente *conscientemente rearranje o passado e faça novas escolhas melhores*, ele continuará a agir como um vizinho intrometido e insistente que não para de bater na nossa porta e trazer bolinhos, ou seja, biologicamente irresistível. Ficar preso no passado não é culpa de ninguém; todo mundo quer aceitar um bolo quentinho. Nunca aprendemos que nossa mente inconsciente se agarra a padrões estabelecidos como um menininho apavorado agarra a perna da mãe. Nem que nosso crítico interior escroto é campeão de encontrar provas para confirmar nossos medos.

No entanto, a liberdade nos aguarda. O fato de estar lendo este livro é prova do seu compromisso em encontrá-la. Flex nos permite superar o passado e substituí-lo por nova coragem, compaixão e ação para projetar um novo futuro.

Um dos livros mais profundos a respeito de desafiar crenças antigas é *Os quatro compromissos: o livro da filosofia Tolteca*, de Don Miguel Ruiz. Ele me deu outra lição transformadora a respeito de crescermos com "compromissos" com os quais na verdade não concordamos – como a língua que falamos, nosso nome, nossa crença religiosa, como se comportar, o que é certo e errado, bonito e feio, bom e ruim etc. Quando notamos quanto da vida é moldado por esses compromissos, podemos começar a decidir conscientemente quais manter e quais renegociar. É fundamental ativar nossa capacidade de escolher o que queremos manter e o que queremos soltar, que crenças nos elevam e quais nos fazem afundar.

> *"Temos muitos compromissos que nos fazem sofrer, que nos fazem fracassar na vida. Se quiser viver uma vida de alegria e satisfação, deve encontrar a coragem de romper esses compromissos com base no medo e reivindicar seu poder pessoal."*
> *Don Miguel Ruiz*

Flexercício: largue crenças velhas e defeituosas

Escreva estes títulos em cinco folhas de papel: *HOMENS, MULHERES, AUTORIDADE, TRABALHO, EU*. Em seguida, escreva qualquer palavra que vier à mente em relação aos títulos. Não pense demais. Só escreva.

Pedi a uma amiga que tinha namorado três caras canalhas em sequência para fazer este exercício, e eis o resultado dela:

HOMENS: desleais, mentirosos, ofensivos
MULHERES: gentis, acolhedoras, facilmente manipuladas
AUTORIDADE: dúvida, medo, injusto
TRABALHO: esporádico, pressão, ainda não
EU: assustada, perdida, sozinha, forte

O motivo do exercício ser tão revelador é que as palavras que ocorrem inicialmente mostram suas crenças subjacentes sobre esses tópicos. Imediatamente, minha amiga viu que as crenças sobre HOMENS e AUTORIDADE tinham moldado sua realidade. Ela namorava homens parecidos, que validavam sua crença central.

– Deus do céu, eu não fazia ideia de como era negativa em relação a praticamente tudo – falou.

Curiosidade (passo #2) em relação a nossas crenças nos dá informações que nos despertam para a causa do sofrimento.

Este exercício vem da Rainha do Bem-estar, a autora Louise Hay. Durante uma sessão de perguntas e respostas com leitores, uma mulher disse a Hay que odiava o emprego porque ninguém a escutava. Quando tentava ser assertiva, ela recebia respostas irritadas. Se desistisse e ficasse quieta, sentia-se invisível e desvalorizada.

Hay pediu para a mulher completar esse exercício. Em seguida, Hay perguntou quantas das palavras e expressões que tinha escrito eram ligadas à experiência dela na infância. A mulher ficou chocada pela semelhança abundante entre o seu trabalho e o lar em que crescera.

Quando fizer este exercício, abandone qualquer julgamento do que escrever. Não há respostas certas ou erradas. Você está procurando *pistas* das suas crenças defeituosas antigas e de como elas podem ter surgido. Por meio dessa consciência, você pode se perdoar um milhão de vezes. Não é sua culpa tê-las. Você as herdou. No entanto, agora que tem consciência delas, tem também o poder de deixá-las para lá.

POR QUE SOMOS TÃO ASSOMBRADOS?
O passado marca seu histórico permanente

O cérebro é mesmo milagroso. Tem capacidade ilimitada de armazenar todas as lembranças dos anos de esponja. Contudo, tende a priorizar as mais emocionalmente traumáticas. Que IRRITANTE. Polly Bateman usa o exemplo de uma ofensa no parquinho. Uma criança diz à outra na pracinha:

– Seus sapatos são horríveis!

Uma criança confiante pode responder:

– Eu amo esses sapatos, vai catar coquinho!

Mas a maioria das crianças reagirá à crítica com vergonha, medo de ser expulsa do grupo, e pressão interna intensa para se adaptar e se sentir amada e aceita. *Implicâncias do parquinho aos seis anos é uma ameaça existencial... expulsão do grupo por sapatos horríveis... nunca mais ser vista.*

O medo, a vergonha e a rejeição por causa dos sapatos feios que nossa mãe provavelmente nos obrigou a usar ficam guardados na "torre de vigia" do cérebro, como Bateman descreve, que só quer sobreviver. Neste caso, sobrevivência é se encaixar. Contudo, muito depois de o nosso cérebro infantil nos proteger da chuva de vergonha ao implorar à nossa mãe por sapatos novos, nosso cérebro adulto diz que em TODO contexto evitaremos vergonha ao vestir e comprar as coisas certas. Talvez algumas *influencers* de Instagram, obcecadas por roupas e aparências "certas", sejam só crianças que cresceram e ainda querem se encaixar, desesperadas por pertencimento.

Há uma famosa frase, muitas vezes atribuída ao filósofo grego Aristóteles e outras ao iluminista Voltaire, que diz: "Me dê uma criança até os sete anos e mostrarei o homem". Pesquisas psicológicas mostram que ele estava certo. Crianças pequenas não são controladas pelo passado porque ainda não o tem. É por isso que encaram tudo com fascínio, presença e curiosidade, sem julgamento. Conforme crescemos, nossa coragem é substituída por condicionamento e medo. Aos sete anos, nossas crenças fundamentais da vida já estão formadas e definidas. "Nascemos todos em tábula rasa", disse Bateman. "Temos diferenças genéticas, é claro, mas emoções e pensamentos se ligam e desligam no cérebro só por causa da soma das experiências únicas. Reconheça que qualquer reação forte [na vida adulta] tem alguma raiz em uma reação improdutiva que aprendemos quando crianças, em uma situação que não entendemos ou que não tínhamos contexto para enfrentar."

A memória dita como interpretamos a vida e que sentido atribuímos ao que poderiam ser acontecimentos sem sentido. Já falei antes de combinar padrões, mas eis um resumo: é o processo mental ativado por um acontecimento ao qual se atribui sentido emocional com base em experiências passadas.

Acontecimento → emoção passada → reação automática.

Por exemplo, alguém critica nosso sapato e imediatamente sentimos vergonha, mas só porque o Google interior do cérebro procurou no banco de dados por uma combinação histórica, abriu o arquivo e leu que essa crítica gera vergonha. Sem notar essas reações automáticas, não temos poder de impedi-las. Como resultado, sentimos quilos de vergonha desnecessária e podemos desenvolver um vício em sapatos como tentativa de diminuir a vergonha. A prateleira de sapatos pode ficar cheia, mas não temos como comprar alívio da dor guardada.

Mesmo que nossos pensamentos claramente sejam improdutivos, de certa forma confusos, estão tentando nos proteger. Devemos reconhecer que sempre fizemos o melhor possível com as informações que tínhamos na época... e provavelmente o mesmo pode ser dito de nossos pais. Eles não sabiam que surtar quando o filho cai da bicicleta, dizer "shhh" num ataque de choro, elogiar uma menina pelo sorriso feliz ou trancar a despensa causariam emoções na criança, que se transformariam em histórias que afetariam sua vida para sempre.

Só leva um segundo para o cérebro desenterrar medo e dor antigos. É tão rápido que nem notamos o que aconteceu, e só reagimos. Uma mulher que admiro imensamente, Britteny Floyd-Mayo, fundadora de Trap Yoga, me contou uma história sobre um medo de infância que voltou à vida adulta, fazendo mal a uma amizade íntima. "Cresci em lares temporários e aos quinze anos já morava sozinha. Quando desligaram minha água quente, parei de ir à escola." A professora de espanhol dela, uma mulher seis anos mais velha do que Britteny, a convidou para usar seu chuveiro porque sabia que, sem banho quente, Britteny não teria como ir à escola. Elas se aproximaram, e a professora de espanhol se tornou uma mentora e defensora de Britteny.

Dez anos depois, a carreira de Britteny começou a decolar e a mentora pareceu se retirar de sua vida. "Meus pais me abandonaram e, quando ela começou a se afastar, imediatamente supus que fosse *mais uma pessoa* na minha vida que queria me largar. É minha reação automática, sempre", contou.

Ela sofreu em silêncio até, um dia, encontrar a coragem de confrontar a mentora. Por fim, Britteny tinha interpretado mal a situação. A ex-professora ficou devastada ao saber que Britteny achava que ela a estava abandonando. Explicou que tinha se afastado um pouco, sim, mas só para dar espaço para Britteny crescer e se tornar mais independente. "Minha mentora via que eu estava *me formando*", contou. "Eu estava sofrendo desnecessariamente. Sentia-me negligenciada e maltratada, mas estava só revivendo traumas passados. Não era a realidade presente de maneira nenhuma." Ter a coragem de ser curiosa, investigar e se flexibilizar libertou Britteny da armadilha de suposições passadas.

Polly Bateman de novo: "Há apenas três gatilhos básicos que você pode encontrar. Sempre que se sentir irritado ou chateado, pense na causa raiz do gatilho: *estou seguro? Sou amado? Sou suficiente?* Como nos comportamos no cotidiano é a superfície dessas raízes. Quando vejo pessoas reagirem às três causas centrais da ansiedade, lembro-as: 'Você não é mais aquela criança de oito anos que foi rejeitada no parquinho'. Temos que trabalhar em nos conhecer e saber o que é verdade no presente."

Todo mundo tem histórias que, em retrospecto, podem parecer pequenas, mas que ainda nos definem. Uma amiga minha, que cresceu rápido e no primeiro ano do fundamental já era muito maior que os colegas, ouviu de uma professora:

– Não abrace as outras crianças, porque pode machucá-las.

Ela me contou:

– Até hoje, hesito em abraçar as pessoas. Já faz trinta anos!

> *"A vida lhe dá pessoas e lugares para mostrar-lhe onde você não está livre."*
> Peter Crone

Destrancar a jaula do passado é uma negociação constante. O passado sempre será sedutor, pois é a certeza onisciente. Tornar-se radicalmente consciente dos padrões e das crenças do passado exige coragem, mas é o único jeito de começar a se rearranjar. Não é fácil desafiar o antigo e mostrar curiosidade e abertura para novas informações. No entanto, rigidez, supondo saber por quê, o quê e quando, será sua queda.

Flexercício: use sua carta de "Saída livre da prisão"

Para sair do piloto automático de reagir ao passado... FLEX!

- **CONEXÃO.** Aceite o sentimento que surgir. Não reaja sem pensar. Deixe acontecer. Note. Desarme! "Hoje estou sentindo..." Para se afastar do sentimento do gatilho, energize o processo de reconexão, levante-se, sente-se, corra, dance, respire fundo, relaxe o maxilar e ative o corpo de alguma forma.

- **CURIOSIDADE.** Investigue como puder seu banco de dados em busca de ocorrências históricas deste sentimento. O que a situação atual está lembrando? Comece pensando na última vez que sentiu isso, mesmo que tenha sido ontem. Depois tente ir à vez anterior, e assim por diante, até chegar mais perto do momento do parquinho em si.

- **CRITÉRIO.** Decida conscientemente que está pronto para reescrever a narrativa dessa reação. Escolha a compaixão e o perdão, reestruturando a experiência por meio de uma nova perspectiva. Pergunte: "Onde e quem posso perdoar?".

- **COMPROMISSO.** Mude seu futuro ao responder de modo diferente ao estímulo e agir com base em valores. Consulte seus Mentores Flex e considere o que fariam em seguida. Eu me pergunto "O que Oprah faria?" ou "Como uma pessoa que se acha suficiente e se valoriza reagiria?". O que minha Versão Indomável, uma criatura sem vergonha, faria? É *isso* que faço para reagir, alinhada com o futuro que quero criar.

RECICLAR RELACIONAMENTOS
Pois é, até seus vínculos românticos são ditados pela infância

Pesquisas sobre "estilos de apego" datam de meados do século XX, com o psicólogo britânico John Bowlby. A psicóloga estadunidense-canadense Mary Ainsworth levou adiante as teorias do dr. Bowlby em seu famoso estudo "Situação Estranha".⁵³ Ela pôs uma mãe e seu filho pequeno juntos em uma sala de brinquedos e pediu à mãe que saísse por alguns minutos. Dra. Ainsworth estudou como a criança reagia à volta da mãe e classificou os relacionamentos em três tipos principais. Sessenta por cento dos relacionamentos eram "seguros", vinte por cento, "ansiosos" e vinte por cento, "evitativos".

- **Seguros.** As crianças ficaram chateadas quando a mãe saiu da sala. Procuraram por ela e se deixaram ser reconfortadas quando ela voltou. As necessidades emocionais das crianças eram supridas pela mãe; recebiam amor e atenção constante, sentiam-se seguras e aceitavam o conforto com prazer.

- **Ansiosos.** As crianças ficaram muito chateadas quando a mãe saiu e, quando voltou, não souberam como reagir, se com raiva, alívio ou alegria. As necessidades das crianças não eram suficientemente supridas; podiam ter sido negligenciadas, sentir-se inseguras e/ou ter recebido amor inconsistente.

- **Evitativos.** Essas crianças não pareciam se importar com a saída da mãe e deram mais atenção aos brinquedos quando a mãe voltou. Depois, pesquisadores definiram duas subcategorias para apego evitativo: evitativo-assustado (encolher-se, como se sentisse medo da mãe) e evitativo-desapegado (ignorar propositalmente a mãe). Todas as necessidades das crianças com apego evitativo eram insuficientemente supridas por pais relativamente negligentes, que desconsideravam o sofrimento da criança e talvez fossem agressivos.

Eis a questão central: nosso apego com nossos pais na infância previu nossos estilos de relacionamento na vida adulta.

---

53 AINSWORTH, M. D.; BELL, S. M. "Attachment, Exploration, and Separation: Illustrated by the Behavior of One-Year-Olds in a Strange Situation". *Child Development*, v. 41, n. 1, 1970, p. 49-67. Disponível em: DOI: 10.2307/1127388. Acessado em: 20 maio 2022.

Com que estilo de relacionamento você se identifica?

Seguro	Ansioso	Evitativo--assustado	Evitativo--desapegado
Satisfatório	Estressante	Pisando em ovos	Distante
Dá apoio	Tenta agradar	Possessivo	Descomprometido
Perdoa	Grudento	Obsessivo	Desconfortável se o parceiro tenta avançar a relação
Aceita	Carente	Desconfiado	
Confiável	Possessivo	Exigente	Desequilibrado: você deseja que ele/ela fosse mais independente
Limites claros	Ciumento	Você deseja desesperadamente amor e validação, e morre de medo de rejeição	
Você expressa livremente o que sente	Conivente demais com comportamento ruim do parceiro		Distanciar-se é mais fácil do que falar dos problemas
Em momentos difíceis, vocês se apoiam	Sempre prestes a acabar (na sua cabeça)	Brigas são barulhentas e agressivas e levam a lágrimas e sexo de reconciliação	Você se fecha quando demandas emocionais são feitas
Em momentos bons, vocês comemoram juntos	Com base em fantasia; o parceiro é idolatrado, não visto como pessoa de verdade	Quando acaba, você diz: "Vou ficar sozinho(a) para sempre"	Brigas acabam com explosão ou sumiço
A conexão é de verdade (não de conto de fadas)			
Quando acaba, você diz: "Foi bom enquanto durou, mas já acabou. Desejo que ele/ela seja feliz"	Você morde a língua em vez de dizer o que está sentindo		Quando acaba, você diz: "Foi muito problema, não valeu a pena"
	Cheio de lágrimas e surtos desesperados		
	Quando acaba, você diz: "Ele/ela nunca me amou de verdade"		

Não deve surpreender ninguém que meu estilo de relacionamento fosse ansioso, o que indica que eu tinha apego ansioso com meus pais. Eu acabava romances antes de começar por medo de o meu parceiro não gostar tanto assim de mim. Quando acabava, eu dizia: "Na verdade, ele nem gostava de mim". Quando li a lista de características ligadas a pessoas com apego ansioso, comecei a rir, porque eu literalmente me encaixava em todos os itens.

> Diário: 17 de outubro de 2017 (Poppy atual)
>
> Faz pouquíssimo tempo que conheço esse cara, e estou com medo de me machucar. Sei que é tudo autoinfligido, mas o terror que sinto é insuportável. Por que ele me faz temer e chorar tanto? Acho que morro de medo de relacionamentos. Esse medo de abandono antes mesmo de acontecer, essa necessidade de consistência não tem fundo. É muito estranho conseguir ver como estou sendo doida e me perguntar se sou só eu, ou se foi um gatilho que ativou. Talvez seja melhor acabar educadamente, escrever um recado e dizer que acho que é melhor assim. Só de escrever isso, já fico mais calma. É o que vou fazer...

Horrível! Na época, eu não sabia qual seria a origem da minha ansiedade em relacionamentos.

É óbvio que ninguém muda da noite para o dia, e eu ainda tenho dificuldades por causa do estilo de relacionamento ansioso, mas agora reconheço quando está me dominando. Essa consciência me permite pular rápido para o Passo #3 do Flex e, conscientemente, escolher não deixar o medo me controlar. Agora, quando namoro, assim que pulo para "É melhor terminar, ele obviamente não gosta de mim", tenho que falar comigo em terceira pessoa, uma técnica de desarmamento recomendada pela dra. Joan Rosenberg, e dizer: "Não há provas de que ele não gosta tanto de você, Poppy. Mantenha seu poder!". Eu inundava os caras que namorava com adoração e veneração, como se fossem deuses gregos descendo do Olimpo para sair comigo, porque se encaixava na narrativa de romance que eu formara na infância. Agora me esforço para apreciar meu valor e lembrar que é só um cara, não a melhor invenção desde a maionese. Também não é um vilão que vai me largar sem motivo.

Flex me deu a consciência para desafiar minha ansiedade, parar de namorar a imaginação e trazer o relacionamento de volta à realidade.

Você não está preso para todo sempre à ansiedade e à evasão que pode ter vivido como criança impotente, nem ao estilo de apego resultante, nem ao estilo de relacionamento atual. A liberdade do passado começa com consciência e com decisões diferentes do que as que o cérebro manda automaticamente. Não é nossa culpa termos esses estilos de relacionamento. São baseados nos nossos primeiros encontros com necessidade e satisfação, normalmente dos nossos pais ou responsáveis principais. Traga julgamento zero a essa investigação. É só informação para receber, refletir e aprender. De novo, não culpe seus responsáveis! Eles fizeram o que puderam com o que sabiam/enfrentavam na época. Liberte a culpa de todos os lados.

É *MESMO* POSSÍVEL SUPERAR O PASSADO?
Abrindo a gaiola

A gente pode mesmo superar *qualquer coisa*? Dr. Steve Hayes disse: "Não podemos apagar o inconsciente". No entanto, não precisamos apagá-lo. O genial do Flex é que superar não é esquecer o passado. É rearranjá-lo e alongá-lo para fazer as pazes com ele. Com *curiosidade*, podemos reconhecer que nossa memória não é confiável e usamos o *critério* para escolher como ela nos influencia. Ficaremos presos ao medo? Ou trataremos de reestruturá-lo para ter o poder de seguir em frente?

> *"Todos temos história. A diferença é: você usa a história para se empoderar? Ou usa a história para se vitimizar? A pergunta em si dá o poder de mudar sua vida."*
> Sunny Dawn Johnston

Vamos falar de vitimismo, uma ótima coisa para superar.

É uma perspectiva muito rígida que causa um ciclo egoísta de "coisas ruins sempre acontecem comigo" e nos leva a criar infinitas explicações e culpa.

Muitas das pessoas que andam por aí feridas nem reparam que têm mentalidade de vítimas. Pode ser surpreendentemente sutil. Robert Leahy, PhD, diretor do Instituto Norte-Americano de Terapia Cognitiva, me indicou os sinais:

- **Sentir impotência** perante a solução de um problema ou para aguentar com eficiência; por exemplo, "Não aguento. Não sei o que fazer. Já tentei de tudo, nada funciona".

- **Ver todo problema como catástrofe**; por exemplo, "É um desastre do caralho!".

- **Achar que outras pessoas tentam magoar você deliberadamente**; por exemplo, "Queriam que isso acontecesse comigo. Queriam foder comigo!".

- **Acreditar que só você foi alvo de maus-tratos**; por exemplo, "Claro que não *me* convidaram. Fui excluída de propósito".

- **Agarrar-se ao estado de vítima**; por exemplo, "Você não entende, porque sua mãe não era neurótica como a minha".

Ai, ai, como eu me identificava com essa mentalidade muito rígida e atolada. Em vez de me comprometer com ações que poderiam curar minhas feridas, continuava como vítima para receber pena. A autora Jessa Crispin escreveu, em *Why I Am Not a Feminist: A Feminist Manifesto*:[54] "Há vantagens de se rotular como vítima. Você é ouvida, recebe atenção. Mostram pena de você". É por isso que é difícil abandonar a mentalidade de vítima. Acredite ou não, secretamente supre uma necessidade básica de receber amor e afirmação.

Eu desejava validação da dor que tinha passado, e comentários como "Que pena, Poppy, você passou por poucas e boas!" eram como oxigênio. No entanto, ao reclamar dos meus ciclos de problema, exagerar catástrofes e levar tudo para o lado pessoal, comecei a notar que pena nunca bastaria para curar minhas feridas. Gastei anos escolhendo me manter como vítima, mas, se

---

54 *Por que não sou uma feminista: um manifesto feminista*, em tradução livre. (N.E.)

alguém me acusasse de vitimismo na época, eu imediatamente teria rejeitado a ideia. Só para constar: postura defensiva é outro sinal de vitimismo. Byron Katie escreveu: "Defesa é o primeiro ato de guerra". Se você sentir necessidade de se defender de outras pessoas, pode ter esta perspectiva rígida sutil.

Eu me via como vítima, mas não sou vítima de abuso, violência ou negligência. Muitas pessoas passaram por muito pior do que eu. Qualquer que seja a dificuldade em nossa história, se "vítima" merecer ou não estar entre aspas, todos temos medo de verdade de nos soltar de lamentações passadas, porque nos dá a sensação de "deixar alguém incólume" por coisas imperdoáveis. Contudo, ao reestruturar o que é o perdão, podemos nos libertar do carma da outra pessoa. Não é questão de justificar o que fizeram; é um ato de elevação energética para nós. Quando você fica preso aos erros, o agressor vence. Escolher deixar para trás não muda o que aconteceu. O que *muda* é nossa reação. A vingança mais doce é perdoar e romper elos energéticos.

O que essa perspectiva tem a ver com o passado? Como qualquer crença defeituosa, o vitimismo é aprendido na infância. Talvez a gente tenha visto um responsável usar essa estratégia, ou receber pena fazia a gente se sentir visto e ouvido. "Culpar os outros" e "não levar a culpa" já nos protegeu, e nossa mente gosta de repetir tudo o que isso consegue. Brené Brown certa vez disse: "Culpa é apenas a emissão de dor e desconforto".

Nosso cérebro é muito suscetível a cair numa mentalidade de vítima, porque protege nosso ego. É sedutor nunca ter culpa.

Mas, se não fez nada de errado, você não tem o que aprender. Vitimismo é um estado de desenvolvimento interrompido. Crianças não têm culpa. Adultos se responsabilizam porque a cura só pode acontecer quando pararmos de terceirizar os sentimentos em outras pessoas. Assim, manter-se no modo de vítima nos *autossabota* e nos prende no passado.

Se quisermos encontrar pérolas, temos que nos responsabilizar. Em seu podcast, a *coach* Brooke Castillo disse ter recebido um e-mail de uma antiga cliente dizendo tudo de que não gostava nela. "Imediatamente, lendo essa lista de coisas que outra pessoa tinha dito de mim, me senti na defensiva", lembrou. "Opa, estou entrando na mentalidade de vítima. Coitadinha de mim. Como podem dizer isso tudo de mim? Ai, nossa. Não acredito que fizeram isso comigo." Ela precisou respirar fundo e, em vez de entrar em espiral, leu a lista de ofensas e respondeu "Concordo" para algumas delas. Naquele momento de domínio, ela fez uma escolha. Em vez de se fazer de vítima e tornar a autora do e-mail uma vilã, decidiu usar a curiosidade para ver se encontrava alguma verdade nas críticas e apreendia informações. Ela encontrou muitas dádivas no e-mail cruel.

Vitimismo é, portanto, uma estratégia de evasão. Se nos recusarmos a nos responsabilizar porque *nada* é nossa culpa, não temos que fazer nenhum esforço emocional. Mark Manson, autor de *A sutil arte de ligar o f*da-se: uma estratégia inusitada para uma vida melhor*, escreveu: "Vítimas procuram culpar outras pessoas por seus problemas, ou culpar circunstâncias externas. Isso pode fazê-las se sentirem melhor a curto prazo, mas leva a uma vida de raiva, desamparo e desespero". Assim, vitimismo mantém você preso em energia vibratória muito, muito, muito baixa.

Vantagens a curto prazo se tornam danos a longo prazo. Culpar outras pessoas só cimenta a vida no passado, abrindo mão do controle e ficando para sempre como uma criança. Não oferece oportunidade para mudança e nos mantém à margem de nossa própria vida. Claro, seremos poupados de ter que explorar emoções desconfortáveis e provavelmente podemos nos safar de comportamento ruim ao dizer "Foi culpa deles! Não é minha culpa!". No entanto, se quisermos pilotar nossa vida, em vez de sermos meros passageiros, é hora de mudança consciente pelo Flex.

Flexercício: abandonando o jogo da culpa

Pense em alguém que culpa por causar dor na sua vida. Agora responda a estas quatro perguntas. Com honestidade! Sem julgamento!

1. Que bem *me* faz segurar essa culpa?
2. De que maneira segurar-me em culpa, raiva, ódio, ressentimento, tristeza e autocomiseração ajuda minha vida?
3. Como me segurar a essas emoções negativas me faz mal?
4. Estou pronto para soltar essa culpa?

Toda reação emocional que temos no presente foi aprendida em experiências passadas. Ninguém pode fazer a gente sentir raiva, vergonha, culpa ou constrangimento, mas nós mesmos nos fazemos sentir isso tudo ao atribuir nossa interpretação a acontecimentos. Ao culpar outras pessoas – por exemplo, "Você me deixou com tanta raiva" –, ficamos entregues às emoções. No entanto, ao nos responsabilizarmos pela nossa parte na criação do sentimento, ganhamos poder. Também ganhamos certo controle ao lembrar que o presente tem pouca conexão com o que sentimos; é tudo resíduo do passado que precisa ser limpo.

A versão contrária do vitimismo é nos culparmos por tudo. Acreditamos que somos a causa de todos os problemas: "É tudo minha culpa!".

Que choque: essa perspectiva rígida de vergonha, ódio internalizado e baixa autoestima também vem do passado. É *outra* estratégia de sobrevivência (assim como um pensamento negativo automático) para lidar com a incerteza da vida. Se acreditarmos que somos O Destruidor de tudo de bom, pelo menos sentimos ter algum controle quando as coisas dão errado. Aí começam as desculpas e as lamentações. Muitas vítimas ao contrário se desculpam por se desculpar demais!

Culpa internalizada é um hábito ruim de aceitar responsabilidade *demais* pelo passado, sendo que, na maior parte do tempo, o que aconteceu conosco não está sob nosso controle, ou depende de coisas que nada têm a ver com a gente. Hiperpersonalizar o passado, tornando tudo problema nosso, só nos distrai de buscar a verdade. Um modo útil que aprendi para contradizer isso foi inspirado por Don Miguel Ruiz e pela escolha de fazer um novo compromisso comigo para não levar tudo no pessoal. Ao escolher levar outras forças em conta, nós *nos* perdoamos pelo que não foi nossa culpa.

Flexercício: botão vermelho, botão verde

Este exercício de visualização foi baseado no trabalho do psicoterapeuta britânico Terence Watts, fundador da BrainWorking Recursive Therapy, para ajudar pessoas a superar resquícios de ressentimento de alguém que têm dificuldade de perdoar.

Imagine um botão vermelho à sua esquerda e um botão verde à direita.

Imagine a pessoa de quem se ressente. Se apertar o botão VERMELHO, nada vai mudar, e você continuará vivendo para sempre com ressentimento, raiva e dor.

Se apertar o botão VERDE, pode seguir adiante sem a influência da pessoa, livre de mágoa e amargura.

Quando imaginar que aperta o botão, aperte com FORÇA. Bata mesmo. Sinta o impacto na mão. Dr. Watts diz: "Aperte com força, para mostrar que é sincero!".

Idealmente, na maior parte das vezes, você apertará o botão verde, escancarará a jaula do passado e reivindicará liberdade emocional. Nas raras ocasiões que quiser apertar o botão vermelho, aceite que está escolhendo guardar a raiva e o ressentimento *desta vez*. Tome uma decisão consciente de se segurar à negatividade passada ou soltá-la. Não controlamos o que acontece, mas controlamos como responder.

CRESCIMENTO PÓS-TRAUMÁTICO
Transformando dor em dádiva

A primeira vez que ouvi a expressão "crescimento pós-traumático" foi de Zelana Montminy, PhD, cientista comportamental, psicóloga positiva e autora de *21 Days to Resilience: How to Transcend the Daily Grind, Deal with the Tough Stuff, and Discover Your Strongest Self*.[55] "Todos conhecemos pessoas que passaram por dificuldades, mas algumas foram vitimadas por elas e não se elevaram ou conseguiram crescer a partir dali. Elas estão presas", disse. "No entanto, se você puder abordar os desafios e fatores de estresse por uma determinada lente e crescer, aprender e se fortalecer a partir deles, é isso a resiliência."

É isso a flexibilidade também.

Para transformar dano em crescimento, *conecte-se*, aceitando a fragilidade humana. Somos só seres humanos que sentiram medo e solidão, mas podemos usar o *critério* para escolher o perdão e começar a cura. As lições que precisamos aprender continuarão surgindo até aprendê-las, então tenha *curiosidade* quanto a elas. Da próxima vez que cairmos em padrões antigos de culpa (o que é provável, visto que nosso crítico interior escroto AMA narrativas de vítima), *comprometa-se* com a compaixão, dizendo: "Hoje, meu cérebro devia estar muito assustado, para ter reagido assim". Flex rápido de linguagem muda como

---

55 *21 dias para resiliência: como transcender a rotina, lidar com as coisas difíceis e descobrir seu eu mais forte*, em tradução livre. (N.E.)

essas lembranças são armazenadas e nos faz seguir em frente sem o peso de arrependimento e vergonha. A recompensa dessa aceitação, perdão e compreensão é a magia de um futuro que não podemos prever, mas que confiamos que se desenrolará para nos ensinar o que precisamos aprender.

O passado é conhecido, um padrão emperrado com desfecho previsível e uma narrativa já escrita. Você pode revivê-lo ou deixá-lo para trás. Com uma reconstrução consciente da narrativa, podemos nos abrir para o futuro desconhecido e inesperado, com desfechos inimagináveis, a jornada repleta de dádivas.

O processo de encontrar lições no passado é como ganhar pontos de *Mario Kart* na vida. São os presentes da libertação emocional e criam pepitas de oportunidades de crescimento para sentir *gratidão* pelo passado – porque, ao notá-los, temos a chance de atualizar nosso pensamento e comportamento.

Minha amiga, que cresceu com uma mãe abusiva, acabou sendo capaz de ver as dádivas que recebera dela. "Acho que minha mãe me ensinou a ser independente", contou. "A ser ótima com dinheiro, porque ela era péssima. Ela me ensinou a sobreviver. Quando meu namorado entrou em pânico por causa da covid-19 no *lockdown*, eu fiquei perfeitamente tranquila, porque cresci aprendendo a me reconfortar quando o ambiente não era seguro. Só de listar essas dádivas, já me sinto muito bem, na verdade."

Outra amiga maravilhosa, *coach* de atuação, perdeu a perna em um acidente de infância. Quando perguntei se alguma dádiva viera desse acontecimento traumático, ela disse: "Não acredito que um dia pensaria assim, mas perder a perna foi a melhor coisa que já me aconteceu. Passei a ter liberdade de decidir o que queria da vida, em vez de aceitar sem questionar. Meu acidente e as pessoas que conheci na recuperação mudaram minha vida para melhor". Ela é o oposto de uma vítima, uma caçadora de dádivas profissional e uma Mentora Flex radiante minha.

O compromisso em encontrar dádivas no passado é em si uma dádiva. Oferece uma forma pacífica de lembrar. Não é preciso apagar. Em vez disso, podemos entrar na piscina de sabedoria e mergulhar à vontade para reafirmar que somos todos sobreviventes.

Desde que comecei a vida Flex, fiz um esforço consciente para não recair em minha antiga identidade – nem depois de muita tequila. Quando começo a voltar ao passado de um jeito negativo, contando mágoas passadas e caindo nas narrativas rígidas de vítima e vilão, me contenho. Mentes flexíveis vivem no presente, com curiosidade pelo que está acontecendo, e não preveem o fim antes mesmo de começar. Meu mantra é: "Espere o inesperado, mas fique atenta". Lembra que eu devo usar a sabedoria que o passado me deu, mas concentrar meus pensamentos e sentimentos em como as coisas SÃO agora, não em como ERAM antes.

Nossas narrativas podem mudar a cada decisão que tomamos, e estou muito mais empolgada pelo que pode acontecer a seguir. Fazer as pazes com o passado é aceitar o que foi, a pressão necessária para formar nossos cristais humanos únicos. Não há duas pessoas iguais, assim como não há dois cristais iguais. Nossas jornadas e as pressões e desafios que enfrentamos só buscam criar mais beleza. Quando conseguimos nos extrair dos ambientes que nos criaram, podemos nos concentrar em brilhar.

ALGUNS DETALHES...

Lembre os quatro Cs para se libertar do passado com Flex.

- **Conexão.** Seu corpo é a melhor bússola. É uma fonte constante de sabedoria, sempre disponível para orientá-lo ao futuro, se você der uma chance. Todo dia, garanta que está fortalecendo a conexão com o corpo ao energizá-lo. Se correr ou dançar é demais, até respirar fundo ou caminhar tranquilamente na rua vai criar uma mudança energética para oferecer mais poder para se reconectar e ajudar a forjar novos caminhos neurais por cima dos velhos e passados, e usar em seu sistema interior de navegação.

- **Curiosidade.** Às vezes, para evitar o modo automático de interpretar equivocadamente o presente, reagir exageradamente e fazer suposições, só é preciso parar, pensar e dizer: "Espera aí, por que estou tornando *esta* situação *naquilo*?", ou "Que pensamento interessante; preciso de mais provas para acreditar" e, como sempre, "É verdade?". Identifique seus PNAs nocivos; sejam eles generalização, pensamento de tudo ou nada, ou adivinhação, e os apague.

- **Critério.** Como disse Don Miguel Ruiz: "Se quiser viver uma vida de alegria e plenitude, precisa encontrar a coragem de romper os compromissos com base no medo e reivindicar seu poder pessoal". Coragem começa com a escolha criteriosa de romper os padrões que nos fazem andar em círculos. Escolho perdoar o passado e procurar explicações mais compassivas para as situações nas quais me encontro. Uso linguagem que me faz avançar no amor e me afastar do medo, como "Espero o inesperado" e "Não leve para o lado pessoal, tudo é possível". Isso impede minha crítica interior escrota de supor que sabe de tudo.

- **Compromisso.** Em vez de reagir como minha criança interior assustada quer, ajo com base no que meus Mentores Flex ou minha Versão Indomável fariam. Ajuda encontrar um Mentor Flex que teve um passado semelhante e o transcendeu. Uma amiga minha teve uma infância muito difícil com os dois pais lutando contra o vício, e seu Mentor Flex era o dr. James Doty. No livro *A maior de todas as mágicas*, ele conta o momento em que deixou o passado para trás e perdoou os pais, finalmente se tornando um líder de pensamento que mudou o mundo, um CEO de sucesso e fundador do centro de compaixão em Stanford. É um exemplo brilhante de alguém que usou o Flex com perdão e compaixão e criou um futuro inteiramente novo.

Nosso passado nos trouxe até aqui. É a fórmula vencedora que criou a pessoa única que vemos no espelho. Agora, com o Flex, você pode seguir em frente com a opção de agir diferente, em vez de reviver o que passou. A banda Oasis, na música "Don't look back in anger", disse para "Não olhar para trás com raiva". Olhe para a frente com alegria e animação, sabendo que já sobreviveu a todos os seus piores dias. Não precisamos mais viver inconscientemente seguindo o ritmo que tocaram para nós; podemos ditar um novo ritmo. Um ritmo que vai nos ajudar a florescer hoje e sempre.

"É possível sobreviver ao pior. O objetivo não é imaginar que coisas ruins não acontecem, mas ver que somos muito mais capazes de suportá-las do que acreditamos atualmente."

The School of Life

"UM DOS MAIORES ARREPENDIMENTOS DA VIDA É SER O QUE OUTROS QUEREM QUE VOCÊ SEJA, EM VEZ DE SER QUEM É."

Shannon Alder

capítulo dez

CULTURA FLEX

O autor David Foster Wallace começou o discurso que deu em 2005 na formatura do Kenyon College com essa parábola: "Há dois peixinhos jovens nadando e, por acaso, passam por um peixe mais velho nadando no sentido oposto, que os cumprimenta e diz: 'Bom dia, meninos. Como está a água?'. Os dois peixinhos seguem nadando um tempo e, finalmente, um se vira para o outro e pergunta: 'Que diabo é água?'".

Cultura é como um oceano no qual nos banhamos todo dia, hora, minuto, e ninguém pode existir sem ser tocado por ela, afetando o que vestimos, comemos, falamos, fazemos e pensamos. Acho que todos podemos concordar que ultimamente tem sido um mergulho tóxico. Forças culturais têm muita responsabilidade pelo nosso estresse e ansiedade crescentes. A epidemia mental é um sintoma. A causa é a cultura estar nos sufocando sob tanta pressão aquática.

É uma batalha diária escolher suficiência quando nossa cultura nos diz que somos vergonhosamente inadequados. Vivemos em um mundo que promove:

Seja bem-sucedido = Tenha muito dinheiro, muitas coisas fabulosas, muitos amigos, muitas viagens.

Seja aceitável = Seja sempre agradável. Não seja estranho, ou seja estranho do jeito exatamente certo, tipo "engraçadinho".

Seja incrível = Seja sua versão ideal o tempo todo, mesmo cansado, chateado ou doente. Sorria e seja cem por cento incrível, sempre.

Seja saudável = Fique linda de legging e ande por aí com um suco verde ou xícara de matcha, fingindo gostar.

Tenha propósito = Se não souber seus objetivos de vida e fizer um plano antes dos doze anos... já era.

Não faça esforço = Seja fenomenal em todas as áreas, sempre, mas não se esforce demais, finja que tudo só aconteceu.

NÃO FRACASSE = Se não for um milionário casado aos trinta anos, é melhor desistir.

Nosso condicionamento cultural diz que, para ser "feliz", não podemos ter problema algum, de nenhum tipo. Temos que ser ricos, estar em forma, ter um emprego ótimo e amigos legais e também manter o equilíbrio de vida PERFEITO. E, ainda assim, temos que continuar tentando "ser melhores" do que somos a qualquer momento. Se não estivermos melhorando e avançando, vamos ser deixados para trás. Seja mais. Dê mais. Faça mais. Não pare de dirigir até chegar "lá". Corra, corra, corra. Mas não se preocupe! Não sinta medo! Não se estresse! Isso só vai atrasá-lo, deixar as outras pessoas desconfortáveis e deixá-lo doente.

Nossa cultura faz de tudo para nos causar insegurança, lembrar que não pertencemos e que não somos suficientes, por mais que tentemos. Claro que as taxas de saúde mental ruim estão tão altas! Estamos todos absolutamente *exaustos* pra caralho de tanta busca e compra. A ilusão de que valor vem de comprar coisas nos mantém em estado de avidez, como dizem os budistas. Nossas expectativas para a vida foram recheadas como um peru, fazendo a gente se sentir um fracasso podre quando a realidade não se compara. Não é surpresa que tantos de nós secretamente vivam com egos frágeis e autoestima baixa.

De novo, NÃO É NOSSA CULPA termos essa dificuldade. A sociedade ocidental pode parecer um deserto de compaixão. Flores não nascem em terra inóspita; pessoas não florescem em cultura tóxica. Não é nossa culpa, mas é nossa responsabilidade adotar o comportamento Flex coletivamente para redefinir o sucesso e mudar nossa cultura de ganância para uma de compaixão e aceitação.

"Compaixão é a base da moralidade."
Arthur Schopenhauer

Ensinar crianças a priorizar gentileza, em vez de aquisição, pode transformar o mundo. A mente infantil é infinitamente flexível. A imaginação das crianças transforma xícaras em foguetes. Os anos de esponja foram quando a maioria de nós absorveu as mensagens que transformaram nossa mente elástica em rígida, e que fazem a vida agora se arrastar tanto. Notas e pontos recebiam recompensa, não atos de gentileza. Somos treinados e manipulados a abandonar pensamento expansivo para se encaixar no *status quo* do sistema de educação que ensina todas as crianças a aprender da mesma forma. Pessoas de tipo triângulo, oval, semicírculo ou hexágono aprendem a acreditar que há algo de errado com elas porque não são quadradas; escolas só valorizam o quadrado. Somos tão jovens que não questionamos o fato de *gostar* de ser hexágono. O desejo de pertencer e sentir segurança é tão forte que lascamos o hexágono até parecermos quadrados. Quadrados rígidos. Autoaceitação? Não tem a menor chance. E aí, anos depois, nós nos perguntamos por que não sabemos quem somos ou como sentir paz.

Pensamentos flexíveis nos pedem para questionar o condicional cultural, reconectar-nos com nossa forma hexagonal ou oval e voltarmos ao fascínio pueril em que curiosidade é a norma.

O pensamento rígido se atém ao *status quo* para sentir segurança, o que é limitante e aprisionador.

O *status quo* tem tremenda energia para se perpetuar. Temos que ativamente nos energizar e educar para alongar nosso mundo interno. Se não desafiarmos normas culturais nocivas, vamos reforçá-las automaticamente. Todos temos um papel no tipo de água em que nadamos juntos. Então vamos alongar a cultura para dar a todos o poder de nadar, pertencer e se aceitar (não só uma pequena elite).

Acredito verdadeiramente que, se mais entre nós adotarmos o pensamento flexível, nossas chances de mudar a cultura tóxica serão maiores. Podemos nos Conectar com sentimentos em vez de reagirmos cegamente; mostrar Curiosidade e abertura para as ideias que podem ser mais sábias do que aquelas que fomos condicionados a acreditar; escolher com Critério o Lobo do Amor em todas as interações e decisões; e nos Comprometer a defender valores individuais de compaixão, perdão e consciência. Assim como o cérebro plástico, a cultura pode ser moldada e reestruturada por pensamentos e comportamentos habituais que promovam pensamento flexível. Temos todos a responsabilidade de guiar a cultura de modo a APOIAR nossa saúde mental.

MAIS
A necessidade sem fim

O maior propulsor da Cultura do Mais é a crença de que ter mais de tudo (coisas, amigos, "*likes*", respeito) vai nos manter seguros, nos dar a sensação de suficiência, nos proteger da rejeição e garantir nosso lugar no clã.

Parece um ótimo plano e fazia sentido na época do homem das cavernas. Mais comida = mais probabilidade de sobreviver e de alguém querer transar com você. Mas aonde esse impulso evolutivo nos levou? Estamos em uma corrida sem destino, na roda de hamster do inferno.

Conecte-se com essa sensação. Essa corrida fez eu me sentir uma bola de estresse desgrenhada por dez anos, depois dos quais eu virei uma bolinha minúscula e trêmula de preocupação, a garota-propaganda da sensação de inadequação.

Querer não é inerentemente ruim. Nascemos com desejo. No entanto, a cultura pegou o desejo e o encheu de esteroides. É muito fácil atravessar o limite invisível e tóxico entre um desejo saudável por uma vida confortável e a obsessão nociva por ter mais, infinitamente – e o pavor de não ter o bastante. Em um estudo[56] recente de pesquisadores na Universidade Princeton a respeito do impacto de salários altos em felicidade e "satisfação de vida", mais dinheiro NÃO levava a mais felicidade. É claro que ter mais dinheiro tornava a vida mais fácil. No entanto, se as pessoas tivessem o bastante para pagar as contas e sobrar um pouco para diversão, a satisfação seria igual à dos sujeitos mais ricos.

Mesmo que os pesquisadores de Princeton provassem que o suficiente é suficiente e que o Notorious B.I.G. estivesse falando por experiência própria, na música "Mo' money, mo' problems", que mais dinheiro dá mais problema, ficamos presos ao condicionamento de que nunca poderemos acumular o suficiente.

Priorizar lucro corporativo em detrimento das pessoas não vale os custos de oportunidade que surgem. Quem se beneficia das dietas? Quem faz a dieta ou a indústria da perda de peso? Quem se beneficia da praga de ansiedade?

---

56 KAHNEMAN, D.; DEATON, A. "High Income Improves Evaluation of Life but Not Emotional Well-Being". *PNAS*, v. 107, n. 38, 2010, p. 16489-16493. Disponível em: DOI: 10.1073/pnas.1011492107. Acessado em: 20 maio 2022.

Quem sofre ou a indústria farmacêutica? Estamos rapidamente esgotando os recursos naturais – nossa saúde e bem-estar, e também a estabilidade do planeta – para grandes empresas lucrarem mais em cima de nossas inseguranças.

Se a maioria de nós reconhece objetivamente que a Cultura do Mais nos adoece, que é nociva para os indivíduos, para a sociedade e para o meio ambiente, por que não saímos da roda de hamster? SABEMOS que publicidade mexe com nossos desejos e medos, sabemos que um carro novo não vai criar confiança fundamental. Sabemos que não vamos *mesmo* ficar iguais aos modelos dos anúncios. Sempre temos *opção*. Podemos ouvir o pensamento consciente, esperto e adulto: "Sei que um carro novo não vai curar minhas feridas profundas e calar minha Regina interior". Ou podemos usar o Band-Aid de ouvir à mente infantil, desejosa e assustada do passado: "Vou me sentir inadequado sem isso e talvez me dê segurança dessa vez". O que tem mais probabilidade de contribuir a uma vida plena?

Na TED Talk de Alain de Botton, "Uma filosofia de sucesso mais bondosa e delicada", ele falou sobre como fomos inspirados a, consciente ou inconscientemente, procurar "amor" na arena cultural do sucesso movido pelo capitalismo, no qual não existe amor verdadeiro e, em vez de culpar a cultura quando não encontramos o que procuramos, nós nos culpamos e supomos que seja porque somos insuficientes, não porque a cultura nos levou ao Burger King quando pedimos uma salada.

Comprar coisas também serve de mecanismo útil de sobrevivência, porque nos oferece uma distração sedutora, uma fuga do estresse e da ansiedade ao mesmo tempo em que os intensifica.

Nossa cultura, contudo, não nos encoraja a questionar o padrão automático, porque lucra quando compramos com avidez, quando temos medo perpétuo de não ser quem achamos que devemos ser e estamos irritados por não chegar lá mais rapidamente. Somos martelados todo dia pela mensagem de insuficiência para nos motivar a consumir mais, na esperança de, um dia, ficar tudo bem.

Eu cresci em um lar de insegurança financeira, então, diferentemente de meus amigos de escola, não tirávamos férias chiques nem ganhávamos muitos brinquedos. Quando a gente (muito raramente) saía para jantar, Tom, Ed e eu sempre escolhíamos os itens mais baratos do cardápio, achando que estávamos ajudando. Tínhamos tanto medo de colocar mais pressão financeira nos meus pais que até batata frita de acompanhamento parecia extravagante. Na casa dos meus amigos, os congeladores eram cheios de potes de Ben & Jerry's (uma marca de sorvete que minha mãe considerava cara demais), as caixas de brinquedo transbordavam, e os guarda-roupas eram dignos de sonho. Eu voltava para casa atordoada de fascínio (e chapada de tanto açúcar), e minha mãe dizia: "Não se acostume". Aos dez anos, com um misto de culpa e raiva, jurei não parar de trabalhar até atingir o tipo de sucesso em que eu também pudesse ter Ben & Jerry's aos montes.

Minha mãe nos ensinou a encontrar solução para os problemas quando jovens e que, se quiséssemos alguma coisa, era melhor darmos um jeito. Aprendi com meu pai que trabalho duro doía, então absorvi a lição de que, se *não* doesse, não estava trabalhando o suficiente. "Dar um jeito" e "trabalhar até doer" se tornaram minhas crenças centrais. Como você sabe, comecei a trabalhar aos dezesseis anos e não parei desde então.

Não fui só eu que aprendi a "me esforçar mais". Culturalmente, "Fazer Mais" é visto como virtude, não causa de doença. Muitos, como eu, têm que fazer um verdadeiro esforço para flexibilizar a necessidade de deixar de ser a lebre, que se exaure e adoece, para, em vez disso, ser o jabuti, que vai no seu tempo e aproveita a corrida. O Flex rebelde contra a cultura dominante é *desacelerar* (mas isso não significa nunca desafiar seus limites). Saber o motivo de você querer "mais" é útil na moderação. Você é motivado pelo medo? Pela insuficiência? Ou se esforçar no trabalho e atingir mais coisas faz você se sentir vivo, em coração e mente? Ser flexível é se alongar em direções novas e inexploradas. Há muitos caminhos a seguir. Contanto que estejamos atentos à motivação e tenhamos descanso adequado, há valor em ver até onde conseguimos chegar.

Flexercício: estique "Compre mais, faça mais!" para "Tenho o suficiente, sou suficiente"

Tenho que fazer isso várias e várias vezes para desaprender a crença de que felicidade e aceitação existem do outro lado do "mais". Recentemente, recebi a oferta de uma oportunidade profissional que teria me afastado de casa por anos, mas que pagava *muito* bem. Estava dividida; então, para tomar uma decisão sábia e consciente, usei o Flex.

- **CONEXÃO.** Parei e usei a técnica de respiração abdominal para acalmar a energia nervosa quanto ao dilema. Ao mudar para a RLX FM, me conectei com meu corpo e meus quatro cérebros e comecei a reprogramar meu desejo ansioso por "mais".
- **CURIOSIDADE.** Quando desenvolvi espaço mental, acessei meu sistema de orientação interior e comecei a investigar: "Quero mesmo este trabalho, ou sinto pressão para querer?". Comecei a buscar evidências de viés cultural, viés negativo e viés de confirmação. Qual era a raiz da minha necessidade de dizer "sim"? Eu via que estava sendo influenciada pelos medos infantis de não ter o suficiente e pela sede de validação externa (à qual provavelmente sempre serei um pouco suscetível).
- **CRITÉRIO.** Que decisão seria capaz de me aproximar da autocompaixão e do amor? Para alimentar o Lobo do Amor, eu diria "não" ao trabalho e estaria mais próxima da família e dos meus amigos e do trabalho que já estava fazendo para nutrir minha alma. Um "sim" teria base no medo, com base no pensamento negativo de nunca receber uma oferta melhor.
- **COMPROMISSO.** Meus dois maiores valores – amor e conexão – não seriam respeitados se eu estivesse todos os dias no avião pelos próximos dois anos. Talvez ficasse "bonito" no Instagram tanta ocupação, mas não seria *gostoso* para meu coração, nem para minha saúde. Minha Versão Indomável, isto é, a pessoa que sou por baixo do condicionamento, que ouve os instintos e não é influenciada por viés cultural, diria "não" para passar a vida em aeroportos e solitários quartos de hotel.

Recusei o trabalho e lembrei que já tenho o bastante, por isso deveria me manter otimista em relação ao futuro e esperar por ofertas melhores.

P.S.: semanas depois de dizer "obrigada, mas não", surgiu uma nova oportunidade, que se encaixava em quase tudo o que eu esperava! É um pouco do meu lado tilelê aparecendo, mas acredito honestamente que o universo nos dá testes para ver se estamos prontos para vibrar mais e nos alinhar mais com quem queremos ser.

ESCASSEZ
O pavor da falta

Evoluímos com uma perspectiva de escassez. Para sobreviver à época das cavernas, tínhamos que competir com outros povos, ou pessoas do nosso próprio povo, para conseguir toda a comida possível no momento, porque talvez não estivesse lá no dia seguinte. Em épocas de dificuldade, a sobrevivência de uma pessoa dependia da morte de outra.

No entanto, não somos mais nossos antepassados. Não estamos lutando até a morte pelo último antílope em Serenguéti. Ainda assim, a ressaca da mentalidade de escassez das primeiras eras da nossa espécie continua a latejar no nosso cérebro. Fomos programados a acreditar que, se Lucy receber um aumento, arranjar namorado ou comprar uma cozinha nova faltará para nós. Ou, pior e ainda mais traiçoeiro, que para uma raça aproveitar seu privilégio, outra deve ser suprimida. Não é à toa que temos níveis de ansiedade tão altos. Temos medos profundamente condicionados de ficarmos para trás se alguém passar na nossa frente.

Olha, eu sei, no coração e no intelecto, que, quando Tashia posta fotos de noivado no Instagram, não tem nada a ver comigo e com minha vida. Ainda assim tenho que combater os sentimentos de escassez que surgem, tipo "Ah, não, outro bom homem se foi, agora sobra menos para o resto". Rapidamente retruco que "Não significa que não encontrarei ninguém ou que sou insuficiente". Inveja e competição são energias com vibração tão baixa que nos arrastam pelo chão e nos mantêm presos a pensamentos rígidos. Nossa cultura de "o vencedor leva tudo" amplifica pensamento preto-no-branco. Nosso cérebro ama dicotomia. "Estou seguro" *versus* "Merda, perigo!". Bem *versus* mal. Certo *versus* errado. Herói *versus* vilão. Ganhar *versus* perder. Ter *versus* não ter.

Como parte de uma família grande, aprendi rapidamente que, quando a comida era servida, eu precisava comer o MÁXIMO possível imediatamente, porque, se não comesse, outra pessoa acabaria com o prato em dez minutos. É o efeito de ter dois irmãos. O medo de "pegue agora ou fique sem" perdurou por anos e me fazia comer demais, como se minha sobrevivência dependesse disso. Até hoje, jantares em estilo familiar me deixam meio ansiosa e me fazem comer quatro vezes mais do que preciso, só para o caso de não sobrar nada. Mas estou tratando disso com o Flex.

Ficar chateado pela promoção de outra pessoa não vai tirar o cargo dela, mas nos amarra mais ao medo.

Os Estados Unidos têm uma cultura de autossuficiência que depende muito de culpar indivíduos pelas circunstâncias, criando inveja e medo de fracasso (e escassez). No entanto, na verdade, há muitos outros fatores em jogo, como sorte, privilégio e preconceito, para determinar quem se sai melhor. Talvez a promoção de Josie não fosse baseada em mérito, mas no fato de o pai dela ser dono da empresa. Não sugiro que a gente deva andar por aí como vítimas ou desmerecer as conquistas alheias, mas considerar com compaixão que circunstâncias têm muita influência no nosso "sucesso cultural" pode aliviar parte do fardo.

O pensamento escasso é rígido porque tem uma perspectiva bidimensional da "vitória" e supõe que todos queremos a mesma coisa quando, na verdade, cada um tem sua própria esperança e desejo. Josie pode ser promovida, mas Charlie, que trabalha ao lado dela, pode adotar um cachorro que traga tanta felicidade quanto a promoção, e talvez até mais. Culturalmente, só somos encorajados a comparar o extrato bancário, não o panorama geral.

O oposto da perspectiva da escassez é a abundância, de que tudo que desejamos existe em grande quantidade, para ser distribuído entre todos. Todo mundo tem seu momento ao sol. Temos que usar o posicionamento Flex para nos lembrar de ter mais paciência e confiar nas idas e vindas do fluxo.

A especialista em design humano Jenna Zoë usa a indústria da música como exemplo de adotar uma "mentalidade de abundância". Quando você baixa uma música, não impede que outra pessoa a escute. Inclusive, a música subir no ranking pode encorajar mais pessoas a ouvirem. Ouvintes ganham, artistas ganham, plataformas ganham. Todo mundo ganha.

Quando vivemos na perspectiva da abundância e concordamos que o ganho de alguém não é nossa perda, ficamos mais felizes e podemos sentir mais gratidão, comemorar todos os sucessos, vibrar em consciência mais alta e ainda melhorar nossa saúde.

Flexercício: estique "Eles ganham, eu perco" para "Todo mundo ganha!"

Ontem mesmo, em uma festa, esbarrei em uma amiga que me contou todos os projetos que andava fazendo e, na mesma hora, me senti ameaçada. Rapidamente, me desafiei: *ei, cérebro, Flex, amigo! Por que está se sentindo ameaçado?! Larga essa escassez, vamos de abundância.* Por sinal, é meio esquisito usar o Flex no meio da conversa, mas vale a pena, porque mudou minha energia completamente e me deixou aproveitar o resto da noite.

- **CONEXÃO.** Eu me conectei com as manifestações físicas de inveja, o coração acelerado e os ombros tensos. Eu me concentrei em relaxar o maxilar e respirar durante a onda de noventa segundos. Aceitei o gatilho e mudei de leve minha energia, empertigando a postura e relaxando os ombros.
- **CURIOSIDADE.** Não havia prova que sustentasse minha inveja. Passei pelas perguntas de Byron Katie.

    Eu sabia *mesmo* que ela ganhar poderia me fazer perder? Não.

    Podia ter certeza absoluta de que era verdade? Não.

    Como eu me sentia com aquele pensamento? Pequena, invejosa, ciumenta, limitada, falsa, com baixa vibração.

    Quem eu seria sem aquele pensamento? Aberta, carinhosa, feliz por ela e por mim, solidária, muito mais alinhada com minha Versão Indomável que não dá a mínima para "influência".

- **CRITÉRIO.** Escolhi repetir o mantra que tinha aprendido com a *coach* de comparação Lucy Sheridan: "Bom para você, bom para mim". Alguém pegou uma fatia enorme de bolo? Tranquilo! Podemos fazer mais bolo e dividir com todo mundo. "Agora não" não é sinônimo de "nunca". Nossa hora vai chegar.
- **COMPROMISSO.** Passei de "POR QUE isso está acontecendo?" para "O QUE posso aprender?" e, uau, encontrei imediatamente uma dádiva enorme e brilhante na situação. Minha inveja estava me mostrando um desejo que eu tinha. No fundo, eu queria trabalhar em alguma coisa semelhante. Com esse presente de constatação, podia mudar a inveja para gratidão, admirar o que tinha aprendido e me animar para os passos seguintes. Minha Versão Indomável sorriu para mim, dizendo: "Tenha orgulho da

sua jornada; tudo se desenrola como deve". É fácil perder nossa noção de si quando estamos impressionados com outras pessoas e nosso viés cultural domina. O compromisso compassivo me permitiu voltar ao caminho, com a energia animada e aquecida.

> *"Com gratidão pelo que tem, acabará tendo mais. Se concentrar-se no que não tem, nunca terá o suficiente."*
> *Oprah Winfrey*

ARREBATAMENTO
E o amor nessa história?

Cresci imaginando que minha vida romântica seria exatamente igual aos relacionamentos que via em comédias românticas, perfeitamente fofa e engraçadinha, com um frisson de tensão sexual meio ousado até que eu e minha alma gêmea saíssemos voando em um balão, em meio a pombas desenhando "Eu te amo" no céu. Coisa normal.

Minha idealização e meu condicionamento românticos começaram na infância, com *Cinderela*, *Branca de Neve e os sete anões* e *Operação Cupido*, e foram reforçados depois por *Um lugar chamado Notting Hill*, *Entrando numa fria* e *Encontro de amor*. As protagonistas eram seduzidas por homens honrados e sensuais e viviam felizes para sempre. Fim.

Você pode imaginar que, quando entrei em crise aos vinte e poucos anos, fiquei um pouco assustada por nenhum príncipe ter aparecido ainda. Minhas ansiedades começaram a se somar, e eu não parava de me perguntar: "Por que estou passando por isso sozinha?". Por que um homem honrado e sensual não tinha me pedido em casamento ou, para começo de conversa, me pagado uma bebida? Conciliei o intervalo entre a realidade e as expectativas românticas ao decidir que *eu devia ser incompetente* na tentativa de atingir o padrão de princesa. Talvez, se fosse mais à academia e trabalhasse mais, meu próprio Luke Wilson (por volta de 2001) apareceria, trazendo uma aliança.

Sei que vai ser uma surpresa, mas Luke nunca apareceu, só exaustão crônica e *burnout* quando me despedi da última gota de autoestima.

Conscientemente, eu disse a mim mesma: "É ridículo comparar a vida real aos contos de fadas românticos do cinema". Não havia app de namoro na Terra do Nunca. Mesmo assim, eu comparava. Como não comparar? Eu nadava em idealização romântica cultural havia décadas.

Minha visão de "amor" era, admito, estreita e *muito* rígida. Eu fazia questão que acontecesse *exatamente* como eu aprendera. No entanto, quando comecei o Flex, notei alguns furos nesses contos de fadas que tanto valorizava. Por exemplo, por que a parte do "para sempre" nunca era contada? Como as coisas se desenrolavam *mesmo* na história da Cinderela? Será que o Príncipe a ajudava a processar a morte da mãe, a adolescência sem pai, e as agressões físicas e verbais da família? Será que Branca de Neve tinha pesadelos recorrentes sobre as várias tentativas de assassinato que sofreu ou se perguntava por que o Príncipe *dela* tinha gostado de beijar um quase cadáver? E como era a vida de casados de Richard Gere e Julia Roberts em *Uma linda mulher*? Nenhuma consequência emocional de ela ter sido trabalhadora do sexo e ele, um cliente? O romance cultural é brilhante porque disfarça as realidades de haver um passado, de ter viés mental e inseguranças que não desaparecem magicamente depois da grande cena de beijo.

Preocupações com saúde mental a longo prazo não são parte dos contos de fadas, como sabemos bem. Um aspecto preocupante da nossa cultura de "ser sempre incrível", com relação a romance, é que o amor só deve melhorar e que, quando encontrarmos nossa alma gêmea, explodiremos de alegria para sempre, mesmo que todos saibam – alguns até muito bem – que cinquenta por cento dos casamentos acabam em divórcio. Cem por cento dos meus relacionamentos acabaram mal ou de modo triste. Então por que eu baseava minhas esperanças e expectativas muito verdadeiras em histórias inventadas? Precisava de uma nova referência e parar com a culpa, já. O mundo das maçãs envenenadas não oferecia conselhos úteis para o mundo do Bumble. Na verdade, todo mundo tem insegurança. Nenhum homem tem confiança inabalável. Nenhuma mulher tem cabelo perfeito o tempo INTEIRO.

Não sou especialista em relacionamentos, pode ter certeza – sejam românticos, platônicos, héteros ou queer –, mas, no meu estudo de pensamento flexível e conexões interpessoais, encontrei algumas descobertas que quero compartilhar. Foi *extremamente* terapêutico reconhecer como minha compreensão deles era distorcida de início.

A mensagem principal era que encontrar amor solucionaria instantaneamente todos os nossos problemas. É tenaz, e é por isso que *The Bachelor*, um fenômeno cultural, ainda está no ar e faz sucesso. Mas não acredite nisso. O amor em si não nos conserta, mas pode nos revelar como nos curar. Aprendi com a Fada Madrinha de todos, Oprah Winfrey, a lição fascinante de que "relacionamentos são espelhos" que nos mostram nossos defeitos, medos, crenças e padrões. Podem ser nossos maiores professores, se permitirmos.

Certa vez namorei um cara cujo entusiasmo era um pouco intenso demais, quase inacreditável. Ele vivia TÃO animado por causa de *tudo* e usava um monte de exclamações por mensagem.

– Café?

– SIIIMMM, POR FAVOR!!!!!!!!!!

Falei para uma amiga:

– Ele é entusiasmado demais, não sei se é sincero!!!!!!!!

E ela perguntou:

– Você está falando de si mesma?

Tá, ela estava certa. Ele era um espelho, bem ali. Eu era igualmente culpada de usar exclamações demais e viver TÃO ANIMADA que achavam que estava mentindo. Podemos facilmente procurar e encontrar traços em comum com nossos parceiros, sejam grandes ou pequenos, inclusive traços que não queremos admitir.

O que minha Suprema Mentora Flex Oprah realmente queria dizer é que nossos relacionamentos refletem nossos medos mais profundos *e* o desejo do nosso coração.

Se olharmos para o relacionamento e pensarmos "É muito instável", o medo refletido é "Não sinto segurança". O desejo é sentir segurança.

Se pensarmos "Não me dá o amor de que preciso", o medo refletido é "Não sou amado". O desejo é se sentir amado.

Se pensarmos "Tenho medo de acharem outra pessoa, uma pessoa melhor", o medo refletido é "Sou insuficiente". O desejo é se sentir desejado e digno.

Todo relacionamento vem para nos mostrar o que precisamos aprender e como precisamos nos curar para evoluir em nossas versões mais elevadas. Com sorte, teremos muitos relacionamentos e amizades que nos apoiam e desafiam, nos pedindo sempre para aprender, curar, evoluir e virar pessoas melhores no caminho. Quando um relacionamento é flexível, alonga as duas pessoas para um entendimento melhor de si e do outro. Se um relacionamento não permite e encoraja crescimento, está rígido e travado.

> **A Disney me condicionou a pensar no amor de determinada forma e me deixou amargamente decepcionada com o que encontrei no mundo real.**

O Flex me fez olhar de outro jeito para relacionamentos, para meu grande alívio. Não são contos de fadas, mas experiências verdadeiras com o propósito de nos ajudar a evoluir, crescer e nos tornarmos pessoas melhores.

Quando o próximo surgir, não vou ficar nervosa, considerando se ele é O Escolhido. Vou me concentrar no motivo de termos aparecido na vida um do outro, nas lições que precisamos nos ensinar mutuamente e em aprendê-las. Quem precisa de aliança quando encontra tantas *dádivas*?

SOBRECARGA
O sentimento de ser enterrado vivo

Criamos uma cultura sempre ligada, de mensagens, tweets, snaps, grams incessantes. Um grande motivo para as pessoas se sentirem sobrecarregadas é estarmos *inundados* de dados, imagens e toda forma de conteúdo. Há sempre alguma coisa nova a ver e ler e, se tentarmos absorver tudo, provavelmente sofreremos de "infoxicação", envenenados por overdose de conteúdo.

Algumas vezes, fiquei completamente viciada em informação. Certo fim de semana, decidi apagar o Instagram e me peguei tentando abrir o app dezenas de vezes ao dia. Minha mão se mexia sozinha! Redes sociais se embrenharam assustadoramente no meu inconsciente. Steve Jobs e Bill Gates, criadores de tecnologia viciante, obviamente sabiam o risco disso para nossas jovens mentes e proibiram os filhos de ter aparelhos eletrônicos até a adolescência. Eles simplesmente deixaram o restante de nós servir de cobaia para o vício. Quarenta e três por cento dos *millennials* conferem o celular a cada vinte minutos, e um usuário típico de celular toca a tela do aparelho mais de 2.500 vezes por dia.

O excesso de informação não nos deixa mais pensar profundamente. Como deixaria? Estamos ocupados demais, nos atualizando com o ruído do mundo. Temos transtornos de atenção induzidos pela cultura por causa da distração constante. O excesso de informação nos força a pular de um pensamento para outro, sempre quicando na superfície, levando a uma sociedade superficial.

Quanto ao impacto dessa inundação de informação na saúde emocional, quanto menos profundidade e largura tiverem nossos pensamentos, mais rígidos eles se tornam. Não temos chance de expressar ou explorar, oportunidade de alongar com cuidado. Só clicar, clicar, clicar. Para sermos pensadores grandes e flexíveis, temos que criar espaço e tempo ininterruptos longe do barulho e da distração constantes para nos conectar com sentimentos, desafiar velhas crenças e tomar decisões com critério – *para pensar por conta própria*. Precisamos de espaço e descanso da infoxicação cultural para usar a Curiosidade e considerar conscientemente *O que eu quero, do que gosto, com o que me importo?*, em vez de simplesmente clicar o ícone de "Mais popular" toda vez.

Não só somos viciados em informação, como também a traficamos. Oferecemos doses rápidas nas redes sociais, alimentando a necessidade por mais.

Em teoria, deveríamos ser mais flexíveis por causa do nosso acesso a *tudo* na internet. No entanto, como diz minha amiga Sharmadean Reid, "É preciso saber o que pesquisar no Google". Se fizer as perguntas erradas, a busca vai dar resultados inúteis. E a variedade de opiniões por aí não nos torna de fato mais abertos a novas ideias. Na década de 1960, os psicólogos franceses Serge Moscovici e Marisa Zavalloni estudaram o que chamamos de "*groupthink*", ou pensamento de grupo, e concluíram que grupos de participantes com opiniões leves a respeito de determinado tema desenvolveram perspectivas muito mais extremas após falar delas.[57] A pesquisa mostra que as redes sociais nos encorajam a ficar mais rígidos e inflexíveis no pensamento, porque

---

[57] MOSCOVICI, S.; ZAVALLONI, M. "The Group as a Polarizer of Attitudes". *Journal of Personality and Social Psychology*, v. 12, n. 2, 1969, p. 125-135. Disponível em: DOI: 10.1037/h0027568. Acessado em: 20 maio 2022.

somos encorajados a sempre dar opinião e encontrar outros que concordem conosco, reforçando nosso ponto de vista.

Groupthink e Google são úteis para certas coisas, mas não necessariamente acomodam pensamento flexível. Google não pode ajudar a decifrar que sua raiva adulta pode estar conectada à vez em que sua tia esqueceu seu aniversário de seis anos. Temos que encontrar a confiança de sermos nossa própria ferramenta de busca, o banco de dados do cérebro, e desenvolver a capacidade de interpretar informações, em vez de depender de tecnologia para nos fornecer fatos e nos dizer o que pensar. Temos que saber quando procurar respostas na nossa cabeça em vez de nos apoiar em máquinas ou ouvir desconhecidos. Retome o controle de que informação deixa entrar e qual deixa educadamente à espera na porta.

Então precisamos ser nossa própria Marie Kondo e limpar a mente de conteúdo inútil. Para descobrir o que guardar e o que jogar fora, criei o quadro a seguir, adaptado de *Os 7 hábitos das pessoas altamente eficazes*, de Stephen Covey. Reorganize e priorize a informação que gera ALEGRIA e deixe o resto de lado, à espera do espaço mental para processá-las.

	URGENTE	NÃO URGENTE
IMPORTANTE	QUADRANTE UM	QUADRANTE DOIS
	Alertas meteorológicos extremos	E-mail de ioga grátis na academia
	Mensagem da cuidadora dos seus gatos avisando que não conseguiu entrar no apartamento e os bichanos estão passando fome	Aplicativo de astrologia avisando que Mercúrio está retrógrado
		Mensagens do chefe com lista de tarefas
	Notificações do banco e da seguradora	
NÃO IMPORTANTE	QUADRANTE TRÊS	QUADRANTE QUATRO
	Mensagens de papo furado de amigos, familiares e parceiros	Posts metidos à besta nas redes sociais
		Quizzes do *BuzzFeed*
	Contato em aplicativos de relacionamento	Fofoca de reality na internet

Quadrante Um: Guarde.

Quadrante Dois: Guarde.

Quadrante Três: Guarde, mas deixe à espera. E-mail do seu ex pode *parecer* urgente, mas o mundo não vai parar de girar se você levar uma hora para refletir antes de responder.

Quadrante Quatro: Jogue fora, ou corra o risco de infobesidade (um lindo termo para encher o cérebro de lixo).

Fontes de notícias ruins estão no alto da minha lista de "jogar fora". Ser uma pessoa informada é como tomar uma dose diária de pavor. O mundo está mais destruído do que nunca, ou só parece ser o caso? Ou a mídia está se aproveitando da nossa tendência a sentir medo? Somos fantoches do *clickbait* da mídia, dançando ao ritmo de forças externas e intensas que ativam resposta emocional. Quantos artigos ou *tweets* lemos hoje com viés negativo? Quantos positivos? Ficamos mais informados ao ler cem *tweets* apavorantes ou dez teriam bastado?

Os autores John Tierney e Roy F. Baumeister, em *The Power of Bad: How the Negative Effect Rules Us and How We Can Rule It*,[58] acreditam que ciclos de notícias negativas nos mantêm em estado de ansiedade constante e recomendam uma "dieta de baixa negatividade". Reconhecem que notícias cem por cento boas são impossíveis, então sugerem almejar uma proporção negativo/positivo de 1:4. Para cada artigo ruim/assustador, leia quatro bons/animadores para neutralizar o "efeito negativo". Há alguns sites de notícia positiva, como *The Happy Newspaper*, *Positive News* e *Good News Shared*,[59] nos quais me agarro e sempre navego.

Somos o que consumimos, então como podemos desafiar e reprogramar o forte viés negativo inerente se só lermos notícias apocalípticas? O cérebro sempre procurará o ruim primeiro, então temos que nos adiantar e procurar o positivo conscientemente. Treine na Amazon ou no Yelp quando for ler resenhas. Em vez de ir direto para as resenhas de uma estrela, treine o Flex ao ler pelo menos quatro resenhas de cinco estrelas antes, para equilibrar o negativo antes de decidir o que comprar.

---

58 *O poder do mal: como o efeito negativo nos governa e como podemos governá-lo*, em tradução livre. (N.E.)

59 No Brasil, alguns jornais e portais têm seções dedicadas a noticiar exclusivamente boas notícias, como "Dias melhores" da *Folha de S. Paulo*, "Olha que legal" do *G1* e "Boas notícias" do *UOL Ecoa*.

> *"Veja sempre o lado bom da vida."*
> *Eric Idle*

#FELICIDADE
A pressão de sentir animação perpétua

Sei que esta seção pode parecer irônica, considerando o título do livro, mas também estou plenamente consciente da toxicidade por trás da Cultura da Felicidade. Ela nos enfia esse objetivo goela abaixo há mais de uma década e, às vezes, causa mais ansiedade do que cura.

"Níveis de depressão são mais altos em países que dão valor à felicidade", de acordo com o psicólogo Brock Bastian. Depois de acompanhar tantos blogs e podcasts de "Como ser feliz!" até praticamente saber recitar a ladainha de cor e me perguntar por que não estava feliz, não me surpreendi. Na verdade, de tanto tentar ser feliz, me senti pior, achando que devia haver alguma coisa errada comigo.

Dr. Bastian conduziu estudos provando que *esperar* felicidade causa o oposto. Em um deles, pediu a um grupo de pessoas para solucionar um enigma (que não sabiam ser impossível) em uma sala cheia de cartazes motivacionais e parafernália de felicidade. Comparado ao grupo de controle, em uma sala sem decoração, o primeiro grupo deu muito mais importância ao fracasso.[60] "Temos descoberto que a ênfase excessiva na felicidade, a importância de buscar emoção positiva e evitar emoção negativa, tem implicações em como as pessoas respondem às experiências emocionais negativas. Achamos que devemos ser felizes como se espera e, quando não somos, podemos ficar muito tristes", disse dr. Bastian em uma entrevista no Fórum Econômico Mundial.

Um grande problema da indústria da felicidade é promover a ideia de ser uma coisa atingível e que, ao chegar lá, tudo ficará superbem e legal pelo resto da vida. O meme viral de "escolha felicidade" sugere que é simples, só pedir

---

60 BASTIAN, Brock et al. "Does a Culture of Happiness Increase Rumination of Failure?". *Emotion*, v. 18, n. 5, 2018. Disponível em: DOI: 10.1037/emo0000322. Acessado em: 20 maio 2022.

um café gelado de baunilha! Eu vivia pensando: *merda, devo estar escolhendo a infelicidade. Onde e por que estou errando tanto?*

Não aceite culpa ou vergonha por não estar feliz.

Seres humanos sentem uma gama ampla de emoções, não só as "boas". Quando entrevistei a *coach* e praticante de *breathwork* Kathleen Booker a respeito de sua definição de felicidade, ela respondeu: "Felicidade muitas vezes não vem com um sorriso". Por isso, o título deste livro é *Perfeição não, felicidade!*. Só quando notei que a "felicidade" que procurava na verdade era "perfeição" disfarçada e que estava me adoecendo, pude começar a mudar de ponto de vista. Quando parei de tentar ser perfeita e feliz, e acolhi ser quem sou autenticamente, com um espectro amplo de emoções, ironicamente me senti mais feliz do que nunca. É uma felicidade mais tranquila do que eu imaginava antes. Felicidade agora significa aceitação e reconexão com minha Versão Indomável. Neste estado calmo e confiante, rio muito, e a partir de um lugar mais profundo.

Falei com o especialista em comportamento humano e cofundador da Princeton Review, Adam Robinson, a respeito da pressão de sentir felicidade (do tipo mostrado em propaganda de cerveja) e da tristeza de pensar que somos os únicos a fracassar nesse objetivo. Ele me mandou abrir o Google e digitar, em inglês, "Por que estou tão..." e "Por que todo mundo...". A sugestão de buscas agrega as pesquisas mais populares e oferece informação factual com base em dados no que de fato ocorre às pessoas. Eis a seguir o que surgiu.

Por que estou tão:
Por que estou tão cansado
Por que estou tão frio
Por que estou tão sensível
Por que estou tão sonolento
Por que estou tão desanimado
Por que estou tão triste
Por que estou tão tonto

Por que todo mundo:
Por que todo mundo pode ser feliz
Por que todo mundo tem vida melhor

> Por que todo mundo espera tanto de mim
> Por que todo mundo evapora em *Guerra Infinita*
> Por que todo mundo come presunto na Páscoa
> Por que todo mundo come peixe na Sexta-feira Santa
> Por que todo mundo me abandona

Robinson explicou: "Isso mostra a realidade macro na qual estamos vivendo. É muito triste, Poppy. Todo mundo agora acha que o resto do mundo é mais feliz, sendo que na verdade estamos todos igualmente confusos por dentro". Quando vi a busca "Por que todo mundo tem vida melhor?", imediatamente pensei nas redes sociais. A #felicidade de redes sociais nos faz acreditar que é a emoção suprema à qual devemos aspirar e sentir o tempo todo e que, se sentirmos qualquer outra coisa, tem algo de errado conosco. Como já sabemos agora, suprimir emoções só intensifica a sensação por trás do sorriso forçado e da resposta de "tudo bem". Podemos sentir vergonha por não estarmos "tão felizes" quanto acreditamos que deveríamos por causa da lavagem cerebral. Dr. Bastian fez outro estudo que concluiu que sujeitos que sentem pressão social para *não* sentir tristeza e medo têm mais risco de depressão.[61]

Dra. Zelena Montminy começou como pesquisadora de felicidade e, como me contou, "Fiquei rapidamente desencantada com a obsessão por felicidade na nossa cultura e notei que, assim como no caso do equilíbrio, quanto mais felizes as pessoas quiserem ser, menos felizes são. Todos temos coisas na nossa lista de obrigações para sermos felizes. Quadros de visualização, meditação. E ninguém consegue mesmo fazer isso tudo. Assim, acabamos nos sentindo fracassados".

Ela decidiu mudar o foco de pesquisa, de felicidade para resiliência, ou seja, como se recuperar de dificuldade. "Se não é exatamente felicidade que leva a resultados positivos na saúde mental, então o que é?", perguntou. "Tudo mudou para mim quando concluí que pessoas que superaram dificuldades eram as mais contentes. Então é a capacidade de resiliência que mais importa."

---

[61] BASTIAN, Brock et al. "Perceiving Social Pressure Not to Feel Negative Predicts Depressive Symptoms in Daily Life". *Depression and Anxiety*, v. 34, n. 5, 2017. Disponível em: DOI: 10.1002/da.22653. Acessado em: 20 maio 2022.

Adorei essa reestruturação! Imagine se idolatrássemos superar dificuldades tanto quanto idolatramos felicidade? Em vez de nos castigar por viver um momento complicado e nos sentir desconfortáveis (com razão), vamos tentar comemorar oportunidades de nos elevar por compaixão. Vamos apreciar como nossas emoções fornecem dádivas doces de aprendizado e oportunidade de crescimento.

Flexercício: defina felicidade para você

Peço a todo mundo para definir felicidade e nunca ouvi respostas iguais.

Albert Einstein teria descrito felicidade como uma mesa, uma cadeira, uma cesta de frutas e um violino.

O psicólogo Mihály Csikzentmihalyi escreveu, em *Flow: a psicologia do alto desempenho e da felicidade*: "**A alegria que tiramos da vida depende diretamente de como a mente filtra e interpreta experiências cotidianas**".

Charles Schulz escreveu: "Felicidade é um cãozinho quentinho".

Johnny Cash teria dito: "Hoje de manhã, com ela, tomando café".

E você? Um forte senso de si mesmo? Uma perspectiva flexível? Uma gargalhada com vontade? Amor e conexão? Celebração? Gratidão? Um gato macio? Um dia ensolarado?

Escreva aqui sua definição de felicidade: _____

Reflita sobre o sentimento e o aproveite quando chegar. Fora isso, se perdoe por não estar sempre feliz.

CANCELADO
E, simples assim, você some

Todo mundo quer se sentir seguro, amado e suficiente. Por isso, não é surpresa que o castigo cultural mais afiado é fazer alguém se sentir inseguro, não amado e insuficiente, por meio de *exílio* ou *encarceramento*. Em alguns casos, a mera ameaça de expulsão pode impulsionar mudanças culturais necessárias, como a exposição de agressores e racistas. Os movimentos #MeToo, Black Lives Matter e de positividade corporal expuseram agressores para atingirmos ideais mais elevados como sociedade.

A cultura de cancelamento, contudo, como passamos a chamá-la, é uma perspectiva rígida de bem contra mal, certo contra errado. Pensamento flexível permite nuances.

Para esclarecer, Cultura do Cancelamento não é ligar para uma amiga e cancelar o jantar três vezes seguidas (o que é irritante pra cacete). É viver em um mundo no qual o tapete pode ser puxado debaixo de nós a qualquer momento. Algumas pessoas canceladas devem *mesmo* ser exiladas, ou presas. Mas algumas talvez não mereçam ser apagadas. Taylor Swift recentemente falou disso em uma entrevista: "Quando você diz que alguém foi cancelado, não está falando de uma série de TV. É um ser humano. Está mandando mensagens em massa para essa pessoa, mandando ela se calar ou desaparecer, o que até pode ser percebido como 'Se mate'". É perigosamente assustador em nossa cultura de ansiedade.

Um projeto ou parceria pode ser "cancelado" de um dia para o outro. Como fundei duas empresas e trabalhei em várias redes de televisão, sei como os mundos dos negócios e do entretenimento são precários. Você pode fazer sucesso hoje e, amanhã, sumir. Podemos ter essa experiência ao ir à terceira entrevista para um emprego, receber a resposta de que estamos no alto da lista e depois nunca mais ter notícias da empresa. Uma só mensagem sem resposta já pode ativar nossos piores medos profundos de não sermos vistos ou ouvidos. É difícil não levar para o lado pessoal quando somos ignorados ou menosprezados porque, em nossa cabeça, estamos nos autocancelando com inseguranças.

Términos podem causar os sentimentos mais traumáticos de cancelamento, pelo menos para mim. Quando sofri *ghosting*, achei ainda mais preocupante do que quando os investidores queriam me cancelar da minha própria empresa. Ser apagada romanticamente era como ler um outdoor declarando: "VOCÊ NÃO É DESEJADA".

A Cultura do Cancelamento nos mantém nervosos, nos dá medo de publicar ou dizer a coisa errada e nos leva a acreditar que devemos ser perfeitos, senão já era. Eu chamo de MDF, medo de falar. Acontece em relação a expressar qualquer ponto de vista que seja até sutilmente divergente das massas.

Não necessariamente temos que concordar com tudo. Mas estar aberto a opiniões diferentes é essencial para manter a mente flexível.

Os textos e os ensinamentos[62] do neurocientista V. S. Ramachandran esclarecem por que tantas pessoas mantêm pensamentos rígidos. Ele explica que o cérebro é um porteiro. Se um pensamento que surge no portão for diferente do que o cérebro está acostumado a pensar, mecanismos de defesa levantam barreiras para proteger o cérebro dessa invasão estranha. É por isso que recorremos à posição defensiva e teimosa: o cérebro se sente seguro quando as crenças são confirmadas como "certas". Por isso, pessoas gostam de acompanhar e seguir pessoas que pensam da mesma forma que elas. Contudo, o fenômeno oposto às vezes é chamado por terapeutas de "cognição quente", porque o pensamento desafiador causa um incêndio mental. Quando o cérebro arde com visões opostas tentando entrar, nosso senso de segurança é engolido e ativa um sentimento de "Merda, perigo!", levando a extrema resistência.

Portanto, da próxima vez que teimosia e recusa a ouvir surgirem em um relacionamento ou no Twitter, pare um momento para reconhecer o que está acontecendo: um processo bioquímico protetor que nos transforma em tratores cabeça-dura. Com essa consciência, e algumas respirações fundas, podemos acalmar a mente e abrir os ouvidos, em vez de cancelar alguém como reação automática. Ouça e, mesmo se discordar, simplesmente diga: "Entendi o que você disse". Repita o que a pessoa falou, nas palavras dela, para provar. Assim, acalmamos a posição defensiva dela e, com o Flex, saímos da tensão para uma interação de respeito mútuo.

Desde que comecei o Flex há dois anos, olhei para todo *ghosting* e rejeição que enfrentei e percebi que refletiam meu próprio autocancelamento. Eu, inconscientemente, encontrava indivíduos que confirmavam meus piores medos, claro, pela sedução do conhecido. Entrei na teia deles, motivada pelo meu próprio pensamento falho. No entanto, os canceladores, no fundo, me deram presentes cheios de lições! Eles me fizeram ver o que eu me recusava a encarar, como meu amor-próprio era baixo e como o autocancelamento estava me impedindo de viver autenticamente. Eu tentava me transformar em uma versão de mim que achava que gostariam mais e me perdia no processo. Recebi a oportunidade de chegar ao fundo do poço e me reerguer, curar, aprender e crescer.

---

62 RAMACHANDRAN, V. S. *Phantoms in the Brain: Probing the Mysteries of the Human Mind*. Nova York: William Morrow and Co., 1998; *The Emerging Mind*. Londres: Profit Books, 2003; *A Brief Tour of Human Consciousness*. Nova York: PI Press, 2004.

Com o Flex, não precisamos viver com medo da rejeição alheia, porque vivemos com a confiança do conhecimento de que nossas ações estão alinhadas com nossos maiores valores e uma expressão de quem somos integralmente. Quando agimos de acordo com valores como compaixão e gentileza, podemos andar pelo mundo sem medo.

A Cultura do Cancelamento é, por essência, um pensamento de grupo crítico em "cognição quente" que às vezes é uma caça às bruxas louca e, outras, uma resposta válida a agressões objetivas. Para indivíduos, contudo, a ameaça de rejeição social extrema é outro medo a acrescentar à longa lista de "Motivos para termos tanta ansiedade". Eu não gostaria de ver minha vida toda ser arruinada por um *tweet*, nem arruinar a vida alheia por isso. Somos humanos. Todos erramos. Vamos ser flexíveis com a nuance. Vamos enfatizar a cultura do perdão e nos comprometer à compaixão e à escuta. Tudo bem errar; tudo bem ser diferente. Ter uma opinião contrária não é causa para flagelo público. Em vez de abandonar as pessoas – o que não promove crescimento e liberdade de pensamento –, a abordagem flexível prioriza desafiar o pensamento de grupo com Curiosidade, perguntando "Pode me explicar melhor por que pensa dessa forma?". Permite redenção pelo Compromisso com valores elevados. Gotinhas de água podem formar um oceano; se, individualmente, nós nos concentramos em usar o Flex para nos afastar da reação automática e nos aproximar de abertura e aceitação, logo poderemos mudar a maré.

VERGONHA DO CORPO
Já sentiu que seu corpo não é adequado?

Forças culturais têm muita responsabilidade quanto a como vemos nosso corpo. No meu diário de quando tinha doze anos, li "Estou tão gorda agora", o que fez meu coração doer. Não aprendi essa vergonha dos meus pais, que sempre foram neutros na questão. Aprendi na mídia que consumia com minhas amigas. Desde cedo, me perguntava por que ninguém na televisão ou nas revistas tinha os mesmos pneuzinhos que eu.

De acordo com um estudo recente, quase oitenta por cento das mulheres estadunidenses não gostam da própria aparência. A grande maioria das garotas adolescentes acredita que ser mais magra poderia deixá-las mais felizes, saudáveis e bonitas.[63] O ideal de magreza da mídia causa comparações nocivas e maior risco de transtornos alimentares como bulimia.[64] No livro *Women's Bodies, Women's Wisdom*,[65] a dra. Northrup notou: "Mais da metade das garotas, mesmo na faixa jovem de seis a oito anos, acham que seu peso ideal é abaixo do peso atual". Uma porcentagem significativa de garotas começa a fazer dieta aos sete anos. Trinta milhões de pessoas nos Estados Unidos têm algum tipo de transtorno alimentar, e vinte milhões delas são mulheres. É claro que começamos a nos rejeitar quando não vemos representação de nosso formato e tamanho na mídia. É claro que tantas de nós temos baixa autoconfiança e imagem corporal negativa.

Sofri por anos, acreditando que meu corpo imperfeito e rosto bochechudo me tornavam horrivelmente feia. Morria de medo de ser convidada para uma viagem de férias, porque não queria usar biquíni. Não era magra, nem tinha curvas. Aos meus olhos, eu era um borrão. Tinha certeza absoluta de que, se perdesse peso, seria mais feliz e bonita. Não queria só mudar de sapato para ser aceita, estava desesperada para mudar de corpo.

A ironia é real: as mesmas revistas que nos mandam nos amar também nos mandam nos odiar pela falta de diversidade física (o que anda mudando!). Viramos a página e lembramos que não pertencemos àquele lugar e não somos aceitas. A ironia é que mulheres que eu supunha terem confiança infinita por serem literalmente modelos sentiam tanta insegurança com a aparência quanto qualquer uma.

O crescimento do movimento *body positive*, de positividade em relação ao corpo, tem um impacto enorme, mostrando e celebrando a diversidade de tipos físicos. O Flex foi fundamental para me ajudar a superar a pressão cultural de ter certa aparência. É uma das minhas áreas mais desafiadoras, especialmente se dormi mal, trabalhei demais, e o escroto do meu cérebro cospe os comentários mais cruéis. Antes do Flex, basicamente imprimia minhas maiores inseguranças em uma camiseta mental e a usava constantemente.

---

63   GALLIVAN, Heather. "Teens, Social Media and Body Image". Park Nicollet Melrose Center, primavera 2014.

64   STICE, Eric; SHAW, Heather E. "Adverse Effects of the Media Portrayed Thin-Ideal on Women and Linkage to Bulimic Symptomatology". *Journal of Social and Clinical Psychology*, v. 13, n. 3, 1994, p. 288-308.

65   *Corpos femininos, sabedoria feminina*, em tradução livre. (N.E.)

Agora, estou melhor em desafiá-las: "Feia, é? Em que padrão? Comparada com uma expectativa absurda de uma propaganda de moda? Sou uma mulher adulta! Claro que tenho celulite!".

Acredito que uma das consequências mais nocivas do ódio ao corpo seja desconexão, como se não existíssemos do pescoço para baixo. De tanto odiar o corpo, preferimos fingir que não existe. Ao fazer isso, figurativamente cortamos nosso sistema de orientação interior. No início da minha recuperação, quando senti muito ódio do meu corpo, me concentrei só em Conexão. Antes de dormir, levava a mão à barriga e respirava por alguns minutos. Enquanto inspirava, prendia a respiração e expirava com a barriga, imaginava mandar amor para toda parte do corpo, amor para as áreas que tratara tão mal. Mandava gratidão às pernas por me ajudarem a andar, à barriga por digerir a comida, ao útero pelos filhos que geraria um dia. A etapa de conexão me ajudou a gradualmente aceitar meu corpo e apreciar seu papel na minha frequência energética. Alguns polichinelos antes de uma reunião que me deixa nervosa transforma minha energia toda.

Não uso mais revistas de moda como ideal; em vez disso, encho as redes sociais de mulheres que fazem eu me sentir ótima. Não vou mais igualar meu valor como ser humano aos números da balança. Minha Versão Indomável, quando anda por aí, não considera seu tamanho, só sua força. Usar só uma métrica para determinar saúde e felicidade é uma visão rígida, inflexível e estreita. Mentes flexíveis têm abordagem multidimensional ao amor-próprio e à aceitação.

Se o cérebro pode mandar aos dedos o recado de que devem se mexer, também pode mandar amor, gentileza e aceitação!

MENOS
Já se sentiu inferior?

Nossa cultura tem um sistema de castas, não oficial, mas amplamente aceito, que se distribui em categorias de raça, gênero, orientação sexual e classe. Não considerar como a cultura afeta as pessoas com base em sua cor de pele, por exemplo, é perigoso, ingênuo e ignorante. Como alguém que nasceu com privilégio racial, sempre considerei minha responsabilidade usar esse lugar em benefício de outras pessoas. Um dos objetivos principais da Happy Not Perfect – no app e neste livro – foi democratizar a informação sobre saúde mental. Você pode querer continuar o trajeto após este livro, encontrar seus mentores ou até começar a fazer terapia, mas minha esperança é ao menos oferecer ferramentas para ajudar na descoberta.

Nosso cérebro sofre os mesmos limites, mas pessoas oprimidas lidam com racismo, homofobia e machismo, ALÉM do viés inconsciente e da mágoa, raiva, vergonha e ressentimento atribuídos a isso. Estamos em um momento histórico incrível e essencial para o pensamento flexível, rompimento de crenças rígidas e cura de feridas antigas, como indivíduos e em sociedade. Eu apoio qualquer movimento que tente alongar pensamentos negativos e crenças falhas a ponto de perder forma, e então reforme igualdade, compaixão, gentileza e amor como o novo normal. Quando nosso condicionamento cultural (além do nosso histórico) diz que somos inferiores, devemos desafiar conscientemente e mudar com força essa mensagem para gerações futuras.

Aprendi – e ainda aprendo – a usar o Flex para questionar meus pensamentos de inferioridade como mulher em um mundo construído para homens. Pontas de dúvida têm a tendência de se enfiar no meu inconsciente, por mais que eu tente afirmar meu poder feminino conscientemente. Quando estava arrecadando fundos para meus dois negócios, ficou óbvio por que só dois por cento do investimento em capital de risco vai para mulheres; de modo geral, é controlado por homens. Consciente ou inconscientemente, homens dão preferência a homens. É normal, na verdade, semelhantes priorizarem seus semelhantes. Eu também, consciente ou inconscientemente, priorizo pessoas que me lembram de mim. Todo mundo faz isso. Se eu fosse investidora e ADORASSE andar de bicicleta, por exemplo, seria quase impossível deixar de ser influenciada pelo meu viés pessoal e dar prioridade, consciente ou inconscientemente, a uma *startup* de ciclismo em vez de uma empresa qualquer de pescaria.

Portanto, dá para ver os problemas que enfrentei ao apresentar a homens empresas de moda e bem-estar com foco em mulheres. Quando começava a apresentação, tirava o coração do peito, botava-o na mesa ainda batendo e começava a vender, o olhar deles se desfocava. Depois de concluir, com uma dancinha, música e uns chutes, alguns diziam:

– Você devia conversar com minha esposa/filha.

O que isso quer dizer? Será que a filha tem capital para investir? Com a Happy Not Perfect, levei três vezes mais tempo para arrecadar capital do que colegas homens que tinham mercados menores e ganhavam menos dinheiro. E, quando investiam, os homens questionavam todas as minhas decisões. Homens têm o direito de aprender com os erros, mas mulheres só têm uma chance.

Dra. Northrup chama o impacto do machismo de "degradação do feminino". Ela cita exemplos como receber olhares de desconfiança ao amamentar em público, a dificuldade de querer ser atraente, mas não sensual a ponto de lidar com atenção indesejada ("e ainda ser culpada por isso", disse) e esconder o fato de que menstruação existe. Nos negócios, eu tentava compensar, sendo assertiva e obstinada, como um homem, mas também tomando o cuidado de não ser uma diva exigente. O efeito, contudo, era inautêntico e só acabava alienando minha equipe.

O que me ajudou foi ver como minhas Mentoras Flex lidavam com o fato de serem mulheres em uma cultura dominada por homens. Dra. Northrup em especial me ajudou a ver que, para curar meu senso de inferioridade internalizado, eu precisava me responsabilizar por mudar minhas crenças condicionadas de que nosso corpo é bagunçado, fedido e provocativo, e que nosso emocional é uma desvantagem, sendo que, na verdade, é uma enorme vantagem. Ela escreve: "A maioria das civilizações modernas é caracterizada pela crença de que o intelecto é superior às emoções, que a mente e o espírito são inteiramente separados do corpo, que masculinidade é superior à feminilidade e que a natureza deve ser explorada por seus recursos". Contudo, "nosso ponto de vista atual só tem uns cinco mil anos. Antes disso, sociedades pacíficas floresceram por milhares de anos. Nessas sociedades, mulheres tinham posições elevadas, a arte florescia e religião incluía idolatrar a Deusa".

Não há motivo para não voltarmos a idolatrar a Deusa ☺, mas não podemos ficar sentados só esperando acontecer. Isso começa com nos apreciar e sermos a mudança que desejamos ver.

Como mulher, tudo bem incorporar a versão da feminilidade que queremos emular e priorizar nossas necessidades no lugar do monstro cultural do qual buscamos validação.

Agora mesmo, estou enfrentando dificuldades com a mensagem que a cultura reforça que mulheres devem se casar e ter filhos antes dos trinta. Não sei se é meu relógio biológico ou minha necessidade cultural de aceitação que estão se manifestando. Essa preocupação também pode ter aumentado devido ao fato de eu escrever este livro em *lockdown* por causa da covid-19 e me perguntar se um dia encontrarei alguém ao vivo de novo. Tive um encontro por Skype durante a quarentena. Foram trinta minutos de constrangimento pelos quais eu não precisava ter passado.

Contudo, aceito meus sentimentos. Eu me perdoo por me importar com casamento e filhos e me lembro de constantemente questionar se desejo mesmo essas coisas ou se é meu ego culturalmente condicionado se pronunciando.

É por isso que amo o método Flex! Quando me sinto profundamente inadequada em comparação ao ótimo cultural – e as fotos incessantes de casamento/lua de mel/bebê no Instagram –, em vez de entrar em uma espiral prolongada de ansiedade e tristeza, como antes fazia, me perguntando se iria acabar sozinha, agora tenho algo melhor a fazer. Uso o Flex para me animar e me conectar com o que minha alma deseja.

Flexercício: alongue "Futura solteirona gateira" para "O que acontecer aconteceu"

Cultura pode destruir a sabedoria interna. Para decifrar se o desejo "Quero casar e ter filhos" vem da minha sabedoria interna ou de mensagens culturais... uso o Flex.

- **CONEXÃO.** O que estou sentindo? *Hoje, sinto ansiedade na barriga, por medo de acabar morando para sempre com meus pais e acabar virando* aquela garota *de quem as pessoas sentem pena. Hoje, sinto vergonha por escrever um livro sobre saúde mental e ainda estar cheia de ansiedade.* Aí, mudo a energia ao preparar uma xícara de chá e caminhar lá fora.

- **CURIOSIDADE.** *É verdade que sou uma perdedora e impostora por temer a solteirice?* Hum, não. Tenho zero prova de que é uma preocupação legítima. Sei, no entanto, que os medos são amplificados por narrativas culturais.

Como reajo a esses pensamentos? Fico ansiosa! Regina anda soltando insultos que ficam cada dia mais feios. Perco a confiança e a energia e mergulho em um humor desanimado.

Quem eu seria sem esses pensamentos? Ficaria animada sobre o futuro, sabendo que o que é certo para mim não passará batido. Aproveitaria minha liberdade, poderia me concentrar na escrita, ajudaria outras pessoas e sentiria gratidão pela oportunidade!

Que hábito de pensamento falho está em jogo aqui? Tudo ou nada e suposição de que sei prever o futuro.

- **CRITÉRIO.** Escolho me perdoar por ser sugada pelo padrão da comédia romântica. É fácil qualquer pessoa cair na armadilha de achar que está errando na vida. Reconheço que tenho o poder de criar um novo pensamento e *escolher uma nova perspectiva.*

- **COMPROMISSO.** Para romper o hábito de pensamento negativo automático de adivinhação, me pergunto o que minha Versão Indomável faria. Minha loba interna (do amor) NÃO ficaria preocupada. Ela ficaria animada pela magia deliciosa que a aguarda no futuro e caminharia em sua direção. Para uma amiga que sentisse a mesma coisa, eu diria: "Viva por si hoje. Porque, um dia, vai querer a liberdade que tem agora". Usando essa perspectiva, senti uma mudança ainda maior de energia. Eu me comprometi com a afirmação diária "Tudo o que Poppy desenrola é para meu próprio bem". Pode soar meio doido, mas a conversa profunda de compaixão consigo mesmo funciona. Ajuda a deixar o ego assustado para trás e confiar na orientação interior que diz "Vai ficar tudo bem".

Um marco da nossa cultura é o medo de mudança. "Igual" é "seguro" porque é conhecido. No entanto, a ironia essencial de agir de maneira rígida e igual hoje é o fato de reduzir as chances de estar seguro amanhã. Quando o mundo se mexe, temos que nos mexer junto ou correr o risco de ficar para trás. Pense bem: você quer ser a Netflix ou a Blockbuster? Usar o Flex ou acabar como um velhinho ranzinza, sacudindo o punho e gritando sobre "como as coisas eram naquela época".

Algumas pessoas podem se manter rígidas até estarem prontas para se alongar, ou serem forçadas a isso. Pode ser devastador quando pessoas que amamos não se dispõem ao Flex. Meu pai, por exemplo, passou anos dizendo "Sou ansioso mesmo, é assim que sou, não posso mudar", e minha mãe e eu queríamos arrancar os cabelos. Mandávamos podcast atrás de podcast, livro atrás de livro de pesquisa para mostrar a ele que o pensamento rígido não tem prova científica. É nosso direito humano ser flexível e evoluir, mas ele encontrava a única frase que confirmava 0,000001% dos pensamentos rígidos e ignorava toda a biblioteca dizendo o contrário. Ele está gradualmente aceitando a ideia de flexibilidade, e a ciência fria e crua que prova que é possível. Eu vou obrigá-lo a ler este livro também, então... *Oi, pai! Agora pode, por favor, aceitar que é capaz de mudar e não é só "uma pessoa ansiosa"? Obrigada. A gente se vê na cozinha mais tarde para respirar fundo e Flex.*

Podemos nos sentir solitários na tentativa de curar e mudar. Algumas pessoas levam mais tempo do que outras para começar a se alongar. Uma coisa é certa: ninguém pode ser obrigado a isso, a mudança só ocorre quando alguém está pronto para *escolher* se dedicar ao Flex e se comprometer com a ação. Podemos convidar todo mundo, mas, se recusarem, não podemos fazer nada além de inspirar por exemplo, sem julgamento. Não podemos mudar outras pessoas, mas muitas vezes as nossas mudanças têm efeito profundo nas pessoas ao nosso redor. Seja a força que empurra nossa cultura para a igualdade. Seja a pessoa que abre a porta para novos terrenos para todo mundo.

"Sucesso é gostar de si, gostar do que faz e gostar de como faz."

Maya Angelou

"Vou dizer o que é liberdade para mim: nada de medo. Estou falando sério, nada de medo!"

Nina Simone

capítulo onze

CONFIANÇA FLEX

A palavra "confiança" tem o sentido de confiar em alguém, mas também de segurança íntima. Quando acreditamos que podemos encarar os desafios da vida, temos confiança. Por exemplo, sinto *confiança* de ser capaz de abrir uma empresa. (Ao mesmo tempo, sinto *confiança* de ser incapaz de ser chef profissional, já que mal sei fritar ovo sem queimar.)

Em termos do Flex, confiança é calar nosso crítico interior escroto e aumentar o volume do sistema de orientação interior. Parece possível, mas muitos de nós temos dificuldade de acreditar em nós mesmos. Meus livros de autoajuda que falam de confiança poderiam preencher uma pequena biblioteca. Falta de confiança é uma epidemia, o que não é surpresa, considerando nosso viés cultural e uma cultura que destrói nossa segurança, dizendo que dá para comprar confiança. Não nos encoraja a desenvolvê-la por dentro. No entanto, pelo Flex, podemos fazer isso.

O estranho da confiança é que todos começamos com cem por cento. Como bebês, não pensávamos se merecíamos ser ouvidos, nem nos importávamos de nossos primeiros passos serem bobos quando caíamos de cara no chão na frente da família. Nascemos com curiosidade total, sem medo de julgamento e zero hesitação em gritar pelo que precisávamos, fosse comida, sono, carinho ou uma fralda limpa. Bebês nascem sabendo que são suficientes e que podem chorar se quiserem!

Então o que aconteceu? Fomos condicionados a ter medo e dúvida. A alegre confiança da nossa versão bebê – "Oi! Olha para mim! Me escuta! Estou aqui!" – rapidamente foi destruída nos anos de esponja, quando começamos a construir um modelo do mundo e do nosso lugar nele. Desenvolvemos opiniões, gostos, crenças, valores, limites (ou não) e comportamentos. Aprendemos como os outros nos viam e quais eram nossas forças e fraquezas. Aprendemos a conseguir atenção e amor, e o que nos causava encrenca. Pais, irmãos, professores, amigos, são todos coconstrutores de nosso modelo, para o bem e para o mal. Mas se esses coconstrutores disserem…

– Você não merece isso!
– Você é levado.
– Você é preguiçoso.
– Você é feio.
– Ninguém gosta de você.
– Não chore! Não grite! Seja boazinha.
– Você não pode fazer isso.

… então é isso que se torna nosso conceito de identidade. Aprendemos, dos outros coconstrutores, a criticar e duvidar de nós mesmos.

> *"O jeito que falamos com nossos filhos se torna a voz interior deles."*
> *Peggy O'Mara*

Crianças assumem o que autoridades dizem como fato. Ainda não têm a capacidade de desafiar. Então as mensagens que absorvemos nos anos de esponja se transformam em crenças centrais programadas, que passamos o resto da vida repetindo e procurando provas para confirmar. Em vez de duvidar do mensageiro e da mensagem, aprendemos a duvidar de nós mesmos.

No processo de virar adultos, perguntas como "Vou ter sucesso?", "Gostam de mim?", "Sou suficiente?", "Vão aprovar?" e "Vai dar tudo muito, muito errado?" ganharam proeminência e apagaram nossa confiança natural como uma nuvem em um dia ensolarado.

Para muitos da Geração Ansiedade, a nuvem não vai embora. Em parte, encontramos a causa nos pais bem-intencionados que estavam sempre por perto, surgindo para salvar o dia ao mínimo sinal de problema. "Não tem problema ter errado isso, meu bem. Eu faço seu trabalho de ciência por você!", diziam. "Não precisa ir à excursão da escola se sentir ansiedade. Vou conversar com os professores." Soa familiar?

Fomos condicionados a ser intolerantes com sentimentos difíceis e não desenvolvemos a capacidade de lidar com eles. Pais superprotetores carregavam o peso por muitos de nós, e nossos músculos ficaram fracos. A verdade é que teríamos ficado bem sem tanta intervenção amorosa, mas nunca tivemos a oportunidade de aprender isso. Confiança cresce pela prática, e às vezes pelo fracasso, aprendendo que enfrentar fracasso é como crescemos, e tentamos de novo até acertar.

Confiança fica do outro lado do medo condicionado.

Ainda estou para conhecer alguém sem medo nenhum, mas conheci muitas almas confiantes que são melhores do que outras em lidar com sentimentos desagradáveis.

Se tivesse entendido que minha falta de confiança vinha do meu medo esmagador de ser insuficiente, talvez eu não tivesse me culpado tanto e suposto que tinha alguma coisa errada comigo. Caí na armadilha de acreditar na "ilusão de confiança" que nossa cultura propaga. Redes sociais, como todos sabemos, alimentam a ilusão. Somos expostos a inúmeras fotos de #noitada de gente feliz que parece levar a vida no papo. Mas quantos posts vemos de "Estou tão nervoso por ir a essa festa! Será que alguém vai falar comigo?".

Meu sinal mais óbvio de que estou ansiosa pra caramba e sofrendo de uma seca severa de confiança é falar tanto que parece até que estou drogada. A ideia de um silêncio na conversa me enche de tanto pavor que, defensiva, começo a tagarelar. A outra pessoa normalmente se encolhe e vai embora, me deixando com menos confiança ainda quando eu transformo a reação em prova de que não mereço seu tempo. Comecei a notar que estou menos sozinha nisso do que inicialmente acreditava. Já conheci celebridades, líderes de negócios, profissionais da linha de frente, e todo tipo de pessoas que eu supunha serem bem-sucedidas por causa das reservas natas e transbordantes de confiança. No entanto, quando arranhei um pouco abaixo da superfície, encontrei almas vulneráveis e inseguranças que estavam só fingindo, como todo mundo.

Pensadores rígidos ficam presos em "Não posso... e se errar ou me constranger? Vão pensar menos de mim". No fundo, é tudo questão de medo de rejeição, de insuficiência ou de não ser amável.

Pensadores flexíveis desafiam as crenças falhas e os vieses cerebrais que nos limitam, para podermos avançar e dizer: "Talvez eu possa... só tem um jeito de descobrir... confio em mim".

Não é nossa culpa termos autoestima baixa, mas é nossa responsabilidade nos alongar e sair dessa perspectiva ao escolher confiança em vez de dúvida, e amor em vez de medo. Tomar consciência da programação defeituosa é o primeiro passo para a liberdade e do processo de atualizar/corrigir *bugs*.

Quanto a esses medos... de acordo com minha festinha de especialistas, descobri que todos temos os Três Maiores, em graus variados:

1. Medo de fracasso.
2. Medo de rejeição.
3. Medo de insuficiência.

Por exemplo, o sonho de escrever um livro pode ser apagado pelo medo do fracasso, e as páginas continuam em branco.

O desejo de postular um emprego pode ser impedido pelo medo de rejeição, e nunca mandamos o currículo.

A vontade de se levantar e dançar pode ser derrubada pelo medo de parecer uma banana esquisitona e sacudida, e ficamos sentados no canto.

Podemos parar de deixar o medo nos conter, já que todas essas situações *podem* ser enfrentadas pelo Flex, nos liberando para escrever, trabalhar e dançar como uma fruta amarela e comprida.

Adicionei dois medos mais específicos que notei entre meus semelhantes: medo da opinião alheia (MOA) e medo de desfecho ruim (MDR). Podemos argumentar que são variações dos Três Maiores medos, mas acho que são obstáculos particulares, então os separei. (É meu livro, e uso os subtítulos que quiser ☺.)

Quando usamos o Flex no medo e passamos por ele sem sofrermos danos, a confiança nos espera de braços abertos do outro lado.

Fracasso não existe.

Desfechos são só oportunidades.

Rejeição não é com a gente.

A opinião alheia não é problema nosso.

SOMOS suficientes.

A confiança fica disponível quando somos nós mesmos, sem pedir desculpas. Quando incorporamos aceitação e nos separamos de certas ideias de como deveríamos ser (#melhorfesta), nós nos tornamos irresistíveis para o mundo, e o futuro se escancara. Todos contemos uma Versão Indomável com confiança desenfreada, só esperando a conexão.

FRACASSO NÃO EXISTE
O cérebro não perde, só aprende

O sábio da elasticidade da mente, dr. Leonard Mlodinow, acredita que os pensamentos flexíveis são possibilitados quando procuramos novas formas de pensar sobre coisas antigas. Em vez de nos manter rígidos, podemos nos desafiar a reestruturar ideias, pensamentos e acontecimentos e alongar como os vemos. Ele disse que toda mente humana é naturalmente flexível, só precisamos treinar alongá-la no formato que funciona melhor para nós. Parabéns para a gente, galera Flex!

Um Flex útil para reestruturar "fracasso" é "o cérebro não fracassa, ele aprende". Dr. Mlodinow, em seu livro em coautoria com Deepak Chopra, *War of the Worldviews: Where Science and Spirituality Meet – and Do Not*,[66] descreveu o ciclo de retroalimentação de inteligência de aprender a esquiar. Quando iniciantes começam no esporte, eles caem. Ótimo. É parte essencial do processo de aprendizado. Sempre que caímos, o corpo aprende alguma coisa nova em relação a como se equilibrar com duas pranchas de madeira presas aos pés e faz ajustes. Quedas não são fracassos. Elas nos levam, um hematoma por vez, à maestria. Quando Mlodinow aprendeu a esquiar, ele

---

66 *Guerra do cosmovisão: onde ciência e espiritualidade se encontram – e onde não*, em tradução livre. (N.E.)

se forçou a cair. Se não fizesse isso, esquiaria com muita rigidez. Caindo de propósito, se livrou do medo de cair e, portanto, teve mais confiança para experimentar novas coisas e deixar os músculos e a mente aprenderem ainda mais rápido.

Thomas Edison, outro Flex lendário, certa vez falou em relação a um dos muitos experimentos no processo de inventar a lâmpada, que não havia fracassado, mas descoberto dez mil jeitos que não funcionam. Edison provavelmente não sabia que estava praticando "terapia de exposição" para minimizar o medo do fracasso ao fracassar tanto, a ponto de não o afetar mais. "Nossa maior fraqueza é desistir", também disse. "O caminho mais garantido do sucesso é sempre tentar mais uma vez."

Medo do fracasso é o que nos impede de ter a confiança de tentar de novo – ou de tentar, PONTO.

Mas o medo é só um sinal da rádio FERROU FM, um impulso de estática que só dura noventa segundos. Se respirarmos até passar e nos lembrarmos da enorme cenoura diante de nós, a Melhor e Maior Oferta de aprender uma coisa nova, podemos superar o medo.

Se pudermos ser como Edison, e usar como nossa Estrela do Norte Aprender Algo Novo, o sentido que atribuímos a "fracasso" pode ser reescrito. Não caímos de cara na montanha; aprendemos uma nova habilidade. Não fizemos uma lâmpada inútil; chegamos um pouco mais perto de mudar o mundo.

Quando nos comprometermos a tentar de novo, podemos COMEMORAR o esforço. Dr. Judson Brewer escreveu que o cérebro não cria novos hábitos a não ser que tenha incentivo. É extremamente difícil romper o medo se não nos recompensarmos a cada passo do caminho. Testei isso de novo enquanto tentava desenvolver uma rotina de exercício diário durante a quarentena. Nenhuma academia estava aberta, então precisava pensar em outras maneiras de mexer o corpo e ficar em forma. Decidi desenvolver o hábito de correr todo dia, mas seria uma tarefa desafiadora, já que sempre *odiei* correr. Decidi me recompensar, ouvindo minhas músicas preferidas só na hora de correr; então, se quisesse ouvir boa música, teria que calçar os tênis de corrida. Eu me surpreendi com a velocidade com que comecei a querer sair para correr, porque meu cérebro desejava a onda positiva da música. Aprender esse hábito se tornou uma prática do Passo #1 e, enquanto corria, sentia que era uma prática para atualizar minha energia e me conectar com meu corpo.

Flexercício: Flex do fracasso

É principalmente questão de CRITÉRIO aqui, na escolha de adotar uma Perspectiva de Crescimento em que fracasso é avanço.

ESPERE DOR DE CRESCIMENTO. Troque o terror do fracasso pelo poder do crescimento, mesmo que seja um pouco desconfortável. Como me explicou a psicóloga Jessamy Hibberd: "Porque crescer é bom, a gente acha que a *sensação* vai ser boa, fácil e simples. Mas o crescimento acontece quando saímos da zona de conforto, do piloto automático, e pode ser um pouco assustador". Mas é só de início, ela garantiu. Depois da primeira vez que caímos e notamos que podemos nos levantar, fica menos assustador cair de novo. Decida aproveitar o desconforto do medo.

NÃO ESPERE MELHORA IMEDIATA. Nem sempre crescemos tão rápido quanto gostaríamos. No entanto, se sentir que não está progredindo, continue a perguntar "O que posso aprender com essa experiência?" e abandone declarações como "Por que isso aconteceu comigo!?". A área de crescimento pode não ser a esperada. Você pode aprender informações práticas para mudar e melhorar. Pode ganhar autoconhecimento ou a confiança necessária para fazer alguma coisa ainda mais incrível. Sua Versão Indomável não gasta energia com a frustração de não conseguir exatamente o que desejava e esperava. Ela avança de olhos abertos, com curiosidade incessante, procurando o que estiver disponível para aprender no mundo. Entra com coragem em toda nova aventura, sabendo que ganhar experiência é em si o propósito e o presente, e que o desfecho não é importante.

DESFECHOS SÃO OPORTUNIDADES
Sucesso é um estado de espírito

MDR é o medo de desfecho ruim (e não de discutir a relação, o que também acontece!). MDR acaba com a confiança como bafo ruim acaba com um encontro romântico. Esse medo é a motivação fundamental por trás da maioria dos tipos de ansiedade, como a ansiedade social de saber que deveria ir à festa, mas morrer de medo de não encontrar com quem conversar. MDR dá medo de sair, dá medo de ficar em casa.

Esse pensamento negativo automático (PNA) de adivinhação inspira o que a dra. Joan Rosenberg chama de "matemática emocional ruim". Atribuímos sentido a uma ocasião ruim em uma festa e criamos a equação: festas = tristeza + constrangimento. Um desfecho ruim = o mesmo desfecho ruim para sempre. Isso simplesmente não é verdade e é um erro de cálculo terrível que causa MDR grave.

Uma experiência ruim NÃO garante outras experiências ruins. E o passado ansioso não garante uma vida de preocupação. É um pensamento muito rígido. Lembro uma palestra que dei em Boston, em um evento corporativo, a respeito da ciência da neuroplasticidade e da possibilidade de mudança, e uma moça veio falar comigo depois, chorando. Era a primeira vez que alguém dissera a ela que a ansiedade era maleável e não precisava determinar sua vida.

– Nasci ansiosa. Sempre fui, achei que sempre seria.

Perguntei como ela tinha desenvolvido a ideia de que a vida de ansiedade era inevitável. Ela respondeu:

– Minha mãe me falou que me passou o gene da ansiedade.

Apesar de haver, sim, um fator genético na ansiedade, genes não são destino. Influências na infância têm um impacto enorme na formulação dos nossos sistemas de crença. Mas crenças *são* completamente mutáveis. Não são destino.

Com curiosidade, podemos refutar o que estamos convencidos de serem fatos imutáveis. Para Flex, precisamos acolher o poder de ver um sem-número de desfechos possíveis, não UM SÓ assustador e triste.

Ontem mesmo, mandei e-mail a um grupo que, no passado, foi profundamente ambivalente em relação ao meu trabalho, para pedir apoio em um novo projeto. Tinha passado semanas enrolando para mandar. Já que tinham me rejeitado antes, eu temia/esperava que me rejeitassem de novo #MDR. Estava cansada (um fator-chave nas minhas recaídas de pensamento rígido) e, antes de mandar o e-mail, liguei para uma amiga a fim de processar meu medo.

– Preciso deles, senão o projeto nunca vai decolar. Mas estou com medo de eles serem babacas e não me apoiarem!

Ela respondeu:

– Você não faz ideia de como vão reagir. Seu viés negativo e sua crítica interior assustada estão no controle agora.

Comecei a rir. EU A TINHA ENSINADO SOBRE O VIÉS NEGATIVO, e lá estava ela, me devolvendo minhas palavras. E estava certa: minha experiência passada estava tingindo meus sentimentos, e eu não sabia de fato como o pedido seria recebido, já que era inteiramente diferente do outro. Respirei fundo algumas vezes e me comprometi com minha Versão Indomável corajosa e instintiva. O que ela faria naquela situação? Seguiria em frente sem medo, aceitaria qualquer desfecho e passaria para a próxima. Assim, eu me esforcei para mandar um e-mail muito profissional e atraente, apresentando os fatos sem emoção, e enviei. Depois, fiz o que pude para me desconectar enquanto esperava resposta. Não precisei esperar muito! Em duas horas, todo mundo tinha respondido *positivamente*. Dizer que fiquei chocada seria pouco!! Se não fosse pelo Flex, eu teria sido vítima do MDR e não teria me apresentado.

A ciência já provou o poder das expectativas, por meio do efeito placebo: se um paciente espera que um comprimido funcione, ele vai funcionar, mesmo sem conter remédio. Um estudo recente[67] de teste de remédio para enxaqueca apontou que o placebo tinha cinquenta por cento da eficiência do remédio verdadeiro após uma crise de enxaqueca. O pesquisador principal, Ted Kaptchuk, professor no Beth Israel Deaconess Medical Center, afiliado a Harvard, falou a respeito do estudo: "Mesmo sabendo que não é remédio, a ação em si pode estimular o cérebro a acreditar que o corpo está sendo curado."[68]

---

67   KAM-HANSEN, Slavenka et al. "Altered Placebo and Drug Labeling Changes the Outcome of Episodic Migraine Attacks". *Science Translational Medicine*, v. 6, n. 218, 2014, 218ra5. Disponível em: DOI: 10.1126/scitranslmed.3006175. Acessado em: 21 maio 2022.

68   "The Power of the Placebo Effect". Harvard Health Publishing, maio 2017. Atualizado em: 9 ago. 2019.

O outro lado da moeda é que, se esperarmos que algo ruim aconteça, tem mais probabilidade de acontecer. Isso se chama "profecia autorrealizável", expressão atribuída ao sociólogo Robert Menton. Em 1948, ele a definiu assim: "uma definição falsa da situação que evoca um novo comportamento, que faz a concepção originalmente falsa se concretizar".[69]

O pessoal da manifestação da "lei da atração" diz que atraímos nossos maiores medos. O pessoal da ciência concorda.

Quanto mais tememos alguma coisa, mais ativado nosso inconsciente está para procurá-la e encontrar confirmação das nossas crenças defeituosas. Aquilo em que nos concentramos fica mais forte e, quanto mais sacudimos os medos, mais vigilante nossa mente se torna para encontrá-los.

Fisiologicamente, medo de dor (um desfecho ruim, certamente) aumenta a dor. Neurocientistas da Universidade do Colorado, em Boulder, conectaram participantes a uma máquina de ressonância magnética e disseram que receberiam estímulos de calor alto ou baixo, que seriam doloridos. Os participantes que esperavam calor alto sentiram mais atividade cerebral intensa, independentemente da dor que sofreram. A dor de *verdade* não era relevante. O fator central era a expectativa.[70] Sofremos mais com o pensamento do que com o ato.

O outro perigo do MDR é nosso poder de garantir o desfecho ruim só para provar que o medo estava certo (mesmo que não precisasse estar!). O professor da Harvard Medical School e psiquiatra clínico dr. John Sharp escreveu, em *The Insight Cure*:[71] "Seu inconsciente ama estar certo. Um jeito de estar certo é garantir que as coisas deem errado, tipo 'Eu *sabia* que era um erro!', ou 'Eu *sabia* que ia estragar tudo!'". De um jeito doentio, nosso ego quer foder

---

69 MERTON, Robert K. "The Self-Fulfilling Prophecy". *Antioch Review*, v. 8, n. 2, 1948, p. 193-210.

70 JEPMA, Marieke et al. "Behavioural and Neural Evidence for Self-Reinforcing Expectancy Effects on Pain". *Nature Human Behaviour*, v. 2, n. 11, 2018. Disponível em: DOI: 10.1038/s41562-018-0455-8. Acessado em: 21 maio 2022.

71 *A cura interior*, em tradução livre. (N.E.)

com a gente, só para falar "eu avisei". Sharp escreveu: "É da natureza humana confirmar nossas crenças, mesmo se forem erradas e nocivas".[72]

Dr. Sharp mapeou a progressão de como medo de desfecho ruim se transforma em realidade. Começa com a SUPOSIÇÃO, ou seja, "Ninguém vai falar comigo na festa". Isso passa para PERCEPÇÃO, entrar na festa e ver as pessoas em grupinhos, envolvidas em conversa, e acreditar que é impossível se intrometer. Isso leva à AÇÃO, se instalar no canto do bar, levantar barreiras, nem tentar conversar. Finalmente, chega a PROVA, ou seja, "Eu *sabia* que ninguém ia falar comigo! Eu estava *certo*!", o que deixa tudo pronto para o próximo ciclo de Suposição-Percepção-Ação-Prova. Toda vez que entramos nesse ciclo vicioso, ele se enraíza mais no cérebro.

Quando dr. Sharp trabalha com pacientes para flexibilizar o MDR, ele pede que imaginem desfechos diferentes para determinada situação. Um homem entra no bar... uma mulher se pronuncia na sala de aula... um candidato se apresenta na entrevista de emprego... e *aí*? Depois que o paciente oferece a primeira resposta, em piloto automático, dr. Sharp encoraja que pense em outro desfecho, e mais outro, do banal ao absurdo. Quando tentamos visualizar desfechos positivos, treinamos o cérebro inconsciente a identificar coisas boas em situações futuras. Times olímpicos aproveitam as vantagens da visualização positiva há anos, imaginando o melhor jogo para melhorar o desempenho.

Depois de determinar intenções positivas, para avançar no Flex do MDR precisamos treinar nos soltar completamente da certeza das expectativas rígidas.

"Se esperar que a batalha seja insuperável, encontrou o inimigo. É você."

Khang Kijarro Nguyen

Queime o cobertor protetor do MDR até virar carvão. Acabe com ele e saia para o mundo totalmente pelado, porque qualquer coisa positiva pode acontecer, e provavelmente acontecerá! Como diz Deepak Chopra, permita-se viver o potencial infinito. #EspereOInesperado

---

72 SHARP, John. *The Insight Cure: Change Your Story, Change Your Life*. Nova York: Hay House, 2018.

De acordo com dr. Sharp, o mapa para sair do MDR começa com a INTENÇÃO, um objetivo possível, como "Minha *intenção* é falar com duas pessoas nesta festa". Isso leva à PREPARAÇÃO, ou o que pudermos fazer para atingir o objetivo, por exemplo, levar uma garrafa de vinho para o anfitrião (conversa #1) e se oferecer para servir uma bebida para outro convidado (conversa #2). Em cinco minutos na festa, já concretizamos a intenção. Poderíamos voltar para casa felizes. Ou podemos viver no momento e aproveitar a EXPERIÊNCIA que de fato está acontecendo, não a que *tememos* que aconteça. Desafie-se a ficar por mais cinco minutos e ver se mais alguma oportunidade se abre. Conclua com a AVALIAÇÃO, a autópsia da festa. Como foi levar o vinho e se desafiar a ficar mais um pouco? Que Intenções e Preparações diferentes poderiam alterar Experiências futuras? Ao fazer a Avaliação, aprendemos que o desfecho está sempre aberto a interpretação. É nossa escolha como percebemos as situações.

O mesmo movimento de Intenção-Preparação-Experiência-Avaliação funciona em praticamente qualquer contexto, como, por exemplo, uma entrevista de emprego. Determine a Intenção de se expressar bem. Prepare-se na noite anterior, visualizando a experiência bem-sucedida, ensaiando respostas para perguntas prováveis, fazendo alguns exercícios de respiração para se acalmar e manter a RLX FM no ar, escrevendo uma lista de valores que admira na empresa e como poderia se encaixar neles. Viva a experiência da entrevista, ouvindo ativamente, sem deixar-se distrair. Avaliação é uma repetição mental do que ocorreu bem e do que melhorar na próxima vez, assim como um contato com o entrevistador, pedindo *feedback*. É este o segredo de qualquer sucesso: alongar o seu cérebro maleável e maravilhoso para aprender, crescer, aproveitar oportunidades e encontrar as pepitas de crescimento!

Eu tinha muito MDR em relação a falar em público. Estava ligado ao meu perfeccionismo. Um deslize era como cair em um buraco no chão. Eu tinha mais medo da minha culpa posterior do que dos erros em si. Começava a hiperventilar antes de qualquer apresentação pública, e teria parado de fazer esse tipo de evento se não usasse o Flex todo dia para me libertar do medo das expectativas.

Quando entrevistei Britteny Floyd-Mayo, da Trap Yoga, ela compartilhou uma ótima técnica que usa com os filhos para ensiná-los a construir confiança e largar o MDR com Flex. Quando estão nervosos com a escola, ela pede que digam "Não seria legal…?" e listarem tudo o que seria gostoso viver naquele dia. "Não seria legal se o recreio durasse o dobro do tempo?" ou "Não seria legal se eu tirasse dez na prova?". Declarar os desejos imediatamente muda o foco para o que *querem que aconteça* no dia, afastando-os do medo que sentem. Desde então, adotei essa estratégia para desarmar meu MDR. "Não seria legal se minha apresentação de hoje corresse bem?" A abordagem "não seria legal?" é um jeito mais leve de criar intenção positiva, sem pressão, e menos intenso do que uma afirmação que meu cérebro pode rejeitar como mentira.

Um hábito antigo de MDR não vai sumir em um estalar de dedos como em *Sabrina, aprendiz de feiticeira* (eu bem queria). É preciso muito Flex para alongar o cérebro e se afastar de expectativas negativas e/ou altas e debilitantes, passando a zero expectativa e só intenção positiva. No entanto, conforme Flex se torna natural, aprendemos a acolher e apreciar o mistério glorioso da possibilidade infinita, crescendo nossa força para aguentar tudo o que a vida nos traz, o que, na verdade, é a definição da confiança.

Mesmo que o galho quebre sob nós, temos a força para voar e encontrar um novo galho. É muito fácil esquecer as asas que temos. Mas, se arriscarmos fazer o que mais tememos, aprenderemos que galhos quebram *por* nós o tempo todo, para encontrarmos galhos Maiores e Melhores e desenvolvermos asas mais fortes!

Flexercício: Flex do MDR

Não deixe o medo de desfechos ruins acabar com sua confiança. Use o Flex para saber que vai dar conta!

- **CONEXÃO.** Você não está em perigo. Está com medo de estar em perigo. Muito diferente. Gaste o MDR, passando sua vibração energética de pavor antecipado para animação nervosa ou tranquilidade antecipada. Use a respiração profunda, concentrando-se na expiração mais longa do que a inspiração, ou, antes de uma festa, ligue música animada e dance para ativar hormônios da felicidade e endorfina. Depois de uma festinha dançante prévia sozinha, consigo entrar pulando na festa, na entrevista de emprego, na primeira reunião com novos investidores e levar a vibração comigo. (P.S.: se experimentar isso, escolha a música com sabedoria. Se tocar músicas tristes, como a trilha sonora de *Titanic*, cuidado para a energia não afundar com o navio.)

- **CURIOSIDADE.** Nunca leve o medo a sério sem investigá-lo. Perguntas são sempre suas amigas! Que PNA está atrapalhando agora? Cadê o viés negativo? Como aprendi a temer esse desfecho? O que posso fazer de diferente desta vez? O que é o pior que pode acontecer? Crie um plano de sobrevivência para o pior dos casos (que nunca vai acontecer) para mostrar que ainda ficaria tudo bem em caso de desastre. Consigo ou não controlar isso? Quem eu seria sem o medo?

- **CRITÉRIO.** MDR é produto do Lobo do Medo. Com consciência, alimente o Lobo do Amor, repetindo o mantra "Escolho esperar o inesperado" diante de qualquer preocupação. Assim que ouvir o menor sinal de previsão e suposição, perdoe-se por ser uma pessoa com viés de confirmação a superar. Volte a escolher a presença e a experiência da vida que se desenrola.

- **COMPROMISSO.** Aja com a ajuda de um Mentor Flex. O que sua amiga mais confiante e autêntica faria? Lembre que a *aparência* de confiança pode ser só teatro. Algumas pessoas malham até ter o corpo perfeito e se vestem lindamente, mas não significa que andam com confiança. Dá para vestir 32 ou 52 e sentir o mesmo medo. Quem *se aceita* tem confiança.

E mesmo nesse caso ainda existem *algumas* dúvidas. Uma das maiores lições do dr. Rick Hanson foi me ensinar a olhar para a testa das pessoas quando as encontro e me lembrar de que há um ser humano lá dentro, lidando com as próprias dificuldades que eu desconheço. É muito mais fácil entrar em uma festa ou entrevista de emprego se for possível sair um pouco da própria cabeça, parar de ler o roteiro do MDR e se concentrar na pessoa ou na situação na sua frente. Isso permite que você esteja presente na sala (e não perdido em pensamento), aberto a tudo, com compaixão. Em suma, todo mundo vive apavorado e ninguém tem *mesmo* controle de tudo.

REJEIÇÃO NÃO É COM A GENTE
É com a outra pessoa

Logo de cara, precisamos reconhecer o que está por trás do medo de rejeição. É o pavor de não PERTENCER. Somos animais sociais, e sentir que pertencemos a uma comunidade que nos aceita está no alto de qualquer lista de necessidades humanas. Ser parte de um todo está programado no nosso cérebro. O instinto evolutivo nos leva a buscar aceitação social para sobreviver. Se a comunidade gostar de nós, podemos ficar na caverna e viver com muitos recursos disponíveis. Se a comunidade nos rejeitar, somos expulsos para morrermos sozinhos.

Qualquer tipo de rejeição ativa, consciente ou inconscientemente, nosso pior medo de expulsão. Contudo, quando buscamos aceitação alheia em detrimento da nossa identidade, pagamos um preço, pois abandonamos nossa integridade e nossa confiança diminui. É meio triste, na verdade, porque muita autoajuda sobre amor-próprio nos diz para "ser do seu jeitinho". Imagine se fosse simples assim! Não só é extremamente difícil *ser* um lobo solitário, é ainda mais difícil se valorizar assim.

O sociólogo estadunidense Charles Horton Cooley cunhou o termo "*looking-glass self*", ou "espelho de si mesmo", em 1902.[73] Significa que baseamos quem somos na nossa percepção de como os outros nos veem. Sempre que sentimos rejeição e a transformamos em autodepreciação, estamos tirando uma *selfie* de espelho metafórica.

A rachadura nesse espelho é que, mesmo nos melhores dias, não sabemos o que exatamente pensam sobre nós. Não moramos na cabeça das outras pessoas. Não lemos pensamentos. É simplesmente impossível saber se alguém vai nos rejeitar. Nós, seres humanos, com arrogância e talento narrativo, inventamos motivos para merecermos ser rejeitados com base em quem somos, na nossa aparência, em como soamos, no que dissemos e no que fazemos. No entanto, sem provas do que alguém rejeita, não podemos saber de fato do que se trata. Em quase todos os casos, o motivo é preconceito e crenças alheias, e não tem nada a ver conosco. Digamos que você use óculos com armação vermelha para uma entrevista de emprego, e o entrevistador odeie a cor vermelha. Não vai ouvir nem ver você, só enxergar o que odeia. Você não consegue o emprego pela aversão à sua cor preferida. Não é com você. É o preconceito sem lógica dele.

"Sem se amar, como vai amar outra pessoa?"
RuPaul

---

[73] COOLEY, Charles H. *Human Nature and the Social Order*. Nova York: Charles Scribner's Sons, 1902.

A OPINIÃO ALHEIA NÃO É PROBLEMA NOSSO
Dez pulgas atrás da orelha

Medo da opinião alheia (MOA) é temer o que outros podem pensar a ponto de desconsiderar nossos sentimentos ao tomar decisões importantes. Eu já sofri muito com isso. Alguns indícios:

- Tanto medo de outras pessoas discordarem da nossa decisão que não conseguimos decidir sem opinião.
- Apagar posts que não recebem certa quantidade de *likes* em determinado período de tempo.
- Ser feito de capacho, aceitando fazer favores ridículos, só para gostarem da gente.
- Esconder uma paixão ou fandom porque podem zoar a gente.
- Dar desculpas se alguém nos julgar pelo que dissemos, fizemos ou vestimos.
- Nos editar, em tentativa óbvia de evitar julgamento.

É saudável e humano se importar com o que pensam de nós. O que não é saudável é nos importarmos tanto, a ponto de não conseguirmos fazer nada sem validação.

Nossa aparência, nossas roupas, nosso trabalho, nossos namoros, os filmes que vemos, livros que lemos, comidas que comemos, lugares que visitamos, tudo é aberto a julgamento social. Podemos tentar "ganhar" aprovação das nossas vastas redes com versões on-line selecionadas, editadas e filtradas de nós mesmos. Cada *like* dá ao cérebro uma dose de pertencimento primevo. No entanto, quando não ganhamos aprovação, é como um tapa de julgamento primevo que ativa TODOS os nossos piores medos de fracasso, rejeição e insuficiência. Para perfeccionistas, a falta de resposta é particularmente dolorida. Tentamos tanto provar nosso valor para garantir pertencimento e aceitação que, quando a validação externa não vem, nossos piores medos de talvez não sermos "bons ou amáveis o suficiente" são confirmados. É por isso que uma resposta média a um post no Instagram pode destruir a autoestima.

É claro que estamos em estado constante de "modo de sobrevivência" leve, quando sobrevivência é aprovação, aprovação vem da aparência de valor, e aprovação não é nada garantida. (Isso vale especialmente para o

Instagram, cujo algoritmo atrapalha quem posta quando ninguém está vendo... Será que o algoritmo do Instagram ameaça nossa sobrevivência? Veja onde o mundo chegou!)

Tantas vezes, ao longo da vida, deixei outras pessoas ditarem minhas escolhas. Um orientador de carreira da escola, completamente mal-informado, me falou que psicologia não era uma faculdade séria (hum, quê!!?); então estudei ciências políticas e passei anos me arrastando para aulas de política que detestava, enquanto, no tempo livre, lia livros de psicologia que adorava.

Posso listar pelo menos cinco garotos que evitei namorar porque me importava demais com a opinião dos outros. O resultado disso? Muitas noites acompanhada só das minhas plantas, em vez de sair e conhecer gente nova.

Não podemos desconsiderar *todo* julgamento e conselho. No entanto, escolha confidentes com sabedoria. Nem todo conselho é igual! Consultar um amigo querido é muito mais sábio do que basear nosso autoconceito nas opiniões de pessoas que não conhecemos e nas quais não podemos confiar.

Minha rainha Brené Brown admitiu que se sentiu muito magoada ao ler ataques extremamente pessoais nos comentários de seus artigos e vídeos. Para se acalmar, Brown mergulhou em uma maratona de oito horas de *Downton Abbey*. (É sempre um remédio fantástico, posso garantir.) Enquanto via *Downton*, ela encontrou uma citação do presidente Theodore Roosevelt que a inspirou a escrever: "Se você não estiver na arena apanhando comigo, não tenho interesse no seu *feedback*". Uau, acho que todo mundo precisa ouvir isso diariamente. Nem todo retorno é igual, e não deve ser tratado igualmente. Se você não estiver vivendo com vulnerabilidade, expondo a alma, abrindo-se para ataque igual, então pode guardar os comentários para si. Valeu e #vazaaaaaaa.

Brown parou de ler os comentários de *troll*. Ela delimitou quais eram as fontes confiáveis: se a fonte for visível, vulnerável e criativa, tem valor; se for anônima, destrutiva e diminuir as conquistas alheias, não tem valor. Foi como ler palavras de ouro, e me ensina até hoje. Eu me recuso a criticar QUALQUER UM que esteja se esforçando para contribuir com o bem do mundo. Sair da cama e tentar qualquer coisa é uma conquista do cacete, porque significa que você derrotou o dragão do medo da vergonha pública. Admiro todo mundo que põe a cabeça para fora da janela. As palavras de Brown também me deram a força de não aceitar comentários críticos.

É muito fácil e covarde odiar do sofá e desprezar outras pessoas por fazerem algo fora do comum. É mais difícil ser gentil e oferecer apoio. São esses os valores que vivo no Flex.

Quando pedimos opinião e comentário obsessivamente, queremos encorajamento, mas atraímos julgamento. Ligo muito para minha mãe pedindo opinião.

– O que você achou daquela entrevista que dei? – pergunto.

Se ela responde qualquer coisa além de elogios, fico chateada! Mas fui eu quem perguntou. Por quê? Minhas inseguranças procuravam validação e encorajamento que eu deveria oferecer para mim mesma. Aos poucos, tenho aprendido a olhar para dentro de mim em busca de conexão antes de procurar externamente. Não sou especialista nisso, contudo, e é um dos meus desafios, mas tento perguntar: o que meus primeiro, segundo, terceiro e quarto cérebros dizem a respeito da entrevista? E só depois disso penso em ligar para minha mãe.

Todo mundo sabe quando alguma coisa está meio bagunçada ou está bem, mas ainda assim procuramos opiniões alheias para nos convencer e nos distrair do que, no fundo, sabemos.

É impressionante como damos pouco valor à nossa própria opinião, sendo que somos quem nos conhece melhor. Ou não? Pensamento flexível é o processo de retomar nossa amizade conosco. Quando comecei a mostrar Curiosidade pelos meus pensamentos e por que desejava *feedback*, vi que minha mente estava repleta de PNAs que me faziam concluir "a entrevista toda foi *horrível*" se eu tropeçasse em uma palavra sequer. Eles me culpavam por coisas fora do meu controle, como um entrevistado mais fechado. Quando comecei a mostrar curiosidade, não precisei de tanta reafirmação externa para exterminar esses PNAs. Consegui fazer isso sozinha. Quando você fica melhor em identificar que PNA está em jogo, eles se dissolvem tão rápido quanto surgem.

Às vezes, não procuramos julgamento ou opinião, mas esse retorno é jogado em nós de qualquer forma. Isso também não é tão ruim. Normalmente fico muito agradecida a quem compartilha suas opiniões. Já escapei de muita decisão ruim simplesmente porque alguém me mostrou algo que, com minha visão estreita, eu não notava. Outras pessoas podem ajudar a alongar nossos pensamentos e aumentar nossa flexibilidade e, quando isso acontece, tanto elas quanto nós evoluímos. Mas, repito, nem todo conselho é igual.

> *"Entendo o que você quer dizer, e seus comentários são valiosos, mas vou ignorar seu conselho."*
>
> *O fantástico sr. Raposo*

Flexercício: Flex do MOA

Confiança é função de acreditar no próprio julgamento e conseguir colocar as opiniões alheias em perspectiva.

- **CONEXÃO.** Seja honesto, nomeie o sentimento, espere passar e o desarme, dizendo "Hoje, sinto ansiedade pelo que outras pessoas pensam". Depois, mude a energia, endireitando os ombros e a coluna. Aceite, respire, energize-se...

- **CURIOSIDADE.** Sempre considere a fonte do julgamento, assim como o julgamento em si. A pessoa está só projetando conselhos que deveria dar para si mesma? É um pensador rígido compulsivo, dando uma opinião que reforça só o próprio ponto de vista? Mostre curiosidade em relação à origem das ideias e ao valor de ouvi-las. Teste as opiniões com seu sistema de orientação interior. Esse comentário faz sentido para minha Versão Indomável? Alinha-se com meus valores? Se não, ignore.

- **CRITÉRIO.** Minha mãe sempre me dizia que o que falamos é nossa realidade. Ou seja, se fala de problemas, vai ter problemas. A mesma coisa vale para perguntas que fazemos sobre os outros, buscando validação, como "Gostam de mim?" e "Estou seguro?". Essas perguntas imediatamente nos encorajam a procurar motivos para refutá-las. O Critério que devemos exercer diariamente é escolher conscientemente fazer perguntas melhores quando queremos *feedback*. Em vez de perguntar "Por que fui amaldiçoado por esse trabalho de merda?", pergunte "O que posso aprender com este trabalho para trabalhar melhor no futuro?". Se falamos só de problemas e fazemos perguntas que nos fazem procurar mais problemas, só sobram problemas na nossa vida. Se falamos de solução e fazemos perguntas que nos levam a descobrir mais soluções, a vida é mais prática e esperançosa.

- **COMPROMISSO.** Autocompaixão é a cura do MOA. Quem se trata com gentileza é menos afetado por comentários negativos. Mantém a firmeza do tronco interior, porque aprendeu a capacidade de autovalorização e gentileza. Se sua mente se agarra como cola a críticas e guarda julgamentos alheios no balde de insegurança inconsciente, comprometa-se com furar o balde e deixar as inseguranças escoarem. Seja sua própria torcida, sua própria amiga encorajadora – imagine sua Versão Indomável correndo livre, gritando verdades positivas. Algumas das minhas são:

– Poppy, você está fazendo o que é melhor para si agora!
– Poppy, você disse a coisa certa!
– Poppy, você vai arrasar! Já fez isso antes!

Uso esse ponto de vista meio esquisito em terceira pessoa porque já provou ser motivador. Pesquisadores de Michigan[74] constataram que falar consigo em terceira pessoa funciona de modo semelhante à Perspectiva de Amigo. Você ganha um grau de separação, o que faz seu cérebro achar que está encorajando outra pessoa, ativando nosso superpoder altruísta.

Então, assim que ouvir a opinião de outra pessoa, convide sua torcida ao palco mental e abafe os *trolls* na plateia.

Já ouvimos muito de "VAI NA SUA, GATA". Gostaria de editar um pouco, "*CONHECE* A SUA, GATA"; não deixe nenhum babaquinha dizer que você não se conhece. Conheça bem sua versão verdadeira (Indomável), e suas opiniões serão claras e genuínas. Ao ser autêntico e firme, você dá permissão para outras pessoas também o serem. Comece o efeito dominó. Se você se conhecer, tiver clareza quanto a seus valores e mostrar compaixão para consigo, o MOA se dissolve; e você vai reagir a todo julgamento e crítica assim: 👹.

---

[74] MOSER, Jason S. et al. "Third-Person Self-Talk Facilitates Emotion Regulation Without Engaging Cognitive Control: Converging Evidence from ERP and fMRI". *Scientific Reports*, v. 7, n. 1, 2017. Disponível em: DOI: 10.1038/s41598-017-04047-3. Acessado em: 21 maio 2022.

VOCÊ É SUFICIENTE
Então por que se comparar?

Quando encontrei a então primeira-ministra do Reino Unido, Theresa May, para receber um prêmio do Parlamento Britânico devido ao meu trabalho com saúde mental na Inglaterra, passei o dia tremendo de síndrome do impostor. *Quem sou eu para ganhar um prêmio desses? Não fiz o suficiente.* Minha crítica interior escrota Regina me provocava com pesadelos, com a PM May dizendo:

– Pensando bem, você não merece esse prêmio.

Meu medo de ser descoberta como fraude/síndrome do impostor (SI) é uma das minhas maiores ansiedades, e parte enorme da minha jornada. Devorei *The Imposter Cure: How to Stop Feeling Like a Fraud and Escape the Mind-Trap of Imposter Syndrome*,[75] da psicóloga Jessamy Hibberd, PhD. Como ela me disse: "Sempre que se importa com o que faz, mas ainda não tem certeza de como será, é natural sentir certo desconforto. Impostores interpretam mal esse desconforto. Pensam: *Ai, meu Deus, não vou dar conta. Não vou conseguir. Se fosse confiante, não sentiria isso.* Não notam que é completamente natural sentir incerteza e que é preciso apenas seguir em frente mesmo assim".

De acordo com uma pesquisa recente, setenta por cento das pessoas têm síndrome do impostor em certo momento.[76] Faça o teste a seguir para ver se isso também afeta você. É baseado na Escala de Fenômeno de Impostura,[77] criada pelas dras. Pauline Rose Clance e Suzanne Imes, as psicólogas que identificaram a condição nos anos 1980.

Teste: você tem síndrome do impostor?

Dê uma nota de 1 a 5 para cada declaração, 1 significando "Meu Deus, de jeito nenhum" e 5, "porra, o tempo todo".

---

[75] *A cura do impostor: como parar de se sentir uma fraude e escapar da armadilha mental da síndrome do impostor*, em tradução livre. (N.E.)

[76] SAKULKU, J. et al. "The Impostor Phenomenon". *International Journal of Behavioral Science*, v. 6, n. 1, 2011, p. 73-92.

[77] CLANCE, Pauline Rose. *The Impostor Phenomenon: When Success Makes You Feel Like a Fake*. Nova York: Bantam, 1985.

1. Antes de uma prova, tenho certeza que vou zerar, mas normalmente acabo indo até bem. ① ② ③ ④ ⑤
2. Para outras pessoas, eu pareço muito mais competente do que sou. ① ② ③ ④ ⑤
3. Elogios são horríveis! Tenho certeza de que nunca merecerei de novo. ① ② ③ ④ ⑤
4. Se consegui qualquer coisa, é só porque tive sorte. ① ② ③ ④ ⑤
5. Estou só esperando o dia em que meu chefe, meus amigos e meu parceiro notarem que não sou tão impressionante quanto eles acham que sou. ① ② ③ ④ ⑤
6. Lembro todos os detalhes dos meus erros. Minhas vitórias são meio difusas. ① ② ③ ④ ⑤
7. Qualquer que seja minha conquista, sei que poderia ter sido melhor. ① ② ③ ④ ⑤
8. Começo todo projeto com a expectativa de ser pior do que o anterior. ① ② ③ ④ ⑤
9. Quando olho para meus colegas e semelhantes, eu me comparo de modo desfavorável, mesmo em casos em que um observador objetivo me acharia mais bem-sucedido. ① ② ③ ④ ⑤
10. Por mais que duvide das minhas habilidades e desprezo qualquer reconhecimento, me sinto horrível se não vencer em nenhum tipo de competição. ① ② ③ ④ ⑤

AVALIAÇÃO
20 ou menos: você está entre os trinta por cento que NÃO se acham uma fraude.
21 a 30: você tem um caso moderado.
31 a 40: sua SI interfere em sua vida e seus pensamentos.
41 a 50: SI plena, em alta frequência e intensidade, esmagando sua confiança todo dia.

"Impostores têm duas regras", explicou a dra. Hibberd. "Quando se saem bem, é por circunstâncias externas, como sorte. Contudo, se alguma coisa der errado, foi um fracasso pessoal e completamente culpa deles. Eles não conseguem aceitar o sucesso. Estão constantemente vendo os defeitos e não acreditam serem suficientes. Há um intervalo entre o que fazem e como se veem."

Isso pode acontecer com qualquer pessoa. Qualquer. Pessoa. Até as mais improváveis. Vi provas ao vivo e a cores quando fui à festa do Oscar da *Vanity Fair*, em 2017. Eu não ACREDITAVA que tinha sido convidada, graças à minha amiga Krista, editora da revista na região da Costa Oeste, que me acolhera como uma mãe em Los Angeles ao ver que minha personalidade de Calamity Jane precisava de certa orientação. Eu me senti a Cinderela no baile.

Entrei e, *puta que pariu*, TODO MUNDO era ainda mais lindo do que nas fotos. Queda imediata de confiança. Quando sinto ansiedade social, tenho o hábito de procurar a comida e mastigar o que encontrar. Naquela situação, encontrei um hambúrguer do In-N-Out com cebola em pão cheio de molho e o devorei como se não comesse havia semanas. (P.S.: nenhuma bala de hortelã é forte o bastante para disfarçar o bafo daquela cebola frita.) Ao acabar, notei que nenhum dos outros convidados tinha encostado na comida.

Puta que pariu.

Só eu tinha mergulhado de cara no bufê, fedendo a cebola e sujando o vestido de ketchup. Excelente. Meu medo de ser insuficiente naquela multidão já era horrível, mesmo sem o bafo de hambúrguer. Decidi que a melhor opção seria me agarrar à parede e ver a festa de longe. Enquanto admirava o salão, furiosamente chupando balas, tive um momento de constatação impressionante. Aquelas pessoas lindas, ricas e famosas pareciam também sofrer de tremenda insegurança, *igualzinho a mim*. Estavam andando em círculos ansiosos, procurando alguém com quem conversar. Ajustavam o vestido com nervosismo e conferiam o bafo discretamente. Falavam alto demais, rápido demais, exatamente como eu fazia para compensar. Todo mundo estava nervoso naquela festa, sentindo-se menor se comparado à estrela mais famosa.

Conheço muitas mulheres que são convencionalmente espetaculares e ganham bastante dinheiro com base na aparência, e já as ouvi dizer "Estou horrorosa". Por sua vez, tenho amigas que não penteiam o cabelo por semanas, não ligam para maquiagem e entram em qualquer sala como se fossem a coisa mais gostosa do cardápio. Mas, admito, essa não é a norma.

Infelizmente, a norma é sentir-se inadequado, olhar só para o que está errado com a gente e se comparar constantemente com outras pessoas, de modo desfavorável.

Dra. Hibberd falou que impostores precisam assumir e internalizar os sucessos. "Não é arrogância nem ego inflado", explicou. "É ver o panorama geral da vida, aceitando as coisas boas que acontecem e seu papel central nelas, em vez de desprezá-las." Comecei a registrar comentários positivos (que recebo pessoalmente ou na internet) em um "canto dos elogios" no celular, que leio com frequência, comemoro e agradeço. Em vez de ignorar elogios, eu me esforço para tentar recebê-los como presentes, com um "obrigada" sincero. É um desafio aprender a ACREDITAR neles; pouco a pouco, mais valorização leva a menos dúvida! Energeticamente, quando nos comemoramos, fica mais fácil emitir vibrações de alta frequência, que outras pessoas aproveitam ao nosso redor. Todo mundo sai ganhando. Você é uma pessoa de alta vibração que pode animar ainda mais os outros, comemorar seus feitos e admirar a si próprio. É altruísta! Um truque que faço é me dar parabéns por completar tarefas totalmente cotidianas, como faxina! Arrumo o apartamento e penso "É ISSO AÍ, POPPY!". Encha as menores coisas de confiança, e as coisas maiores irão se encaixar!

Um grande fator que influencia nosso medo de insuficiência é terceirizar uma métrica para determinar a "suficiência". A vida ficou muito mais confusa com o lado digital. Nossa noção de valor próprio ficou mais vulnerável a se tornar questão numérica. Não preciso nem dizer que não devemos igualar nosso valor pessoal com métricas, como *likes* no Instagram ou o saldo no banco; isso não tem nada a ver com quem somos como pessoas. No entanto, recentemente, algumas pessoas passaram a achar mais fácil comparar números do que nuances de personalidade, e isso precisa do FLEX.

O medo de ficar por fora é parte do medo de insuficiência. Podemos ver fotos de gente bonita com coroa de flores e biquíni de franja em um festival de música e nos convencer de que todo mundo está se divertindo mais e transando mais do que a gente. Uma amiga minha disse que passou dias pesquisando voos e hospedagem para o festival Burning Man. Achei estranho, já que ela é o tipo de mulher que prefere andar vinte quadras a pegar o metrô porque odeia gente e sujeira... mas as fotos sedutoras no Instagram bastaram para ela acreditar que ia #amar o Burn. Ainda não ouvi detalhes da viagem, mas, considerando que ela se organizou para voltar de avião depois de um dia, imagino que não foi boa.

Antigamente, comparação era útil. Ajudava a moldar nossos desejos. No entanto, nosso mundo fez a comparação tomar bomba, comparando *looks* do dia, torradas com abacate, bananeiras na ioga e cartões de Natal. Sabota nossa confiança em qualquer coisinha que possa nos dar orgulho e alegria.

Todo sabemos que o Facebook é muito selecionado e que as pessoas não se divertem tanto quanto parecem lá. No entanto, não estamos só nos comparando com a Lucy da vizinhança; também começamos a nos comparar com modelos de lingerie que "comem" pizza sem parar no Snapchat. *Elas* podem comer lactose e carboidrato e ficar assim! *Qual é meu problema?* De acordo com um estudo recente com 117 pessoas de dezoito a 29 anos, se comparar com outras pessoas no Instagram tem conexão com depressão. E quanto mais desconhecidos temos para nos comparar, pior nos sentimos.[78] Não deveria se chamar Instagram. Deveria ser Comparagram.

Em uma entrevista, Lizzo falou: "Não acho que se amar é uma escolha. Acho que é uma decisão que deve ser tomada pela sobrevivência; no meu caso, foi isso. Poder me amar foi resultado de responder a duas coisas: você quer viver? Porque você vai ser assim pelo resto da vida. Ou vai viver uma vida vazia, de ódio e desprezo? E eu escolhi viver, então me aceito". Eu admiro a autocompaixão dela, e o fato de fazer o Lobo do Medo passar fome. Com amor-próprio, ela passou de qualquer comparação e entrou em sua própria classe.

O único jeito de ganhar confiança e se sentir "suficiente" é por meio da autoaceitação e da expressão, sendo maravilhosa e integralmente quem somos.

---

78 LUP, Katerina et al. "Instagram #instasad?: Exploring Associations Among Instagram Use, Depressive Symptoms, Negative Social Comparison, and Strangers Followed". *Cyberpsychology, Behavior, and Social Networking*, v. 18, n. 5, 2015, p. 247-252. Disponível em: DOI: 10.1089/cyber.2014.0560. Acessado em: 23 maio 2022.

Flexercício: "sou insuficiente" a "sou um tipo único de deusa"

Polly Bateman já trabalhou com dezenas de pessoas que têm dificuldade de sentir-se suficientes, e ela adverte contra afirmações positivas como "Sou sensacional!" e "Sou fantástico!". "Algumas afirmações positivas são como dourar bosta", disse ela. "A não ser que as aceitemos, sabemos que estamos mentindo para nós mesmos."

A ciência confirma esse fato. Como vim a aprender, de acordo com um estudo de 2009 conduzido por pesquisadores da Universidade de Waterloo, em Ontario, Canadá, declarações positivas como "Sou amável" podem fazer pessoas confiantes sentirem-se melhor. Mas, e pessoas inseguras? Pode piorar a insegurança, caso o cérebro ache que estamos soltando besteiras completas. É difícil afirmar o que não se acredita.

Bateman sugere que, em vez de dizer "Eu sou uma DEUSA!" se ainda não estiver acreditando nisso (um dia acreditará), experimente dizer "Sou razoável e estou de boa com isso".

Ou diga: "Estou aprendendo a aceitar que sou um tipo único de deusa". Nossa mente inconsciente tem muito mais chance de absorver e se alongar para acomodar um ideal atingível, então escreva afirmações e mantras que soem naturais e impactantes para si. Adoro me lembrar que sentir insegurança é HUMANO. Até deusas da Terra sentem isso. Só se lembre de aceitar e envolver em energia de alta vibração por meio de movimento ou respiração, ou seja, o Passo #1: dance, pule, caminhe, rebole ou se concentre na respiração. A respiração é sempre nossa amiga quanto a mudar o que sentimos.

Seres humanos nascem sem medo, e rapidamente aprendemos medos por meio do condicionamento e ao absorver mensagens defeituosas na tentativa de entender o mundo e criar nosso autoconceito.

Para superar o medo, podemos alongar a mente usando as técnicas Flex a fim de questionar e mudar as respostas automáticas.

Ao adaptar uma nova perspectiva, podemos enxergar momentos de medo como oportunidades de crescimento para nos tornar mais acolhedores e confiantes e desenvolver nossa confiança na capacidade de lidar com tudo o que a vida trouxer. Só melhoramos no enfrentamento do medo se o encararmos com frequência.

Com uma perspectiva de crescimento e busca de dádivas.

Fracasso vira aprendizado.

Medo de desfechos ruins abre a porta para o mistério glorioso da vida.

Rejeição dá informações inestimáveis e nos redireciona de maneira positiva.

Julgamento alheio nos ensina o que valorizar.

Sensação de insuficiência nos dá a maior oportunidade de aprender o poder da compaixão e da gratidão.

Da próxima vez que o medo dominar, lembre um conselho que meu mentor e amigo Adam Robinson, educador, autor, campeão de xadrez e fundador da *Princeton Review*, me disse: "Só há dois lugares em que sua atenção pode estar. Na tarefa à mão ou na pessoa na sua frente". Nosso cérebro não pode estar em dois lugares ao mesmo tempo; então, quando a atenção estiver na pessoa à nossa frente, não sentimos nosso próprio medo. Ao sair da nossa cabeça e redirecionar o foco, nós nos libertamos do medo. Com a liberdade, vem a confiança de ajudar alguém a lidar com o medo. Quando damos passos para construir nossa confiança, nós a compartilhamos sem esforço. Nós nos tornamos contagiosos de um jeito positivo ☺.

> *"É impossível ter estilo sem confiança, entende?"*
> *Jane Birkin*

"Escolho tornar o restante da minha vida o melhor da minha vida."

Louise Hay

capítulo doze

FUTURO FL€X

Deixei o tema mais pesado para o fim: o futuro. Lá estão nossos desejos, nossas esperanças e nossos sonhos, mas também nossos medos. Nossas aspirações e ansiedades são como gêmeas no portão do futuro, uma nos chamando e outra nos afastando. Qual devemos ouvir? Alguns veem o futuro como um lugar sombrio e desconhecido, como uma floresta distante em que somos obrigados a adentrar.

No entanto, com o Flex, podemos mudar nossa compreensão da floresta que nos aguarda. Atualizando o viés, notamos coisas novas no trajeto, como pássaros, flores, riachos, oportunidades e aventuras (em vez de só procurar armadilhas e caminhos traiçoeiros). A floresta continua igual, mas, com novas perspectivas, parece outro mundo.

Já que o Flex é um trabalho sempre em progresso, tenho que ficar *muito* concentrada nele. Sem intervenção e treino constante, a programação antiga sempre tentará me puxar de volta à ansiedade.

Aonde quer que eu vá, o que quer que faça, sei que tenho as ferramentas do Flex para avançar. A energia que dou agora neste momento presente, as sementes que planto, são o que colherei no futuro. O futuro é só consequência do que decidimos agora; então, se eu conscientemente plantar girassóis, é muito mais provável colhê-los.

Parece simples demais, né?! Mas nosso cérebro só nos dá duas escolhas/ estações. Andar com medo, ouvindo FERROU FM, "Estou em perigo e o futuro é assustador!", ou se entregar ao amor e ouvir RLX FM, "Estou em segurança e tudo está se desenrolando para meu bem maior". A não ser que determinemos a intenção de plantar as flores agora, sem nem notar, o viés negativo vai dominar e, sem intenção, acabaremos colhendo um monte de matinho tosco e nos perguntando "por que nada nunca sai do meu jeito". Mas isso não vai acontecer. Agora temos o talento da consciência; então, juntos, vamos nos ajudar no compromisso da escolha do amor em vez do medo e a tomar decisões que transformam futuros enevoados em aventuras fabulosas. Topa?

TODAS AS POSSIBILIDADES
São mesmo infinitas

Uma das minhas Inspirações Flex é Lori Gottlieb, PhD. No livro *Talvez você deva conversar com alguém: uma terapeuta, o terapeuta dela e a vida de todos nós*, ela escreveu a respeito de enfrentar o futuro tomando as rédeas do presente: "Incerteza, comecei a notar, não é a perda de esperança. É a possibilidade. Não sei o que acontecerá a seguir... que potencial emocionante!".

Uma reestruturação radical disponível para todos nós é escolher aceitar o desconhecido como *emocionante*. "Tendemos a acreditar que o futuro acontece depois, mas nós o criamos mentalmente todo dia", disse ela. "Quando o presente desmorona, o futuro associado a ele, também. E ter o futuro tirado de nós é a maior reviravolta."

É um grande desafio, porque o cérebro humano é OBCECADO por certeza. Uma conclusão previsível inunda nossa mente, que ama completude, com o equivalente hormonal a chocolate quente. É quentinho e doce saber o que vai acontecer. Valorizamos certeza cada vez mais, pois o mundo muda rapidamente ao nosso redor, o que pode nos gerar insegurança.

Enquanto crescia, meus professores e mentores me recomendaram escrever um plano para o futuro – "Aos trinta anos, estarei casada e terei um filho, uma primeira casa própria e um carro" –, essencialmente meu próprio enredo previsível com um final confortável. Esse tipo de "futuro" leva o pensamento rígido à máxima conclusão: viver no condicionamento infantil e cultural, combinar o padrão do passado no piloto automático, bloquear novos caminhos de pensamento e ser guiado por medo.

Planos de cinco anos, portanto, rapidamente podem virar exercícios fúteis, não flexíveis. Nunca funcionam exatamente como esperamos porque a vida não é previsível como pensadores rígidos imaginam que seja. Ao criar expectativas fixas e tentar concretizá-las de maneira rígida e inflexível, causamos dor e decepção desnecessários a nós mesmos porque nos impedimos de acessar caminhos divergentes que poderiam levar a mais alegria e aprendizado do que planejamos. Se as #metas talhadas em pedra são desviadas, pensadores rígidos (como eu antes do Flex) têm o hábito de se culpar e imediatamente supor que são fracassos ou fraudes só por não atingirem a linha de chegada inventada.

Um futuro Flex tem metas e planos, mas nada de final previsível e projetado. Não é trancado na gaiola nem enfiado em um túnel estreito porque é "o que conhecemos" ou "o que queremos a qualquer custo". Não define um destino final (carreira, casamento, filhos, casa, carro), nem tenta alcançar objetivos materiais. O verdadeiro propósito do Futuro é o processo: flexibilizar nossa visão de objetivos. O que queremos e necessitamos mesmo para nos sentir felizes, seguros, amados e suficientes? Ao *redefinir objetivos*, abandonando perspectivas fixas e nos concentrando em ser nossa versão mais genuína, flexível e indomável, podemos criar com o Flex um futuro emocionante e inesperado (melhor do que seríamos capazes de imaginar).

Para deixar claro: Flex não é uma receita para a "boa vida" convencional, mas um método e uma estrutura para nos ajudar a aproveitar a vida ao máximo, com enorme abertura e olhos treinados para enxergar magia. Um futuro flexível é saber que há inúmeras formas de nos tornarmos a personificação viva dos valores escolhidos, nosso propósito completamente individual.

Honestamente, tendo a opção entre um futuro rígido e um futuro flexível, não imagino que alguém queira ficar limitado e rígido em uma MEIA vida de dúvida e medo, com medo de não conseguir o que acha que "quer". Há tanta alegria, paz e aventura a sentir se nos conectarmos com o corpo, alongarmos a mente e vivermos uma vida INTEIRA, nos mexendo e curvando de acordo com o que surge.

Preocupações sempre vêm e vão, é claro. Morte é o fim de toda história. Mas o que fazemos com o que acontece antes é escolha nossa.

FAZENDO O FUTURO ACONTECER

Sempre fui boa em "fazer acontecer", isto é, #manifestar, mas ser uma empreendedora em série é diferente de conscientemente criar uma vida alinhada com valores e verdadeiros desejos.

Já vi pessoas tentarem manifestar, digamos, desejo por um carro de luxo, só porque, em certo nível, acreditam que tê-lo as fará sentir-se "socialmente aprovadas". Carro rápido = "sucesso" e "vão gostar de mim", como eu acreditava, equivocadamente, que manifestar perfeição poderia me validar. No entanto, se seu objetivo é aprovação para ganhar um senso de pertencimento e segurança, por que não manifestar a raiz do desejo: autoaceitação? Se você se aceitar, um traço que é muito magnético para outras pessoas, não há acessório necessário para criar pertencimento, a sensação profunda de paz e segurança em quem se é. O Flex corta a "coisa" besta – o carro, o preço caro da gasolina e a pressão que vem junto – para chegar ao que você *realmente* quer, que suas necessidades emocionais sejam supridas.

> *"Somos todos crianças em busca de amor."*
> *Leonard Nimoy*

Não quer dizer que é errado querer um carro. Não há feiura inerente no desejo, a não ser que a questão seja o ego, e mesmo assim, não é feio em si (todo mundo tem certo grau de ego!), só é provável que continue a se sentir vazio. O conselheiro espiritual Michael B. Beckwith disse que "verdadeira manifestação" é desejar ser uma versão melhor de si mesmo, em vez de desejar coisas para preencher um apetite que nunca se satisfará. Ele acredita que o maior "desejo verdadeiro" que podemos ter é ser a expressão mais complexa de nós mesmos, a que mais aceita nossa integridade. Até abandonarmos o condicionamento aprendido pela sociedade e pela família, disse, "sempre desejaremos a partir de um lugar imaturo".

A disciplina de misticismo judaico Cabala descreve um desejo como puro se for pelo bem maior, para que muitos se beneficiem junto com você. Por exemplo, quando minha amiga fala de querer um aumento para pagar a mensalidade da faculdade dos filhos, é um desejo altruísta, uma energia de alta vibração, um desejo puro. Ela deseja para além de si. Eu desejo ganhar dinheiro para pagar melhor meus funcionários e deixá-los mais confortáveis, ajudar meus pais, ser generosa com meus amigos, apoiar caridades e causas, e aproveitar certos confortos que depois compartilharei com outras pessoas. Quando o desejo se trata de alegria e celebração para nós e outros, a sensação é melhor e mais aberta do que quando é motivado pela fome de status para provar valor. Com o Flex, podemos alongar a mente para desejar valor intrínseco, não valor atribuído a acúmulo.

Nossa alma não se importa com dinheiro, mas com amor e pertencimento. Se manifestarmos "mais dinheiro" em vez de "mais amor", podemos ser promovidos, mas acabar estragando nosso relacionamento. E aí, onde vamos parar? O psicólogo de negócios Douglas LaBier, PhD, escreveu na *Psychology Today*: "Nossa segurança, sucesso e bem-estar agora exige reforçar valores e comportamentos comunitários; trabalhar para atingir objetivos comuns, bem comum. Agir *apenas* em interesse próprio, especialmente em busca de poder pessoal, avanço regular na carreira e dinheiro... bom, não é um jeito sustentável de viver. Mesmo se 'funcionar', deixa um vazio que as pessoas querem preencher, sem saber como."[79]

O que constatei na minha própria vida é que #fazeracontecer sem consciência era só manifestar #merda e me deixava péssima.

Mais do que nunca, o Flex me ajudou a virar a página dessa situação, e meu interesse é criar um futuro que faça minha alma cantar, meu coração cantar e ajude o bem maior. MAS só fui capaz de começar a criar a alma após fazer o esforço de conhecer minha alma para começo de conversa. Autoconsciência exige esforço. Há uma famosa frase da antiga filosofia grega que diz: "Conhece-te a ti mesmo". E outra que diz o seguinte: "Conhecer-se é o início de toda sabedoria". Como podemos criar uma vida que amamos se não sabemos quem somos, para começo de conversa?

---

79 LABIER, Douglas. "To 'Win the Future', We Need to Redefine 'Success' In Work and Life". *Psychology Today*, 5 fev. 2011.

Flexercício: conhece-te a ti mesmo

Como Lori Gottlieb escreveu, "Parte de se conhecer é se desconhecer – abandonar as histórias limitadas que contou para si sobre quem é para não se deixar prender por elas, para viver sua vida e não a história que se conta de sua vida". Então, para se conhecer de verdade, conhecer seus valores e desejos, e criar o futuro que quer, comece com essas perguntas:

1. Quais são cinco coisas que põem um sorriso no seu rosto em qualquer circunstância?
2. Se pudesse mudar uma só coisa na sua vida, o que seria?
3. Na sua vida, o que é mais importante para você?
4. Quais são suas maiores forças?
5. O que acredita ser possível na sua vida?
6. De que conquista mais tem orgulho?
7. Quando tem tempo livre, o que gosta de fazer para se divertir?
8. Como é um dia perfeito para você?
9. Quando foi a última vez que você se sentiu realmente feliz? Onde estava? Com quem? Fazendo o quê?
10. O que faz você sentir animação de manhã?
11. Se tivesse mais tempo, com quem gostaria de passá-lo?
12. O que você não cansa de aprender?
13. Se pudesse mudar qualquer coisa na forma como foi criado, o que mudaria?
14. Há algo que sonha em fazer há muito tempo? Por que não fez?
15. Aprendemos com erros, mas muitas vezes temos medo de cometê-los. Como isso se manifesta para você?
16. Se alegria fosse a moeda nacional, que tipo de trabalho deixaria você rico?
17. Alguma coisa que chateou você alguns anos atrás ainda é importante? O que mudou?
18. Quão diferente seria sua vida se não houvesse crítica no mundo?

19. Que lições aprendeu do jeito mais difícil?
20. Com que frequência seus maiores medos e preocupações se concretizam?
21. Como você se descreve?
22. Qual é a qualidade mais importante que procura em outra pessoa?
23. Se pudesse dizer uma coisa a quem era quando mais novo, o que diria?
24. Quem você admira e por quê?
25. Em uma palavra, qual é o obstáculo entre você e seu maior objetivo?

Suas respostas estão cheias de sabedoria. Só você pode dizer o que *realmente quer* para o futuro. Temas repetidos surgiram? Qual é a diferença do seu dia perfeito e do seu cotidiano? Você repara algum viés negativo ou alguma crença falha com base em evidência zero? Que conselho pode encontrar e pôr em prática? Que mudanças pode fazer no presente com base nessas respostas?

DETERMINE INTENÇÕES
Projete seu futuro

Como Krishnamurti, o Buda, Oprah, Deepak Chopra, Maya Angelou, Polly Bateman e milhares de outros pensadores flexíveis disseram de uma variedade de formas, "Nomeie para assumir". Quando determinamos intenções, em vez de planos fixos, nomeamos o que gostaríamos de viver e quem gostaríamos de ser dentro da nossa cabeça.

Quando conversei com minha mãe a respeito disso, ela falou que o maior problema que encontra nos clientes é que eles tendem a se concentrar *no que não querem*. Recentemente, uma cliente listou os desejos para o futuro começando com "Não quero ser ansiosa", "Não quero ser pobre" e depois "Não quero que meu ex-marido continue a ser tão difícil". Dizem que o seu foco ganha volume, e é verdade neste caso. Tudo o que essa cliente fazia era mandar o cérebro "assumir" ex-marido difícil, ansiedade e pobreza. Ao dedicar pensamentos ao que estamos tentando nos *afastar*, só acabamos fortalecendo as conexões neurológicas e o viés de confirmação que nos faz nos *aproximar* daquilo.

Michael B. Beckwith descreveu pensamentos como "unidades de energia mental que se transformam em comportamento e experiência". Novas pesquisas,[80] vindas do Canadá, demonstram isso. Cientistas descobriram que temos mais de 6 mil "vermes mentais" diários, que começam em um lugar e continuam até uma conclusão. Se pudermos nos concentrar e direcionar os vermes para a flexibilidade sobre nosso futuro, é exatamente aonde queremos ir.

Para projetar seu futuro...

Determine objetivos e valores. Se não apontar o sentido da sua prancha, ela vai ficar parada ou ser carregada pela maré, indo na direção que outras pessoas escolheram. Uma leve mudança de sentido pode mudar completamente o destino: imagine o que acontece se um avião virar dois graus a oeste; a menor mudança pode transformar completamente o trajeto e a aterrissagem. É fundamental termos objetivos amplos, MAS não é questão de determinar objetivos numéricos como salário, patrimônio, quantidade de filhos ou carros, idade de casar, metros quadrados da casa, essas coisas de "plano de cinco anos". É o oposto de determinar "pensamentos quantitativos" que enrijecem o futuro; a questão é determinar objetivos qualitativos, ligados a valores. Sensação vem antes da manifestação, então a *coach* Ambi Kavanagh encoraja o uso do tempo verbal presente para ajudar você a começar a *sentir* como seria o futuro agora. Por que esperar amanhã para elevar a vibração, sentir ser a pessoa que quer se tornar? Ao fazê-lo, você saberá o que procurar. Este trabalho pode cansar rápido, por exigir atenção, e normalmente preferimos viver inconscientemente.

Eis alguns exemplos de objetivos qualitativos:

- **Carreira:** "Tenho um emprego que me satisfaz criativamente. Acordo animado para ir trabalhar. Encontro pessoas inteligentes e solidárias que encorajam o melhor de mim. Sinto reforço positivo do meu salário e respeito dos colegas e chefes. No fim do dia, trago para casa a satisfação emocional, o que beneficia minha família." (O pensamento quantitativo: "Quero um trabalho que me dê uma grana do caralho.")

---

80 TSENG, J.; POPPENK, J. "Brain Meta-state Transitions Demarcate Thoughts Across Task Contexts Exposing the Mental Noise of Trait Neuroticism". *Nature Communications*, n. 11, 2020. Disponível em: DOI: 10.1101/576298. Acessado em: 23 maio 2022.

- **Relacionamento:** "Estou em um relacionamento apaixonado, carinhoso, leal, expansivo e honesto. Nós nos animamos e priorizamos a relação. Nós nos desafiamos a alongar e crescer." (O pensamento quantitativo: "Quero me casar antes dos trinta e ter três filhos.")

- **Personalidade:** "Vivo a vida que ilumina minha alma e me dá ânimo para levantar de manhã. Sinto alegria, celebração, gratidão e gentileza todo dia e tenho muito tempo e liberdade para explorar, aprender e crescer, além de fazer tanta coisa boa com gente que amo." (O pensamento quantitativo: "Tenho um milhão no banco e posso fazer o que quiser.")

Determine intenções emocionais. Como David Hawkins esclareceu na Escala de Consciência, quando sentimos emoções como paz, aceitação e amor, vibramos em uma frequência mais alta. Tente dizer afirmações como: "Sinto paz, sinto amor, eu me aceito mais todo dia e me animo para o que vem por aí". Nossa psicologia impacta a biologia e, quando sentimos essas emoções mais leves, podemos começar a alterar a realidade. É mais fácil conseguir as "conquistas" (tipo uma promoção ou uma família) que o ego pode querer quando vivemos em vibração mais alta. Ao nos concentrarmos em elevar a emoção, isso se torna um pequeno atalho para manifestar o resto. Outro motivo para o Flex ser chave na construção de futuros brilhantes: a estrutura se concentra em passar você para estados emocionais mais elevados, com mais energia para atingir os desejos do coração da forma mais flexível possível.

Ao nos concentrarmos em projetar uma vida com base em emoções de alta frequência, também nos afastamos de restrições rígidas e nos liberamos para ver muitas possibilidades que podem ser diferentes do que originalmente acreditamos querer, mas que são ainda melhores. Quando o objetivo é mais amor e aceitação, é engraçado como o caminho já parece muito mais claro e menos grudento!

Determine ação positiva. Pesquisas mostram que há exercícios que podemos fazer para treinar o cérebro a fim de identificar oportunidades suculentas que nos levam na direção que desejamos. Os exercícios não são nada tilelê, limpeza de cristal e bebida com cacau (mesmo que eu adore essas atividades ☺). São exercícios de "rotular valores", ou seja, fazer um quadro de ação. A *coach* executiva Tara Swart, autora de *The Source: The Secrets of* *the Universe, the Science of the Brain*,⁸¹ explicou como funciona. Projetar ativamente um quadro visual de imagens dos tipos de situação em que queremos nos encontrar "marca coisas importantes no inconsciente e filtra informação desnecessária", Swart disse à CNBC. "O cérebro atribui um 'valor' mais alto às imagens no quadro [...] e quanto mais olhar para elas, mais as imagens aumentam em importância."⁸²

Se dissermos ao cérebro o que procurar, temos mais probabilidade de reconhecer quando oportunidades de melhoria de vida surgirem. Se o cérebro *não* estiver preparado pelo método de "rotular valores", estamos mais vulneráveis a deixar o viés negativo dominar e deixamos de notar oportunidades atrativas. Como dito, quando deixamos o viés de confirmação nos manter concentrados em nos afastar das coisas que não queremos, limitamos a capacidade de nos aproximar do que queremos.

"Estamos procurando criar algo que vá inspirar e manifestar em seu futuro por meio de ações, em vez de um mero veículo para sonhos de casas de férias e muito dinheiro", esclareceu Swart. Então não é para babar por #coisas. É usar imagens para inspirar ação, levando você ao caminho de frequências de vibração mais alta, como amor, aceitação e orgulho. Parte do método é terapia de imersão. "Ao olhar repetidas vezes para imagens ligadas aos objetivos, o cérebro não as identifica mais como novidade", disse ela. "O processo reduz a resposta [fisiológica] de medo de novas situações ou pessoas, aumentando a probabilidade de assumir riscos saudáveis, colaborar e aceitar a oportunidade." Por isso, quadros de ação ajudam a reconhecer e capturar oportunidades, já que nos ajudam a reprogramar os vieses aprendidos e criar o que chamo de "viés de futuro", o viés que treina o cérebro a identificar os passos de um futuro mais emocionalmente prazeroso.

Imagens têm poder, assim como a linguagem, como já sabemos. Um diário de gratidão cotidiana também treina a mente a estar em alerta amigável para encontrar as bênçãos da vida e nos manter em um estado de vibração mais alta. Sempre que notamos as coisas boas, impedimos o viés negativo de procurar coisas ruins e aprendemos a ter um viés mais positivo. O exercício do diário de gratidão é tão importante para mim quanto lavar o cabelo. Uso a

---

81 *A fonte: os segredos do universo, a ciência do cérebro*, em tradução livre. (N.E.)

82 SCIPIONI, Jade. "Top Execs Use This Visualization Trick to Achieve Success – Here's Why It Works, According to a Neuroscientist". CNBC, 22 nov. 2019.

etapa de gratidão no app Happy Not Perfect antes de dormir todas as noites. Em vez de deixar minha mente remoer preocupação, imediatamente me concentro em comemorar o dia.

Com quadros de ação e diários de gratidão, podemos ensinar o cérebro a ficar mais alerta a possibilidades de melhoria de vida (dádivas, magia, lições). Quando combinamos essas atividades com flexibilidade diária, tudo muda.

A floresta do futuro oferece muitas trilhas e a verdade é que não importa tanto qual escolhemos, pois todas apresentarão desafios únicos que o Flex pode nos ajudar a encarar. Contudo, ter uma noção clara e ser capaz de visualizar nossos "desejos verdadeiros" e valores ajuda a identificar melhores oportunidades e tomar decisões melhores para garantir que construímos uma jornada de futuro alinhada com nossos desejos únicos. O processo de determinar intenção e o ato físico de escrever, imaginar ou fazer quadros de inspiração cria espaço para considerar antecipadamente, para que, quando a oferta chegar, você saiba a resposta. Vai me levar na direção do futuro que quero ou me afastar dele?

E, é claro, vá em frente e inclua alguns objetos materiais no quadro de ação. E, tudo bem, se anime com alguns confortos físicos gostosos. Como sempre, o cérebro precisa de MMO (maior e melhor oferta) para ter o incentivo de se esforçar e encontrar, para aproveitar oportunidades de crescimento. Se nos recompensarmos e comemorarmos o progresso com biscoitos metafóricos ocasionais, como um carro ou sapatos novos – sabemos que não fazem bem em termos de nutrição da alma, mas temos que admitir que o gosto é uma delícia! –, podemos reforçar prazer e autocuidado. Todo mundo precisa de biscoitos na vida, mas saber que é só biscoito, não uma refeição nutritiva completa, é o segredo! Equilibre construir valores virtuosos com alguns prazeres do mundo físico!

Sejamos sinceros, quando eu estava preocupada com pagar o aluguel, achava muito difícil pensar em projetar o futuro. Então, de olho no futuro, tenha compaixão com sua posição atual.

Como disse Maslow, necessidades básicas devem ser supridas antes de começar a autorrealização. Já houve vezes em que quis trabalhar no quadro de ação, mas literalmente precisava trabalhar até meia-noite para ter dinheiro para pagar o básico. Autocuidado vital, sobreviver e ter um espaço físico seguro é a prioridade central. *Depois*, quando sentir que pode relaxar e ter espaço mental para respirar, envolva-se no trabalho de futuro. Minha amiga que tem dois filhos pequenos espera eles dormirem, faz uma xícara de chá e escreve no diário de gratidão na noite de domingo, quando sabe que mais nada é necessário.

Flexercício: fazendo contato

Todo mês, ou pelo menos algumas vezes por ano, faça esta única pergunta: "Estou no trem para um destino ao qual quero mesmo ir?"

Recebi a ligação de um amigo, líder em sua área do design, enquanto eu trabalhava neste trecho, e eu lhe fiz a pergunta. Ele respondeu:

– Minha carreira não podia estar melhor, mas ando tão triste... Estou doente, meu corpo me manda parar. Preciso sair desse trem! Não aguento mais.

Ele estava vivendo a vida que queria quando mais novo, mas quem ele era naquele momento notou que os "verdadeiros desejos" não estavam sendo satisfeitos. Mudamos, e é por isso que o Flex está sempre em progresso.

Analisar todo mês, ou algumas vezes ao ano, é importante para nos ajuda a atualizar as mudanças dos "verdadeiros desejos". Conforme evoluímos e crescemos, os desejos fazem o mesmo. É fundamentalmente o motivo para planos de cinco anos serem ridículos: porque mudamos! Ao nos envolver regularmente em trabalho de futuro, aumentamos nossa capacidade de refinar o que queremos. Por exemplo, recentemente saí com um cara por um tempinho curto e, mesmo que não tenha dado certo, foi uma experiência ótima para me dizer o que *não* quero em um relacionamento... em só três encontros! Perfeito. Todo "não" que enfrentamos – em relacionamentos, empregos ou amigos – é uma experiência de coletar informação para sermos melhores no Flex no futuro!

"Devemos abandonar a vida que planejamos, para aceitar aquela que nos espera."
Joseph Campbell

LARGAR DE MÃO
Aprenda a se entregar

Quando tiver mostrado claramente ao inconsciente o sentido no qual quer viajar, tudo o que pode fazer é deixar o trajeto se desenrolar, largando de mão qualquer ideia que poderia ter a respeito de *como* vai acontecer. A facilidade de fazer isso tem relação direta com o quão controlador você é. É *muito* fácil gerenciar a vida nos menores detalhes. No entanto, ser controlador não faz o futuro acontecer mais rápido, nem melhor. É como se estressar no trânsito. Bater no volante não faz o carro acelerar.

Projetar o futuro é como fazer um bolo. Oitenta por cento do processo é uma bagunça do cacete. Farinha se espalha pelo chão, manteiga derrete no micro-ondas, a massa fica empelotada. Mas CONFIAMOS que, depois de enfiar no forno, com tempo e calor o suficiente, o bolo vai crescer. E não vai ficar "pronto" mais rápido ou melhor se conferirmos sem parar.

Temos que CONFIAR que, se misturarmos os ingredientes certos na vida – tomando as melhores decisões possíveis com base em intenções e valores, e na informação que temos no momento (como usar o método Flex) –, nossa vida também vai crescer. Só precisamos deixar acontecer e, como diz-se por aí, "o mundo funciona por meios misteriosos". O autor Michael A. Singer chama essa ideia de "entrega". Em *The Surrender Experiment: My Journey into Life's Perfection*,[83] ele escreveu: "Porque tinha me entregado internamente a cada etapa do processo, não ficaram cicatrizes em minha psiquê. Foi como escrever na água – as impressões só ficavam na duração dos acontecimentos".

Quando as coisas se desenrolam de maneira inesperada, porque a vida decide fazer um desvio, a entrega nos libera de ficar sentados ansiosos no banco de trás, irritados e perguntando "Por que isso acontece comigo?". Em vez disso, conseguimos aceitar o retorno, reduzir o estresse e encontrar conforto ao saber que chegaremos quando chegarmos e que desvios só nos levam a melhores lugares no fim. Como Polly Bateman já me disse várias vezes, "Não se envolva demais no COMO".

Visualize a pessoa que quer se tornar, use o Flex nos momentos e decisões complexos, e deixe a jornada se desenrolar. Entrega é uma das habilidades

---

83 *O experimento da entrega: minha jornada à perfeição da vida*, em tradução livre. (N.E.)

mais transformadoras que já aprendi, mas é um desafio contínuo. Muitas vezes preciso repetir o mantra "Eu me entrego, eu me entrego, eu me entrego" quando as coisas ficam meio Pete Tong (é gíria britânica, procura no Google). E aí uso o Flex.

Flexercício: entrega Flex

Recentemente, uma amiga me deu um gelo, e fiquei desesperada tentando pensar no que tinha feito de errado, com medo de tê-la chateado sem notar e adivinhando que nossa amizade estava acabada para sempre. Minhas feridas antigas começaram a pulsar, e Regina me disse: "Talvez ela tenha acordado e decidido que não gostava mais de você. Já era".

O que fazer... além de *usar o Flex* com foco especial na entrega?

- **CONEXÃO**. O que senti? Respirando fundo, falei: "Hoje, me sinto chateada e rejeitada". Reconheci o sentimento e saí para correr e mudar minha energia.

- **CURIOSIDADE**. Por que isso me chateou tanto? Explorei tudo o que podia tê-la feito me dar um gelo, como coisas que eu tivesse dito ou feito acidentalmente. Como ainda não encontrava resposta, comecei a identificar inseguranças antigas ligadas a pessoas não gostarem de mim. Meu cérebro estava usando aquele acontecimento para confirmar medos antigos e crenças centrais antigas de insuficiência. Identifiquei os PNAs que causavam a espiral: paralisia de análise e matemática emocional ruim (agora = sempre). Tinha me metido em um nó pensando no motivo para ela não me ligar, e estava começando a me contar histórias loucas de que ela sempre me detestara em segredo. Ao confrontar meu cérebro narrativo criativo, pude desmontar o enredo.

- **CRITÉRIO**. Podia escolher continuar a alimentar o Lobo do Medo e pensar em mais histórias cruéis a respeito de por que minha amiga não me ligava. Ou podia alimentar o Lobo do Amor, me valorizar e me lembrar de que sei que sou boa amiga e que aquilo ia passar. Com consciência, precisei escolher uma nova narrativa, que não envolvia ficar obcecada pela necessidade de validação externa, e sim me apreciar e me validar internamente.

- **COMPROMISSO.** A oportunidade de crescimento desta situação era clara: praticar desapego. Tinha ligado e mandado mensagem, agora precisava largar de mão o desfecho. Foi uma lição de não tentar controlar o futuro e apreciar o presente. O que eu diria para uma amiga na mesma situação? "Se alguém decidiu te dar um gelo, é decisão da pessoa, pelo motivo que for. Você só pode mostrar amor e se cuidar."

Parei de ligar para ver se ela estava bem. Não estava mais chateada, porque não estava me culpando, nem a culpando. Passei de tentar me agarrar àquela amizade a me concentrar nas pessoas que queriam me ligar. Com o antídoto do medo – entrega e largar o controle de mão –, eu me poupei duas semanas de preocupação à toa. Ela finalmente ligou para pedir desculpas pelo silêncio e dizer que estava passando por um inferno no trabalho (meu cérebro escroto não podia estar mais enganado). Quando ela apareceu, pude me concentrar na recuperação dela de um período de estresse, em vez de acrescentar ao estresse a necessidade de acalmar meu ego ferido. Meu desapego e minha entrega foram bons para nós duas. Abrir mão da necessidade de entender o motivo ou de controlar tudo e nos concentrar em apreciar nossos valores nos poupa de muito, muito, muito estresse!

SUPERAR PERIGOS FUTUROS
Algumas dicas para manter o futuro flexível

Priorize-se. O relacionamento mais importante em um Futuro Flex, sem surpresa, é o que temos conosco. Mas também precisamos nutrir o relacionamento com amigos, família, colegas e parceiros, que podem, sem querer ou saber, reduzir o relacionamento principal.

Ambi Kavanagh me contou uma história de autonegação acidental quando aceitou ir a uma caçada de dia inteiro com o noivo e a família dele. "Eu não queria mesmo ir. No entanto, fui, porque senti que precisava que gostassem de mim. Mas, quando a gente aceita as coisas sem se pronunciar, entrega o poder e vive desalinhado consigo mesmo. E, sempre que isso acontece, o relacionamento também se desalinha. O relacionamento mais importante é o que temos conosco e, para nutrir isso, é preciso valorizar nossas necessidades e desejos, e falar a verdade, mais do que o desejo de agradar os outros."

É claro que todo mundo faz coisas que não está superanimado para fazer em nome da harmonia do relacionamento. Isso é só ser flexível. Algum compromisso é necessário. No entanto, comprometer os valores para "ficar de boa", como muitos de nós aprendemos a priorizar, é autonegação (e um comportamento no qual eu era viciada antes do Flex). Um resultado da consciência intensa que desenvolvemos no Flex é confiar na nossa orientação interior para nos dizer o que sentir. Com isso, podemos nos comunicar aberta e honestamente com as pessoas que povoam nosso futuro. Quando aprendemos a usar o Flex para nos Conectar com nossas emoções, podemos passar a nos conectar com outras pessoas – "entendo" – em nível mais profundo. Quando validamos nosso próprio valor e damos aos nossos sentimentos o respeito que merecem, podemos validar outras pessoas – "estou ouvindo" – com o coração.

Lide melhor com conflito. Três das emoções de frequência mais baixa são vergonha, culpa e raiva, e esses sentimentos regularmente surgem quando estamos em conflito conosco e com outras pessoas. A vibração é muito baixa e tem a capacidade de nos deixar *muito* presos, até por anos e décadas. Então, aprender a lidar com conflitos com Flex é crucial para concretizar nosso potencial total de futuro e avançar com movimento e crescimento. Reestruturar conflito como ferramenta útil para nos ajudar a nos alinhar melhor com valores, vontades e desejos é uma habilidade muito eficiente. "Quando você está aberto a aprender no conflito, aprende novas coisas sobre si e [a outra pessoa]. Essa novidade pode ser útil para manter relacionamentos vivos e em evolução. Não é chato aprender. O que fica chato é quando as pessoas ficam presas em sua cabeça, no seu eu ferido", disse a autora e psicóloga Margaret Paul, PhD.

Ver um conflito (como qualquer desafio na vida) como oportunidade de aprendizado (Passo #4 do Flex) e crescimento foi uma enorme revelação para mim, porque sempre me apeguei à ideia de que todo conflito é ruim. Na infância, meus pais nunca brigavam na nossa frente, então eu tinha poucos exemplos saudáveis de como conflitos podem realmente fortalecer relacionamentos – consigo e com outros – e melhorar as coisas. Temia tanto discussões que preferia suprimir minhas necessidades de falar minha verdade, por medo de o conflito criar separação para sempre. Acreditava que uma discussão resultaria em divórcio imediato ou perda de amizade. Essa supressão se transformava em uma bola de energia pronta para estourar dentro de mim, e eu acabava explodindo como fogo de artifício por causa de outra coisa. Isso era no passado, contudo, quando medo de conflito me mantinha parada no lugar, incapaz de evoluir. Meu futuro, por outro lado, encoraja expressão total e entende que discordâncias podem fornecer informações úteis e um caminho para mais autoconhecimento da parte de todos os envolvidos.

A parte mais importante de qualquer conflito é o caminho para resolvê-lo. O Flex fornece uma estrutura simples para identificar o que realmente está incomodando você internamente antes de lidar com pessoas externas. O psicólogo e autor dr. Raj Persaud me falou: "Você deve ser capaz de resolver a maioria dos conflitos em cinco minutos. Não adianta continuar a discutir depois disso. Faça a pergunta: 'O que preciso fazer ou dizer para este relacionamento funcionar?'. E aí, vocês dois (um casal, amigos, colegas etc.) decidem mutuamente que a discussão só é uma disputa de poder se vocês a transformarem nisso." (*P.S.: não é bom conselho no caso de lidar com um narcisista, ou de estar em um relacionamento tóxico ou abusivo. Não resolva o conflito nem pratique* gaslighting *consigo. Em vez disso, concentre-se no Passo #3 do Flex, usando o Critério para se aproximar do amor por si e se afastar do medo de separação. Conflito pode mostrar que as situações atuais não são ambientes nutritivos para nossa melhor versão futura evoluir. O Passo #4 do Flex pede que você considere como aconselharia um amigo na mesma situação. Usando uma perspectiva em terceira pessoa, mais sabedoria e confiança podem surgir para resolver o conflito, e pode ser necessário ir embora.*)

Reestruture a dor. Dor emocional tem a capacidade de nos derrubar completamente na jornada de futuro e transformar rapidamente a floresta de uma expedição mágica e aventureira em um lugar sombrio e solitário. Em retrospecto, eu me torturava desnecessariamente depois de términos, grandes ou pequenos, e agora vejo como meu pensamento ficou rígido. Eu bloqueava conexão, usava distração e evasão, ligava FERROU FM e não ouvia ninguém, nem começava a demonstrar compaixão. Eu era muito cruel comigo mesma e deixava o cérebro transformar a situação toda em provas concretas de que minhas crenças centrais tóxicas estavam corretas. Minha crítica interior, Regina, gritava: "Viiiiiu?! Você é inútil! Ele só disse o que eu digo sempre!".

O espectro emocional que normalmente se seguia:

Tristeza: *ah, não, outra perda.*
Ódio internalizado: *obviamente sou insuficiente, e não sou nada especial.*
Raiva: *aquele babaca!*
Vergonha: *estou morta de vergonha, abri meu coração e ele não quis saber.*
Medo: *será que vou ficar para sempre solteira e sozinha?*
Decepção: *achei que dessa vez ia ser diferente...*

Aqui, me concentrei na dor do término romântico, mas qualquer forma de rompimento pode nos consumir, como términos dolorosos de amizade. Esse tipo de dor é tão intensa que pode desfazer todo o nosso progresso para ser flexível, firme e controlar nossos pensamentos. Conversei com a psicóloga e guia do app Happy Not Perfect, dra. Sophie Mort, sobre o efeito desestruturado desse tipo de dor e ela explicou: "Quando levamos um fora, o corpo reage como se fosse perigo físico real".

Eu queria saber por que um pé na bunda pode nos arrancar do caminho e nos jogar em Tristezópolis mesmo quando terminamos com alguém que nem namoramos por tanto tempo #umaamigaminhaquersaber. "Quando termina com alguém que não namora há muito tempo, também está terminando com sua imaginação, *a pessoa que achava que aquela pessoa era*", explicou a dra. Mort. "Você ainda não conhece essa pessoa bem, então cria uma fantasia ao redor dela. Nossa imaginação preenche as lacunas com nossos ideais, desejos e vontades, e começamos a projetar o que queremos ver, não o que está lá na realidade. Quando esse tipo de relacionamento acaba, é devastador, porque você perde a *ideia* da pessoa perfeita que criou, e seus sonhos e suas esperanças de futuro se estilhaçam. É muito, muito angustiante."

"Por outro lado, quando namora alguém há mais tempo, já incorporou a pessoa a seu senso de identidade", explicou também. "A outra pessoa pode ter se tornado uma representação mental de quem você é. Por isso, o término é como se parte da sua identidade fosse arrancada. De repente, tem um buraco na sua representação de si, o que faz você se sentir perdido, confuso, muitas vezes incerto de quem é agora e do que o futuro trará. Essa mistura específica de luto, dor física e emocional, *além* de confusão e perda de identidade, pode fazer a gente entrar em parafuso."

Como ela disse: "Ah, ser humano. Uau, que viagem." É, uma viagem mesmo, para dizer o mínimo! *faz cara de apavorada*

Praticar pensamento flexível pode ajudar a reestruturar possíveis dores do futuro e nos tranquilizar no sentido de que não há nada a temer. Quando temos planos para estarmos prontos para tudo, podemos manter certo controle emocional. Ambi Kavanagh orienta pessoas para confiar que, assim como o relacionamento – ou um emprego ruim, ou uma amizade desajeitada – veio à vida por um motivo, também teve um motivo para ir embora. "Para mim, é muito importante confiar que vocês tiveram um papel divino na vida dos dois, para ensinar algo a você e ensinar à outra pessoa também."

Aceitar que alguém NÃO está perdidamente apaixonado por nós, nem é fã do nosso trabalho, nem é um verdadeiro amigo que nos apoia, é libertador.

O que liberta e tranquiliza ainda mais o futuro é aceitar que os sentimentos de alguém por nós não têm nenhum impacto no que sentimos por nós mesmos e no que acontecerá a seguir. "A tendência é fazer o que parece rejeição significar algo negativo a respeito de nós", disse Kavanagh. Ou a tendência é ativar matemática emocional ruim, supondo que *agora* é igual a *sempre*, por exemplo, "Ele não me amou, ninguém vai me amar!". Temos que praticar radicalmente o Passo #3 do Flex e escolher amor, nos apreciar e acolher mudança, sabendo que ela está aqui para nos impelir a um caminho melhor. Os Passos #3 e #4 são excelentes remédios para lidar com o coração partido, já que nos guiam de volta à perspectiva flexível que perdoa e aceita todos os diferentes indivíduos que chegam à nossa vida, sabendo que há sempre um presente nos papéis que desempenhamos na jornada uns dos outros, por mais que seja breve.

Não digo isso levianamente, mas minha Recuperação Flex mudou tudo depois do meu último término. Transformou minha experiência de recuperação de insuportável à matrícula aberta na Faculdade de Mim. Passei todas as manhãs fazendo Flex (por alguns meses – ! –, porque mágoa emocional demora), mas as dores pesadas se foram, e restou um coração ainda mais iluminado e liberado. O Flex tirou meu medo da dor futura, me permitindo viver com o coração aberto agora.

Flexercício: recuperação Flex

Sei que soa estranho, mas acabei concluindo que um pé na bunda é o MAIOR presente. Especialmente se você estiver se sentindo muito, muito quebrado, é uma das poucas oportunidades na vida de ter a motivação para se comprometer com novos hábitos para tratar da dor. Para mim, cada pé na bunda acelerou o crescimento da minha alma, chegando a lugares que eu teria demorado muito mais para atingir sem isso. Eis como transformei meu término em uma revelação.

- **CONEXÃO**. Aceito meus sentimentos mesmo quando doem, deixando as ondas de noventa segundos passarem. Dra. Mort é grande defensora de escrever em diários, que foi outra ferramenta-chave na minha caixa de recuperação. "Ponha essas emoções no papel. Sabemos que escrever por vinte minutos ao dia muda o humor, pois ativa o lado computador do cérebro, e pode melhorar a imunidade", disse ela. Sem negociação, atualizo a conexão com meu corpo pelo movimento. Minha parada é dançar. Quando me mexo, sinto a energia baixa travada no quadril, nos ombros e nas costas se dissipar no ar. Virei fã das aulas de Julianne Hough no Kinrgy, que combinam movimento e toque para liberar o coquetel químico gostoso de ocitocina, serotonina e endorfinas. Só uma música de manhã já faz maravilhas. Caso precise de mais encorajamento para se mexer, foi provado que exercício diário tem o mesmo efeito de uma dose baixa de antidepressivo.[84] Dança e diário são ótimos impulsos de conexão.

- **CURIOSIDADE**. Em vez do hábito de supor que o término foi causado pela minha insuficiência, desafio todas as suposições com as perguntas de Byron Katie. É verdade que sou insuficiente? *É?* Tenho cem por cento de certeza? *Bom, não.* Como reajo a esses pensamentos críticos? *Eu me sinto horrível, com baixa confiança.* Quem eu seria sem esses pensamentos? *Eu poderia me envolver em me liberar do ódio desnecessário e olharia para o futuro.* Continuo com a curiosidade de nomear e espantar os PNAs. *Não, valeu, PNA de adivinhação, não faço ideia do que o futuro trará. Não, obrigada, PNA de paralisia, não posso fazer nada pelos cenários de deveria, poderia, teria, porque já passaram.*

---

84 BLUMENTHAL, James A. et al. "Exercise and Pharmacotherapy in the Treatment of Major Depressive Disorder", *Psychosomatic Medicine*, v. 69, n. 7, 2007, p. 587-596. Disponível em: DOI: 10.1097/PSY.0b013e318148c19a. Acessado em: 24 maio 2022.

- **CRITÉRIO.** Escolho alimentar o Lobo do Amor com uma dieta firme e caprichada de perdão. "Decida se aceitar radicalmente e se perdoar por qualquer coisa que surgir", disse dra. Mort. "Se seu cérebro entrar na onda de 'Ai, meu Deus, fiz essa coisa horrível', você só vai se penalizar por uma coisa que não pode mudar, sendo que já está em modo de sobrevivência. É como martelar um braço já quebrado." Não é boa ideia, então perdoe, perdoe, perdoe com compaixão. Escolher o amor me permite me responsabilizar por mim, reconhecendo qualquer erro que possa ter cometido, e radicalmente aceitar que aconteceram para meu crescimento. Fazemos o melhor possível com o que sabemos na época. Uso a afirmação "Amor é abundante, está em todo lugar" para fazer meu viés de confirmação notar mais amor, e "Tudo está se desenrolando perfeitamente para meu bem" para me manter comprometida com a paciência e com o otimismo.

- **COMPROMISSO.** Eu me comprometo com autocompaixão, com encontrar as dádivas ao perguntar "O que estou aprendendo?" e "O que posso fazer de diferente da próxima vez, quando surgir uma situação ainda mais fabulosa?". Recuperação pode ser muito pesada, a ponto de esquecer a graça e a sensualidade. Por isso, uso a técnica de terceira pessoa para perguntar: "O que Poppy faria se já tivesse passado por isso e se sentisse ótima?". Começo a imaginar minha versão futura mais Indomável, sexy, feliz e atuante – saindo, procurando diversão e gargalhada, se cuidando, seguindo paixões – e começo a fazer essas coisas. Também uso mentores Flex para me inspirar. Minha querida amiga Misha se transformou após um término, e eu queria a mesma transformação. Segui o plano de exercícios, a dieta e a dica dela de organizar muito tempo para socialização, junto de uma ética de trabalho forte, mas equilibrada. Meu peso começou a se suavizar, pensamentos obsessivos se dissiparam e, binariamente, minha alma pareceu ainda mais cheia do que estava antes do relacionamento. A experiência me levou a um estado ótimo de liberdade emocional como indivíduo, me sentindo amada e segura por dentro.

Passe a fase da dúvida e do medo. Uma amiga certa vez me disse que um homem por quem ela se apaixonara dissera no início do relacionamento:

– Não tenho certeza se meus sentimentos por você são tão profundos quanto os seus por mim.

Ai, uau, que *gelo*! Ela congelou, sentada na frente dele, e, enquanto ele esperava a reação, ela teve uma revelação Flex. "Olhei para ele e pensei: *já estive aqui* e sobrevivi. Provavelmente estarei aqui de novo e sobreviverei também", contou. "E, de repente, eu soube que essas palavras não diziam respeito a mim, mas a ele. Sabia que ficaria bem, por isso não tive medo de perdê-lo. Falei: 'Tudo bem. Você sente o que sente. Não vou discutir.'" Quando ele notou a indiferença dela à declaração de incerteza, e sua confiança no próprio valor, de repente perdeu o medo que o continha. Eles decidiram ficar juntos e acabaram se casando e tendo dois filhos. Essa conversa é um excelente exemplo de (1) como o ato simples e corajoso de expressar dúvida e medo pode dissipá-los; (2) como é vital nosso amor-próprio ficar intacto; (3) não supor um desfecho fixo com base em experiências anteriores. Os dois indivíduos se mantiveram flexíveis e honestos, e elevaram o relacionamento para construir um futuro incrível juntos.

Nosso futuro está mudando constantemente, porque depende de como respondermos ao presente. Com uma perspectiva flexível, podemos sentir confiança de que qualquer desafio futuro pode se transformar em possibilidades de crescimento que nos alinham com nossos valores e aumentam nossa conexão com nossa versão mais Indomável e autêntica.

Mesmo experiências que parecem obstáculos, na verdade, são oportunidades ENORMES de nos impelir adiante... se usarmos o Flex.

Pense em gatilhos como dádivas. O futuro é criado pela soma de nossas ações e decisões repetidas. Mudar de hábito é a forma mais garantida de conseguir um desfecho diferente. MAS é difícil "marcar e esquecer" hábitos novos, e ainda mais difícil saber quais novos hábitos devemos tentar incorporar!

Enfraquecer caminhos neurológicos fortes é um desafio. Temos que ser MUITO gentis nesse processo. Pense em como é difícil cumprir resoluções de ano-novo. Como dra. Mort explicou: "Seu cérebro *não* quer criar novos hábitos. No momento em que você se cansa ou se estressa, seu cérebro racional se desliga e volta aos hábitos antigos". Em outras palavras, para manter novos hábitos, precisamos dormir, comer e nos mexer bem. Se tivermos a energia necessária, não seremos tão vulneráveis à recaída.

Isso faz sentido para você? Quando estou cansada, tudo vai pelo ralo. Não quero fazer exercício. Tenho vontade de sal, de açúcar e do sofá. Todos os meus hábitos saudáveis pulam pela janela. Dormir é o maior fator para eu ter o combustível necessário para me cuidar (com saúde mental, física, de alma e de pensamento). Falta de sono aumenta o volume dos meus PNAs e acho mais difícil Flex e desafiá-los. Nesses momentos, nem tento. Quando minha energia está baixa e não tenho a força mental para Flex, digo para mim mesma: "Antes de pensar mais, vá dormir e faça Flex de manhã". Isso impede a marcha dos PNAs e, quando acordo, normalmente já estão MUITO mais quietos. Se *ainda* estiverem se sacudindo, uso o café da manhã ou uma caminhada matinal para Flex. Mente ocupada é uma DÁDIVA porque nos alerta que precisamos de mais autocuidado imediatamente.

Agora, autossabotagem é outra história. "Autossabotagem é toda vez que você se envolve em comportamento consciente ou inconsciente que atrapalha seus valores e objetivos desejados", disse dra. Mort. "Acontece quando as pessoas não querem mesmo o que acham que querem, e/ou quando acham que não merecem o que acham que querem."

Por exemplo, alguém pode falar que quer um relacionamento, mas, por trás desse desejo, há um medo ainda maior de perder a independência. Quando esse medo se ativa, a pessoa entra em pânico e, em reação, demonstra algum comportamento de sabotagem, como trair ou brigar.

Mesmo um ato de autossabotagem é uma dádiva. Dá informações sobre o que *tememos*. Assim como a inveja, uma das vibrações mais baixas, ela nos ensina o que *queremos*. Agora até gosto de sentir inveja, porque assim descubro o que quero de verdade. Só sentimos inveja do que desejamos ter. É uma ótima ferramenta para descobrir o que deveria incluir no meu quadro de ação.

Com a mente flexível, podemos transformar gatilhos em informação útil para ter mais clareza do que queremos *mesmo, de verdade*. "Poucos de nós paramos para pensar: *o que eu quero mesmo da vida?*", disse a dra. Mort. "Não estou falando de objetivos [de ego]. Estou falando de *valores*. Por exemplo, *O que é mesmo importante para mim?*."

Erros são dádivas. Sabotagem é dádiva. Inveja é dádiva. Desafios são dádivas. Emoções são dádivas. Tudo nos diz o que queremos e oferece sabedoria personalizada, se estivermos abertos a escutar.

TIRE A ESCOLHA DO CAMINHO
Como lidar com a paralisia de opções demais de futuro

Temos mais trilhas possíveis na floresta do futuro do que jamais tivemos, o que pode ser estressante. Estamos constantemente sendo seduzidos por caminhos diferentes (empregos, parceiros, cidades, só para citar alguns exemplos) e, se você for como eu, quando tem medo de tomar a decisão errada, não toma decisão nenhuma, o que ocasiona pensamento rígido e uma vida empacada.

A boa notícia é que não existe decisão "errada" ou "certa". Quando temos o hábito de tomar decisões baseadas em valores que se alinham com nossa maior verdade, só andaremos na direção aprovada pelo nosso ser central. O cenário pode ser diferente, mas as lições e as dádivas serão iguais.

Uma amiga minha estava passando por um dilema recentemente e veio me pedir conselho. Listou as opções e disse:

– Não tenho ideia do que fazer!

Ela devia continuar a dar aula? Entrar no mestrado? Se mudar com o namorado para o outro lado do país? Tantas escolhas aos seus pés. Todas mudariam sua vida por anos.

– E se eu escolher errado? – perguntou. – Não sei o que devo fazer.

A síndrome do e agora, não saber o propósito da vida, causa muita ansiedade em relação ao Futuro. Quando não se sabe a resposta à Grande Pergunta – "Qual é meu porquê?" –, é natural se sentir à deriva. A Floresta do Futuro normalmente não tem boa sinalização.

Alguém certa vez me disse que a definição da felicidade era saber que você está no caminho certo. Acredito que um dos principais motivos para vivermos uma crise tamanha de saúde mental atualmente é porque enfrentamos a paralisia da escolha. É profundamente caótico ter tantas decisões a tomar. Cada escolha tem consequência, então ficamos presos na análise das opções, no modo FERROU FM, ativando sobrecarga imediata. Planejamento estratégico não é possível nesse estado. Quando a mente primata guincha e pula de sinapse em sinapse, como se espera que a gente encontre a paz de espírito para entender tudo?

Perguntei para Polly Bateman que conselho dar para minha amiga que estava enfrentando dificuldades com excesso de escolhas e debatendo o que fazer.

– Poppy, tenho um enigma para você – disse ela. – Você tem um balde cheio de água enlameada. Sem derramar a água nem usar ferramentas, como vê o que está no fundo do balde?

Pensei por um momento.

– Não faço ideia – respondi.

– Não faz nada – disse ela. – Em algumas horas, a lama vai baixar, e você vai ver o fundo.

Adoro um enigma. O argumento estava claro: quando desaceleramos, nós nos conectamos com o corpo – Passo #1 do Flex – e esperamos clareza (sem deixar o cérebro impaciente levar a melhor), podemos acumular informações, consciência e confiança necessárias para seguir adiante por *qualquer* caminho.

Fiquei muito inspirada por esta citação na *Vogue* de Janaya Khan, ativista que também usa o nome Future: "Nunca é tarde demais para se tornar a pessoa que sempre achou que poderia ser [...] As pessoas têm muito mais a oferecer do que o mundo diz. Conheci algumas das pessoas mais incríveis da minha vida neste trabalho, mas ninguém começa sendo notável."

É importante não comparar escolhas ou propósitos. A vida não é uma competição para ter O MELHOR PROPÓSITO DE TODOS. Só tomar decisões das quais nos orgulhamos, que se alinham com nossa verdade, que contribuem para o bem maior, seja apoiar nossos amigos ou a sociedade, já basta. Manter nossas plantas vivas. Fazer coisas que nos iluminam vai curar nossa alma e criar futuros incríveis.

Alma ou ego. Amor ou medo. Desejos de alma não mudam. São traços, capacidades, como gentileza, compaixão e resiliência. Manifestações de ego (que todo mundo tem) por dinheiro, bens e posse sempre mudam, dependendo do que vemos externamente, e acabam sendo vazias em si só, deixando-nos com fome incessante por mais. Só nós sabemos a diferença entre o que o ego quer e o que alma deseja. Mas não é fácil, exige que a gente desacelere e use o Flex: (1) Conectarmos conosco; (2) mantermos Curiosidade na descoberta; (3) escolhermos com Critério, amor e compaixão; e (4) Comprometermo-nos com decisões e agirmos em alinhamento com nossa verdade.

Flexercício: "ainda não sei o que quero do futuro..."

Todos encontramos bifurcações e ponderamos que caminho seguir. É aqui que as Inspirações Flex podem ajudar. Tente dividir o futuro em categorias e atribuir um Mentor Flex para cada uma. Essa pessoa passa a agir como modelo para ajudar a decidir os próximos passos naquela área.

Então, quando não sei aonde ir, eu me pergunto, dependendo da categoria: "O que fulano faria agora?". Minha mãe é ótima conselheira de autocuidado. Em relação a carreira, minha melhor amiga é melhor. Meu pai é especialista em contabilidade. Minha amiga Charlotte é minha Mentora Flex profissional no que se trata de construir negócios de impacto. Jack é meu Mentor Flex social porque é sempre a pessoa mais divertida. Considero as decisões que meus Mentores Flex tomaram na própria vida para criar as capacidades que têm. Penso em como alocam o tempo para ajudar a serem tão bons nas qualidades que admiro.

Faça uma lista dos Mentores Flex de referência em diferentes áreas da sua vida:

Quem é seu mentor profissional? O que admira nele? Como é sua rotina cotidiana? _____

_____

Quem é seu mentor familiar? Que qualidades dele gostaria de imitar? Que decisões tomou que o ajudou a ser tão bom nesta área? _____

_____

Quem é seu mentor de amizade, e por quê? Como ele aloca o tempo?

_____

_____

Quem é seu mentor de relacionamentos, e por quê? Que decisões tomou para criar o que criou? Como aloca o tempo? _____

_____

_____

Mentor de decoração e casa, e por quê? _____

_____

Mentor de saúde física, e por quê? _____

_____

Mentor de diversão, e por quê? _____

_____

Da próxima vez que for tomar uma decisão, pode consultar os Mentores Flex e o que fizeram para atingir o objetivo que você deseja. Inspiração de causa e efeito!

VAMOS CHEGAR QUANDO CHEGARMOS
Não marque o tempo

Ao longo do livro, falei de conexão com nosso sistema de orientação interior. Ao fazer isso, "ouvimos" o que faz a gente se sentir bem, o que nos anima, o que levanta nossa energia – o que nos ilumina (e também ganhamos consciência do que e quem tem o efeito oposto). É uma forma de lidar com a vida "de sentimento", não de cabeça. Ser guiado pelo que o ilumina por dentro é uma vida Indomável instintiva, o oposto da vida condicionada de acordo com os outros.

Na margem da floresta do futuro, pode parecer assustadora, mas quando somos conduzidos pelo que "nos ilumina" nas sombras, nossos pensamentos se transformam em faróis de LED. Sim, procurar referência em mentores é importante. No entanto, nossa orientação interior dá a direção mais precisa. O que nos anima é nosso farol, e a responsabilidade mais essencial que temos conosco é seguir esses sentimentos.

Para esclarecer, esses faróis não são "certezas" ou "obrigações" e não podem ser planejados antecipadamente. Não são compromissos que nunca firmamos. Essas luzes são mensagens espontâneas que ficam mais claras quando conhecemos nossa força, confiamos no nosso instinto, respeitamos nossa emoção e substituímos expectativas rígidas por intenção e flexibilidade.

O que acontece comigo às vezes é que as luzes demoram um pouco para acender, e eu fico muito impaciente. Faço a pergunta rígida: "Quando as coisas vão acontecer?" ou "Por que isso não está acontecendo?". Aí minha mente inconsciente imediatamente começa a investigar provas para encontrar motivos para não acontecer. Eis a pressão, dúvida e ansiedade.

Pode parecer contraproducente, mas, para criar o futuro que queremos, precisamos desacelerar o presente. Aprendi da forma mais difícil. De tanto desespero para construir meu futuro, tropecei em encrenca, me agarrando às pessoas erradas por motivos errados, e paguei o preço. Se tivesse desacelerado e passado mais tempo pensando conscientemente (Flex) no que estava mesmo sentindo, o que estava fazendo, poderia ter evitado os buracos. Em vez disso, caí neles, e continuei a fazer as mesmas coisas de novo e de novo (esperando mudar de resultado), permanecendo presa e frustrada muito mais tempo do que o necessário.

Desacelerar, mesmo que por poucos minutos por dia para percorrer os passos, garante que você tome decisões pensando em sua Versão Indomável, na direção que alimenta o Lobo do Amor, atualizando sua energia e também abrindo mão do que pesa. Assim como Roma, o futuro não foi construído em um dia. Como diz minha amiga: "Que pressa é essa, porra? A gente acabou de chegar!".

SEMPRE FLEX

Antes de ir, quero deixar com vocês meu ritual Flex diário. Essa estrutura simples de quatro passos me deu mais confiança, certeza, paz e transformação do que eu imaginaria ser possível. Estamos todos no processo de percorrer essa jornada louca da vida, que nunca é linear. Um passo para a frente, dois para trás, e, como um jogo de tabuleiro, podemos cair por uma armadilha ou pular dez casas de repente. A vida é sinuosa, mas, com pensamento flexível, nossos pensamentos também podem ser. Espero que você consiga, como eu, transformar a alegria do pensamento flexível em sua perspectiva padrão e aproveitar as vantagens infinitas de reprogramação mental diária, alongamento de pensamento e atualização de energia. Começo todos os dias com este Sempre Flex.

Eu me **conecto** com meu corpo, meu sistema de orientação interior poderoso, me levantando e caminhando, ou dançando ao som da minha música preferida no momento. Três minutos de dança ou vinte minutos de caminhada/corrida para energizar o corpo e sentir a fonte divina de energia feminina despertar. Como aconselha a psicóloga e especialista em relacionamentos,

Michaela Boehm, isso me faz entrar em modo de "fluir", não apenas "ir", e me permite entrar em contato pleno com meus quatro cérebros.

Fico **curiosa** quanto ao que sinto e, em vez de me precipitar em conclusões, tento encarar toda informação e sensações com "interessante, vou entender melhor". Quando um viés se insinua, questiono o que o causou e se um PNA perigoso é responsável. Nomear meus padrões de pensamento defeituosos diminui seu poder instantaneamente, e ainda mais a logo prazo. Quando administro os PNAs, consigo explorar a sabedoria e a orientação que minhas emoções tentam fornecer.

Em seguida, me lembro conscientemente de que sempre tenho o **critério** de alimentar o Lobo do Amor e me aproximar de perdão, compaixão, gratidão, desapego e intenções positivas, em vez de voltar a ciclos de pensamento assustadores. Escolho a primeira opção.

E, todo dia, eu me **comprometo** a encontrar as dádivas dos desafios e comemorar minhas vitórias e meu crescimento emocional.

O método Flex é dinâmico e constante; é uma estrutura a aplicar a qualquer decisão, situação ou reflexão diária. Conscientemente faço perguntas diferentes, como "O que posso oferecer?", em vez de "O que posso ganhar?" ou "O que aprendo com isso?", em vez de "Por que isso aconteceu comigo?". Nossa mente vai caçar o que a mandarmos procurar; use o Flex para pedir trufas, não esterco. ☺

Não quer dizer que coisas ruins não acontecerão, nem que o Flex irá nos tornar todos melhores e que nunca mais sofreremos. Seria uma *expectativa* falha e completamente absurda, e só levaria a decepção. Contudo, lembrar a capacidade humana que todos temos para flexibilidade e adaptação nos permite manter a confiança e ficar a postos não só para escapar de rasteiras, mas transformá-las em bênçãos.

Quando nos concentramos no que temos a oferecer, em dar prazer, celebração e felicidade ao mundo, assumimos nossa vida a partir desse estado proativo. Quando nos concentramos no que vamos ganhar, abandonamos agência e paz de espírito, e esperamos reativamente. Podemos tentar pegar ou tentar dar.

Com olhar flexível, sei que posso alongar todas as perspectivas. Não há bom e ruim, apenas narrativas gentis ou cruéis que nos contamos. Não há certo ou errado, só informação para decisões futuras melhores. O mais importante é viver plenamente, ter honestidade com o desejo da alma, desafiar a verdade dos pensamentos e perguntar: "Quem está falando agora? É meu crítico interior escroto, minha versão mais jovem e ferida inventando outra história para nos 'proteger' ou tentando desenterrar as crenças centrais defeituosas dos meus anos de esponja?".

Pensamento flexível constantemente me devolve a consciência para escolher um novo ponto de vista e me mantém curiosa e em estado de aprendizado. Somos todos vulneráveis, todos nos perguntamos se somos suficientes, amados ou seguros. Não há nenhum ser humano que eu conheça que não questione essas coisas. Contudo, ao nos conectar com nossas versões mais verdadeiras e Indomáveis, lembramos que todo medo é aprendido, que emoção contém sabedoria e que, por baixo de inseguranças e preocupações, existe uma alma ilimitada, apaixonada, amada, carinhosa e única. Em um mundo que normalmente nos diz o contrário, temos que virar especialistas em ginástica do pensamento!

Então, depois disso tudo, eis minha verdade: ser flexível me deixou mesmo muito mais feliz do que a perfeição poderia me deixar.

AGRADECIMENTOS

Não há páginas o suficiente para expressar devidamente meus agradecimentos. Este livro é produto de muita gente.

Primeiro, obrigada a Matthew Benjamin e todo mundo na Harmony pela oportunidade de escrever meu primeiro livro. Não tive prazer maior na carreira do que escrever isto. Nada me fez sentir tão completa quanto compartilhar minha história e meus aprendizados com tanta honestidade.

Obrigada a Jennifer Weis por ser a primeira a sugerir que eu escrevesse um livro, e a me ajudar a concretizar isso. Obrigada também a Howard Yoon pelos comentários e conselhos na proposta do livro.

Obrigada a Valerie Frankel por trabalhar sem parar para me ajudar a me expressar e me guiar quando me perdi tantas vezes. Este livro não seria nem cinco por cento do que é hoje sem você.

Obrigada a meus incríveis mentores, professores, entrevistados, líderes de pensamento e contribuidores que compartilharam sabedoria, conhecimento e experiências comigo com tanta generosidade.

Um enorme obrigada a um dos meus maiores ídolos, dr. James Doty, pelo prefácio. Ter suas palavras na abertura deste livro é muito importante e seu livro *A maior de todas as mágicas: a história real de um neurocirurgião e suas descobertas sobre o poder da meditação e da compaixão* será sempre um dos meus preferidos.

Obrigada aos meus primeiros investidores por financiar a criação do app Happy Not Perfect quando eu tinha só uma fagulha de ideia e muita visão. Agradeço sua paciência enquanto eu aprendia a começar um negócio e entendia minha saúde mental ao mesmo tempo.

Obrigada aos meus amigos pela paciência com minhas respostas atrasadas, com os aniversários que perdi e com as festas a que não fui quando o trabalho tomou precedência por tantos anos. Amo muito vocês e fico muito agradecida por terem continuado aqui.

Obrigada à melhor sócia, Suki Waterhouse. Ninguém me faz rir mais, nem me faz gostar tanto de trabalhar.

Obrigada à minha família por ser a melhor equipe que eu poderia pedir. Meus irmãos, Thomas e Edward, adoro vocês. Quanto aos meus pais, é impossível agradecer pelo que fizeram por mim. Vocês me ensinaram a lutar pelos meus sonhos, e que tudo é possível.

Por fim, obrigada aos leitores. O tempo que investiram em vocês ao ler isto faz cada minuto de escrita valer a pena. Espero que, para sempre, o Flex os ajude.

Esta obra foi composta em Kepler Std e Altivo
e impressa em papel Pólen Natural 70 g/m²
pela Gráfica e Editora Rettec